Scrittori italiani e stranieri

Alessandro Piperno

CON LE PEGGIORI INTENZIONI

Romanzo

MONDADORI

www.librimondadori.it

ISBN 88-04-53802-3

Con le peggiori intenzioni

Alla mia piccola Emanuela

Quando Dio ti concede un dono, ti consegna anche una frusta: ed essa è predisposta unicamente per l'autoflagellazione.

TRUMAN CAPOTE

Céline raccomanda di sterminare gli ebrei come batteri. È il dottore che c'è in lui, suppongo.

SAUL BELLOW

E il World Trade Center che si levava all'orizzonte, verso sud, due torri siamesi viste da quell'angolatura, unite al centro da una gru...

DON DELILLO

PRIMA PARTE
Come vissero i Sonnino

1.
Lo splendido secolo di Bepy

Bepy sentì di non avere scampo diverse ore dopo aver incassato la diagnosi di tumore alla vescica, quando tra il novero sterminato d'interrogativi agghiaccianti scelse: *Potrò ancora scopare una donna o tutto finisce qui?*

Sebbene tale dilemma possa apparire una patologica inversione delle priorità, per lui, nell'estremo frangente, risultò più spaventoso lo spettro della compromessa mascolinità che l'orrore del nulla: forse perché nel suo immaginario impotenza e morte coincidevano, anche se la seconda era preferibile alla prima, se non altro per il conforto dell'assenza eterna... O forse il salto nel buio che aveva condotto quest'uomo di successo alla bancarotta finanziaria era stato troppo fulmineo per non scalfirgli l'integrità emotiva.

Ma perché impedire al funambolo del sesso adulterino – fautore della deportazione dei finocchi di mezzo mondo in un'isola "tutta per loro" – di professarsi fino in fondo se stesso?

Il suo cazzo stagionato e ipercompetitivo era pronto, per l'ultima volta, a splendere del bagliore di un'antica fiamma: Giorgia Di Porto, modista, nonché amante semiclandestina in tempi di vacche grasse, stava per lacerare il buio degli ultimi anni di Bepy Sonnino.

Tra loro era andato tutto in malora il giorno in cui Ada, stralunata moglie di Bepy dalla pelle color confetto, aveva scoperto la diciassettenne modista – sbarazzina e altezzo-

11

sa come la Catherine Spaak del *Sorpasso* – urinare sui baffi del consorte, e questi bere l'ammoniaca dorata con l'ingordigia d'un poppante. Tutto il resto è climax inevitabile: il grido raccapricciato di Ada, l'imposizione di licenziamento della puttanella e l'indennizzante acquisto d'un collier di coralli da Buccellati che aveva, di fatto, celebrato la fine di quella dissoluta relazione.

Sedici anni dopo.

Bepy, entrando in una boutique per l'acquisto dell'ennesimo dono destinato all'ennesima pupilla, nel vedere la versione bolsa di Giorgia farglisi incontro in qualità di capo-commessa, sente salire dal ventre l'inconfondibile vampata che quasi cinquant'anni fa fece di lui un uomo.

E sebbene quell'arancione frullato di rossetto tintura e smalto sia una superba allegoria dell'autunno, sebbene, a guardarla, si direbbe che abbia bruciato l'ultimo ventennio nel tentativo d'assomigliare ogni giorno di più alla propria caricatura, sebbene la minigonna di pelle e il body leopardato non siano i giusti ingredienti per una ragazzona che ha superato da almeno un lustro la trentina, quando lei esclama: «Dottor Sonnino?...» (e con che nota d'ossequio! e con che pietosa mancanza d'ironia!), lui non sa resisterle.

Giorgia gli salva la vita.

Così gli piace pensare invitandola per una passeggiata. E mentre la mano corre a nascondere la smagliatura sulla manica del cachemire e il cuore erutta lava incandescente, Bepy prega Iddio che lei non gli chieda un passaggio, che sarebbe squallido sulla sua attuale utilitaria: ed è proprio allora – di fronte allo spettacolo della propria irrefutabile indigenza – che Bepy Sonnino capisce di aver tradito la massima che, nel bene e nel male, ha deciso della sua vita: *Meglio puzzare di merda che di povero!*, non ha fatto che ripetersi ossessivamente ogni giorno negli ultimi cinquant'anni.

Sull'onda della constatazione di negligenza, gli viene

spontaneo esumare dal catasto della memoria uno degli ultimi weekend trascorsi con Giorgia: che incanto sfilare sul lungomare del Forte a bordo della Jaguar carta da zucchero dal cruscotto in radica mielata sfoggiando un'amante-teenager di fronte alla folla di coetanei illividiti!

Esiste privilegio più maschio che suscitare l'invidia del mondo?

È in nome di quell'invidia che Bepy, firmando assegni scoperti, sfidando la ferocia di direttori di banca, chiedendo a figli e a nuore prestiti impossibili da restituire, ma soprattutto affidandosi alla fama di uomo inaccessibile scolpita nell'ideale dell'invecchiata e formidabilmente immatura Giò (così gli piace chiamarla, con la o aperta, proprio come allora), la corteggia ferocemente, e ne ottiene la capitolazione, una sera, vincendo l'estrema scommessa libertina. Ma proprio allora, nelle ricorrenze che scandiscono la vita di quest'uomo, sempre incerta tra sciagura e parodia, si manifesta il male. E l'unica cosa che Bepy sa chiedersi, assorbito dalle curve smaniose del corpo pseudoarrapante di Giò, è se potrà ancora, dopo l'eventuale intervento, scoparla con disinvoltura.

Se nessuno aveva biasimato la naturalezza di Bepy e di Ada Sonnino nell'assorbire il trauma della nascita d'un albino come mio padre e d'uno svitato come mio zio, tutti avevano preteso da quei fuoriclasse nell'arte della sottovalutazione un rapido adattamento al crack finanziario che, oltre a ridurli alla miseria, aveva minato le fondamenta del loro legame saldissimo.

E, in effetti, i due, alla resa dei conti, se l'erano cavata alternando – nel senile ménage – a metodici sorrisi di rancore battibecchi che avevano fatto letteralmente epoca: come per esempio la volta in cui lui, rientrato precipitosamente in casa, le aveva annunciato, al colmo dell'indignazione, di aver visto in fila alla cassa d'un supermarket il rabbino Perugia con in mano due enormi coloratissime confezioni di panettone:

«Dove sta scritto che un rabbino non possa comprare il panettone?»

«Un rabbino deve dare l'esempio...»

«Non ti ha sfiorato che potesse essere un panettone *kasher**?»

«Ada, sto parlando seriamente...»

«Trovami una sola interdizione – una! – che vieti a un ebreo d'acquistare un panettone.»

«E allora perché non il presepe? È scritto da qualche parte che un ebreo non possa fare il presepe?»

«E allora tu dimmi chi ti dà la certezza che volesse mangiarlo?»

«Pensi lo abbia preso per soprammobile?»

(Da notarsi come i Sonnino ebraicamente prediligessero la dimensione interrogativa rispetto a quella asseverativa tipicamente cristiana.)

Oppure il giorno in cui, dopo la telefonata d'un addetto del cimitero che c'informava – prima di diffondere la notizia agli organi di stampa a suscitare la solita trita indignazione – che qualche teppista non solo aveva deturpato con svastiche a pennarello la tomba di famiglia, ma che, non soddisfatto, aveva trafugato la salma mineralizzata del mio bisnonno, quel che restava del venerabile avvocato nonché melomane Graziaddio Sonnino:

«Povero papà!»

«Ma se sono dieci anni che non lo vai a trovare...»

«Per questo dovrei gioire se lo rubano?»

«E che vuoi che gliene importi? È morto.»

Per non parlare delle volte in cui Bepy si lasciava andare a trasognati peana sui grandi artisti del nostro secolo: la passione per l'arte contemporanea che in lui rasentava l'idolatria non solo riusciva a spezzare temporaneamente le catene del suo scetticismo, ma sembrava gettarlo in un de-

---

* Ciò che è conforme alla *kasherut*, cioè alla norma biblica e rabbinica sulla purità dei cibi permessi, sul modo di cucinarli e servirli.

liquio sensuale incompatibile con la sua fin troppo pubblicizzata compassatezza

«Dimmi, Ada... Se in questo preciso istante dovesse apparire il grande Picasso... Ecco, cosa gli diresti?» chiedeva trasognato.

«Bah, probabilmente gli chiederei un prestito!»

Devo confessare che il mio litigio preferito (forse perché ho l'onore di interpretarvi il ruolo del novenne esterrefatto testimone) è quello in cui Ada e Bepy, rincasando, trovano la giovanissima e avvenente cameriera ucraina con i capelli bagnati e indosso l'accappatoio di nonna.

«Si può sapere cosa diavolo stai facendo?»

«Ma signora, è stata lei a ordinarmi di *fare bagno* tutti i giorni.»

«Mi stai prendendo in giro? Intendevo che devi pulirlo...»

È lì che Bepy, spinto da una pedante forma di galanteria, sente il dovere d'intervenire:

«Beh, Ada, dobbiamo concedere alla piccolina che la tua espressione dava adito a qualche ambiguità!»

E chissà che tale flusso di cinismo, con cui di volta in volta uno annichiliva le passioni dell'altra, non fosse un modo per rimandare il grave discorso che – in mezzo secolo di matrimonio consacrato alla reciproca infedeltà e al meticoloso scialo di quattrini – non avevano trovato il fegato di affrontare.

Vietata qualsiasi allusione, il sipario calava su quel drammone in progress ancor prima che esso si svolgesse sulla scena, come se l'intero mondo fosse stato narcotizzato dall'elisir di talco e colonia al lime con cui Bepy, dopo le sue docce mattutine, irrorava generosamente l'inguine: persino il retro-terrore dell'Imponderabile era stato bandito in quell'assurda famiglia, eccettuate alcune licenze rituali: le ansie che straziavano Bepy nel cuore della notte, nell'attesa della telefonata d'un pubblico ufficiale che gli annunciasse un incidente automobilistico nel quale uno dei suoi figli aveva perso la vita, notizia che avrebbe in un sol colpo trasformato l'esemplare vicenda umana di Bepy Sonnino & family in un inesprimibile buio di sofferenza. Ma almeno questo gli fu risparmiato.

E bisognava pure capirli!

Avendo ingerito, dopo una confortevole adolescenza, la dose di frustrazione erotica che furono, al postutto, le leggi antiebraiche del '38, letteralmente contagiati dall'epidemica allegria postbellica, questi giudei della Roma "bene" avevano sostituito – con che estemporaneità! – al terrore per Benito Mussolini e Adolf Hitler la mimetica venerazione per Clark Gable e per Liz Taylor. Era come se quella spaventosa clownesca coppia di dittatori fascisti non fosse mai esistita, come se – nei cuori di tutti i Bepy italiani – essa fosse stata sepolta insieme alle carcasse indistinte delle centinaia di parenti deportati: il nugolo di cugini, cognati, sorelle, suoceri e nipotini i cui resti oramai avrebbero potuto occupare un paio di buste per l'immondizia, di cui era severamente vietato parlare e della cui fine nascostamente ci si vergognava. Cancellati, ancor prima che dalla faccia della terra, dalla memoria dei congiunti sopravvissuti: come se i loro stracci e le loro magrezze infernali, le loro morti senza identità, minutamente documentate da quelle orrende foto in bianco e nero, fossero inadatte allo scintillio delle argenterie o al brio euforizzante dei cocktail di quegli anni fantastici. O come se quella follia di diabolica malvagità che s'era abbattuta sui Sommersi avesse autorizzato i Salvati a una disinvolta spregiudicatezza. era per questo – solo per questo? – che non esisteva un solo individuo nel milieu di Bepy e di Ada che non si sentisse autorizzato a violare i precetti borghesi, avanzando sessuali profferte alla moglie del migliore amico o alla figlia minorenne del collega più caro?

Evidentemente l'inferno aveva abolito il proibito. Se questa rimozione collettiva non fosse esistita, come avrebbe fatto nonna Ada – cui i nazisti avevano annientato (anche se in famiglia per delicatezza si preferiva l'eufemistica espressione "portato via") le due cuginette piccole e una

16

dozzina d'altri affini – a partecipare con tanta commozione all'essiccamento delle sue ortensie alla fine di ogni estate?

Nulla di strano, in fondo: Bepy e Ada si sentivano in credito. Ecco tutto. Solitamente la gente che ha rischiato la pelle sviluppa, in seguito al trauma, una circospezione travestita da incubo notturno o da diurno presentimento. Ecco, invece, i Sonnino attribuirsi una speciale immunità plenaria, sorretta da una parte dalla convinzione che chi ha avuto il fegato di traversare una così enorme sciagura sia attrezzato al superamento delle successive di sicura minore entità, dall'altra dalla consapevolezza del diritto al risarcimento, garantito da qualsiasi religione monoteistica e da ogni giurisprudenza liberale (così palesemente in contrasto con le leggi dell'umano destino). La Storia avrebbe loro mostrato ch'è meglio essere braccati dai nazisti a venticinque anni con la speranza di sfangarla che ritrovarsi sessantenni senza il becco d'un quattrino in balia della pubblica deplorazione nel cuore d'una crudelmente indifferente democrazia occidentale.

Frivolezza, sarcasmo, improntitudine, inclinazione al sofisma, al depistaggio e al millantato credito, imprudenza, incapacità di valutare l'effetto d'ogni singolo atto, prodigalità, sessuomania, disinteresse per l'altrui punto di vista, riluttanza a riconoscere i propri torti, ostentato vigore caratteriale che è solo debolezza, e soprattutto una peculiare varietà di ottimismo che sconfina nell'irresponsabilità: non è che una piccolissima dose della miscela con cui abitualmente ti fregano, mettendoti con le spalle al muro, il microbo con cui t'intossicano l'organismo, ma anche la cocaina con cui lo euforizzano. E se solo avessi, a mia volta, trovato il coraggio d'inchiodarli alle loro responsabilità, se solo avessi avuto l'impertinenza (di cui ero così sprovvisto agli albori della mia pubertà) di intimare loro: "Vi prego, vi scongiuro, non sarà l'ora che ammettiate i vostri torti? E che guardiate in faccia la realtà?", sono certo che essi mi avrebbero guardato con disprezzo per bruciarmi subito dopo con una facezia filosofica tipo: "Il signorino è pregato di dare una definizione di *realtà!*".

Non era proprio attraverso questo relativismo totalizzante che Bepy era riuscito a persuadere, quasi trent'anni prima, quello scherzo di natura di mio padre a considerare il proprio albinismo un'irripetibile occasione distintiva, griffe della sua futura personalità?

Il successo educativo imprevedibilmente ottenuto da Bepy con mio padre – che nessuno in seguito gli avrebbe riconosciuto – era scaturito proprio dal deliberato stravolgimento d'ogni paradigma pedagogico: Bepy aveva scelto di magnificare le differenze e le stonature del suo piccolo fosforescente primogenito. E a forza di ripetergli: «Tu sei unico, ir-ri-pe-ti-bi-le, tu hai capelli come i marziani e la pelle degli orsi...», aveva assistito, non senza orgoglio, al miracoloso irrobustirsi di quell'organismo così precocemente deformato. Si può dire che il colpo di genio di Bepy sia consistito nel dirottare l'attenzione del piccolo Luca dall'eccentricità del suo aspetto ridicolo ai vincoli dell'impeccabilità formale: guai avere scarpe impolverate, gualcire la piega dei pantaloni, ostruire il passaggio a una signora, soccombere dialetticamente o atleticamente sfigurare. Perché la cosa più seria è ritenere che nulla lo sia abbastanza da meritare la nostra emotiva partecipazione o incrinare il nostro benessere materiale. E dunque bisogna parlare parlare, mai smettere di farlo, non tacere per ascoltare, non ascoltare per non tacere, conquistarsi il dono dell'ultima parola, della battuta indimenticabile.

Forse la memoria mi ha tirato lo scherzo di trasformare Bepy in un decalogo di buoni comportamenti per vivere al massimo con il minimo sforzo.

Prendiamo quella volta in cui nonno, durante un soggiorno al Cristallo di Cortina, dopo una sontuosa colazione in camera – con tutta la scintillante chincaglieria alberghiera cui non sa rinunciare – chiude mio fratello Lorenzo e me, non ancora adolescenti, in bagno per farci defecare e, urtato dalle nostre proteste: «Ma se non ci scappa?», ci riprende: «Non me ne frega niente». «Ti scongiuro, nonno, apri la porta.» «Vi proibisco di tirare la catena, la voglio vedere! È una questione di ordine mentale!» Ebbene, lui non sta facendo altro che mostrarci come una certa marzialità sia la medicina giusta contro le puerili svenevolezze della nostra generazione e della nostra epoca.

Bepy è pazzo, eccessivo, ma è anche un asso nell'arte dello scherno e della dissimulazione. Una creatura forgiata dal Ventennio fascista addolcita da un'overdose di causticità e humour repubblicano, una vivente contraddizione a cui tutto è imputabile ma non di non essere stata drasticamente fedele a se stessa.

Persino quando secoli prima Teo, il suo secondogenito, poco più che diciottenne, aveva deciso di fare un lavoretto estivo per pagarsi una psicoterapeuta junghiana che lo aiutasse a considerare il proprio desiderio di emigrare in Israele non più come manifestazione di odio edipico o antipatriottico, ma, semmai, come aspirazione "adulta" (questo attributo commuoveva i Sonnino alle lacrime) a imprimere una svolta alla propria esistenza... Persino in quell'occasione, Bepy era ricorso, per contrastare il figlio, al suo impareggiabile cinismo:

«A che serve l'analisi? Non ne hai abbastanza di queste cazzate? A meno che tu non abbia trovato un modo istituzionale di raccontare le tue scopate a una signora. Nel qual caso avresti la mia approvazione.»

«Dai, ti prego, lasciami in pace...»

«Dico sul serio. In Israele fa un caldo boia. Non c'è acqua. Giordi Spizzichino mi diceva che gli impianti di desalinizzazione si rompono in media ogni tre giorni. Mica puoi fare la doccia tutte le sere. E lo sai che quei giudii cucinano di schifo. Sai che Rachele Loewenthal da quando vive a Haifa ha la dissenteria cronica?»

Vi presento Bepy: un tipaccio il cui involontario empirismo s'esprimeva sempre nei casi personali. Lui tirava fuori dal cilindro una frotta di amici e parenti – tutti dai nomi improbabili – che avevano fatto, avuto, rischiato, provato quello che tu, piccolo ingenuo, stavi per esperire, da una parte sprovvisto di quel sublime salvagente emotivo che i genitori di tutto il mondo chiamano "esperienza" e dall'altra sopraffatto dal tuo sentimentalismo.

«Ho de-de-de-ci-ci-ciso» balbettò Teo come volesse uccidere il padre mitragliandolo di sillabe.

«Ma no che non hai *de-de-de-ci-so*» facendogli impunemente il verso «Non si decide così. Si riflette eppoi si decide. Sai cosa ti ci vuole, piccolo mio?»

«Beepyyy... Ti preegooo... non dirmeelooo...»

«Una partita a tennis, una frizione di colonia e, a chiudere, una bella scopata...»

«Inutile papà! ... Ti ho detto che...» sibilava cocciutamente Teo con la voce che tremava, perché non era abituato a contraddire il padre e non sapeva parlare seriamente, sebbene avesse studiato tutta la vita per imparare a fare sia una cosa sia l'altra.

«Al Circolo quest'anno ci sono un mucchio di deliziose nuove iscritte: fanno al caso nostro. Se ora ti calmi, ti dai una lavata, ti acchitti, e se soprattutto dai retta a papà t'assicuro che per stasera...»

«Dai, Bepy... Ma per te non esiste altro?»

«Non solo non esiste *altro*, ma diffido da tutti quei *chiusi** frustrati che declamano le meraviglie dell'*altro*...»

«Si dà il caso che in questo preciso momento della mia vita mi interessi solo ed esclusivamente l'*altro*...»

«Si dà il caso che non me ne freghi un cazzo. Tu non parti! Dammi almeno una ragione, per Dio!» s'inalbera il vecchio, constatando l'inefficacia delle sue argomentazioni e forse per questo rabbuiandosi. «Sai, Teo, che sono mostruosamente ragionevole. E allora mi serve un "perché". Se mi dai questo cazzo di "perché" puoi andare

---

* Espressione di dileggio del gergo giudaico-romanesco con cui vengono definiti i non ebrei alludendo alla loro mancata circoncisione.

persino in Australia se ne hai voglia. O sulla luna insieme ad Armstrong.»

Richiesta incongrua. Domanda retorica. La risposta è là, a portata di sguardo: nella camicia azzurra aperta sulla ricciuta foresta del petto di Bepy, nell'insolenza dei bicipiti, nello splendore acquatico del sorriso, in quella pelle che odora di caffè tostato e di candeggina, nell'inossidabile certezza di sé, nell'ingenuo triturante pansessualismo, in quel corpo che non smette di gridare "Io ce l'ho fatta. Io conosco la ricetta della vita...". Sì, perché guardare altrove? La risposta è facile. Lui è la risposta che cer chiamo. Lui, il Padre e poi Luca, il suo emissario masche rato, il suo *bechor**. Eccolo qua, nonno, il tuo cazzo di "perché".

Senza però dimenticare che quel caporalesco sfoggio d'insensibilità è per prima cosa strategico: il meccanismo autoapologetico che qualsiasi padre in flagrante malafede mobilita per difendersi da quella scocciatura che alcuni illustri ciarlatani chiamano "senso di colpa": il modo spiccio d'eludere una verità dura: chi altri – se non lui, il Padre – è responsabile con il suo machismo, con la sua straordinaria seppur temporanea riuscita nella vita, dell'infelicità e dell'inadeguatezza del suo secondogenito? Chi, alla fine degli anni Cinquanta, ha tramutato quel moccioso sorridente sempre a caccia d'introvabili dischi di Eddie Cochran o Jerry Lee Lewis in un ragazzaccio livido, capace di trovarsi unicamente nel proprio sentimento religioso, e nel desiderio di fuggire in Israele?

(Ma non è questo un altro modo per impantanarsi nella più fangosa melma novecentesca? Non ne avete abbastanza delle colpe dei padri? O della rabbia dei figli, per non parlare dei loro tardivi ravvedimenti? Non siete saturi di scontri intergenerazionali? Lui, Bepy, non si sente responsabile di niente. Non vuole storie. La vita, dopo tut-

---

* Maschio primogenito in ebraico.

to, è semplice. *I nazisti volevano accopparmi per ragioni che u* *tutt'oggi ignoro. L'ho sfangata. E abbastanza giovane per ri* *cominciare daccapo. Non chiedetemi come né perché. Non sono* *un tipo con le risposte in tasca. Griderò la mia felicità. Santifi* *cherò la mia buonafede. Gratificherò materialmente la mia pro* *le. Poi starà a loro.*)

Ma non si può dire che quel cinismo sia una scorciatoia con cui Bepy si monda la coscienza. Tutt'altro. È un'operazione costosa per un animo così naturalmente incline a un'indulgente fluidità. È semplicemente una scelta di campo: viva la semplificazione, viva l'aridità sentimentale. (Trovatemi qualcuno che resista all'incanto dei propri slogan, che non s'innamori furiosamente della propria idea del mondo.) Bepy è nato per semplificare. Né comprende – non ci riuscirà neppure alla fine – che talvolta la levità può essere l'anticamera dell'indifferenza. E l'indifferenza, a sua volta, il viatico per il disastro.

E d'altra parte, alla fine, la vita, per gli immoralisti e voluttuosi coniugi Sonnino – con tutta la loro leggerezza e con tutta quella fradicia retorica della leggerezza – si rivela un brutto affare. Ma senza che essi le diano la soddisfazione d'un onesto ravvedimento.

Perché i Sonnino – è bene tenerlo a mente – sono allergici all'interiorità.

È stato il dottor Limentani – chirurgo dell'Ospedale Israelitico, cugino di secondo grado di Bepy nonché suo partner tennistico nei doppi della domenica mattina alla Canottieri Lazio – il primo a metterlo in guardia, inaugurando il coro dei familiari smaniosi di persuaderlo che l'essenziale sia salvare le penne. E come è noto il tatto è merce rara in casa Sonnino:

«L'operazione è indispensabile, forse lo abbiamo preso in tempo...»

«Rischi?»

«Il rischio è totale!»

«Ma no, su... Sai cosa intendo... L'impotenza?»

«Dio, Bepy, questa è la cosa più seria che ti sia capitata.»
«T'ho chiesto se c'è un rischio.»
«E io ti ho detto di sì. Ci sono mille rischi...»
«E allora no!»
«Dai, Giuseppe, stavolta non è uno scherzo...»
«No.»
«Lo capisci che è una follia? Un suicidio? ... Le cose cambiano, bisogna solo... Eppoi non è affatto detto...»
«No!»
«Sei la solita testa di cazzo!»

Bepy sceglie di morire: pian piano la sua figura si squaglia, i muscoli disciolti come un gelato al sole. Giorgia scompare nel magma d'un desiderio inappagabile, mentre Ada torna l'ennesima volta ad assisterlo.

Bepy, oramai, non è neanche la controfigura del macho attempato che chiedeva a me (suo nipote dodicenne) di mostrargli i genitali, per verificarne l'attitudine a future battaglie erotiche. Il viso quasi completamente cosparso d'una barba ispida e gli occhi attizzati dalla morfina gli conferiscono un'aura ascetica palesemente in antitesi con la sua indole e con la sua storia. Sì, il viso di Bepy, a poche lunghezze dalla morte, è uno splendido apocrifo del misticismo. È come se il mondo esteriore, per Bepy, tendesse alla progressiva uniformità. Percependoci rarefatti e intercambiabili, è come se si stesse scavando la tomba entro di sé: lui non è mai stato così chiuso in se stesso. Il vitreo sguardo che ci rivolge non sembra viziato da pregiudizi. Per lui, ormai, mia nonna, mia madre, mio padre, la signora filippina che lo accudisce, finanche le sue apocalittiche visioni, così come quella bolla nero pece da cui presto verrà fagocitato, sono la stessa cosa, emissari del caos lattiginoso in cui si è transustanziato il mondo.

Giace nella stanza da letto dell'ipotecata dimora pariolina (nella quale si è trasferito dopo la bancarotta e dopo la breve parentesi americana) che conserva una parvenza di signorilità, appena incrinata da un lenzuolo liso o una tazza sbeccata che esasperano mia nonna tanto quanto l'inesorabile estinzione del marito. Affondato nel suo giaciglio, refrattario all'idea di non avere scampo, anche se la sua camera sembra una farmacia, stracolma com'è di scatolette di medicinali (dalle innocue aspirine ai più invasivi antidolorifici) non fa che ripetere frasi del tipo: "Domani, se mi sento meglio..." senza preoccuparsi di terminarle. Oppure fissa con aria trasognata le michelangiolesche chiappe della mia tata capoverdiana per lasciarsi andare a trasognati commenti: «Allora questo è il paradiso...». O ancora, rivolto alla moglie, incurante della nostra presenza, o forse eccitato dalla medesima: «Dillo che non hai goduto mai con nessuno come con il tuo Bepy...». Anche se Giorgia resta la sola vera protagonista del suo delirio, con particolare riferimento a quell'indimenticabile "pompino del Settantanove". Il pompino d'un'innamorata adolescente a un cinquantenne che sta per conoscere il disdoro del crack e dell'esilio.

È strano: l'oscenità non è mai stata il suo forte. Il sesso sì, ma l'oscenità mai. Ora, invece – forse perché il suo cervello è incapace d'ospitare l'idea della propria imminente non-esistenza, o d'assorbire un concetto ostico come quello della mancanza-di-un-futuro-possibile – sembra aver trovato scampo nell'osceno. Come può il nostro Bepy, nemico personale della trivialità, che ci ha insegnato a eluderla, abbandonarvisi con un'incontinenza verbale raccapricciante nel momento più serio della sua vita? Il fatto è che l'uomo più sano del mondo non ha mai pensato alla morte se non come a un'ipotesi astratta che riguarda soltanto "gli altri": e quel suo sconcio vaneggiare, che il professor Limentani con laico empirismo ed ebraica pietà ascrive completamente all'effetto del Tangesic, sembra piuttosto il segno di come un cervello rifiuti d'accettarsi morente: una sorta di patologica degenerazione del consueto delirante ottimismo o, se preferite, dell'endemica viltà del nostro Bepy: se una cosa non puoi cambiarla, cancellala. Cancella, Bepy, finché sei in tempo. Non è stata forse questa la forza della tua vita? Il tuo segreto più inconfessabile?

È per questo che, nonostante i dolori e i conclamati im-

24

pedimenti del suo status, continua a farsi la barba e a spargere le guance e i capelli di colonia, nello stesso modo toccante e irriflessivo con cui, nei giorni successivi al tracollo economico, perseverava in abitudini lussuose e in acquisti irresponsabili. Come se una parte del suo corpo e della sua intelligenza stentassero a registrare quell'insopportabile circostanza o come se reclamassero un'illusione di normalità.

Ormai Bepy si occupa solo del proprio corpo, dei propri rimescolii fisiologici, come se il suo corpo fosse diventato l'intero pianeta, come se esso fosse composto di vallate, altopiani, montagne e oceani: ogni tanto Bepy sussurra, ricorrendo a un'incongrua terminologia scientifica, "devo urinare" oppure "devo defecare" come se annunciasse l'arrivo d'un terremoto o d'un'inondazione. È come se proprio ora che il corpo ha i giorni contati, proprio ora che il fardello della carne pesa più dell'universo, ora che il corpo è impazzito, ora che il corpo risponde solo a se stesso, ora che il grande Bepy al suo inconfondibile profumo di colonia al lime e di sigaro toscano ha sostituito quel miasma speziato di feci malate, scoprisse improvvisamente che non è mai esistito altro: il corpo, solo e soltanto il corpo.

Le ultime parole di Ada Sonnino furono pronunciate pochi giorni prima della sua morte, in occasione delle nostre passeggiate domenicali in centro: un saggio di scorrettezza degno d'un libertino del Diciottesimo secolo, tanto più eccentrico valutandone la provenienza da una chicchissima ottuagenaria che sembrava aver nascosto tutto il segreto della bellezza di fanciulla e dell'avvenenza di donna-matura in una perla solitaria che le brillava sul collo appesa a un invisibile filo d'oro bianco. All'epoca l'arteriosclerosi le aveva sfasciato il cervello. La sola attività cerebrale concessa alla vecchia smagrita, un tempo la più incantevole signorina della comunità ebraica romana, con il suo naso egizio affilato e la chioma corvina, era la declinazione dei nomi dei negozi, senza mai interromper-

25

si, come se l'erotomania che aveva bruciato lei e il suo consorte per tutta la vita si fosse sublimata, quarant'anni dopo, in una forma imprevedibilmente verbale. Era questo il modo in cui il suo cervello, stipato di ricordi sfolgoranti e drammatici, tentava di fuggire se stesso? Era questa la versione senile della sua diuturna strategia della dissimulazione? Un monumento all'Oblio in vita? Chi può dirlo! Eppure quel disturbo circolatorio che l'aveva portata alla farneticazione, talvolta, in una specie d'epifania metafisica, lasciava il campo a piccole stille di saggezza: che non sapevi mai se considerare frutto della memoria fotografica di certe menti malate che per caso ripetono frasi di tanti anni prima, o piuttosto un temporaneo rinsavimento, preludio a una nuova caduta nel buio.

Insomma, chi è questa donna? Questa vegliarda che nel caos di via Condotti si aggrappa al mio braccio come non avesse altro? Possibile che quest'accozzaglia di ossa tremanti sia quel che resta dell'incantevole ragazza che ha rovinato il marito, come tutti dicono? Colei a cui Bepy nulla sapeva negare? È vero che Bepy comprava il suo silenzio? È vero che Bepy era alla mercé della megalomania di questa signora? È lei la bieca responsabile dell'ascesa e del tracollo del Nostro? La vedova nera? È lei che stiamo cercando dall'inizio di questa investigazione? È lei che merita di essere accusata di tutto quanto? Nessuno ha scordato che pochi giorni dopo la partenza del marito per gli Stati Uniti lei, in preda a una crisi isterica, incapace di accettare che la sua vita principesca fosse andata in fumo per sempre, atterrita dalla possibilità che la ferale notizia potesse raggiungere le "amiche del bridge" di via Paisiello, agghiacciata dall'idea che esse potessero sorriderne come lei mille volte aveva sorriso delle altrui disgrazie, si rifiutò di restituire le pellicce appena acquistate dal marito e non ancora pagate. Mio padre gliele strappò di mano, come a farle intendere che le buone maniere della gente ricca avevano ceduto il campo alla violenza dei nuovi indigenti.

Ebbene: rimasi impressionato quando Ada Sonnino guardandomi con quei suoi occhi spiritati, dopo aver letto ad alta voce tutte le insegne di via del Babuino e apprestandosi a iniziare con quelle di via Condotti, mi disse, come un oracolo:

«Daniel, se un giorno la tua ragazza dovesse scovarti a letto con un'altra, dille che stavi dormendo, che non sai come quella troietta sia potuta finire sul tuo materasso, nega l'evidenza. Le donne vogliono solo sentirsi mentire...»

So che non è il discorso più edificante che uno s'aspetti da una nonna vicina alla tomba. So bene che qualcuno giudicherà tale punto di vista antiquato e degradante per una donna. Non è mica roba da otto marzo o da collettivo femminista o da rotocalco filogino. Eppure ci serve da sfondo per capire come il legame misteriosamente indissolubile fra Bepy e Ada continuasse a nutrirsi – dopo la morte di Lui – dei vaghi sensi di colpa di Lei, sola superstite: rimpianti e rimorsi d'una rimbambita: come per esempio il non essere riuscita a persuadere il marito dell'assoluta inevitabilità dell'operazione alla vescica. Come aveva potuto permettere a quello sciagurato d'immolarsi sull'altare del suo insopportabile machismo? Perché aveva lasciato che quel corpo virile, coperto da uno strato di pelle ruvida e dura come una bisaccia – che l'aveva tanto eccitata sin dai tempi lontani in cui s'erano incontrati e uniti in piena campagna razziale, benedetti dalle bombe amiche degli "alleati" – si disseccasse?

Per l'ultima volta Bepy non solo aveva affrontato il passo estremo senza lasciarsi traversare dalla cupezza, né dalla stupida aridità dei Problemi Fondamentali, ma era quasi riuscito a persuaderci che la virilità fosse un bene per cui sacrificare la vita.

2.
Mai visto un cadavere così chic

Nano in abito scuro, sussurra dentro di me una voce suadente come lo speaker d'una sfilata di moda: floscio zuc chetto blu notte e occhiali da sole rubati a mia madre, an che se non sono graduati, perché fanno molto "funeralε americano". Sono quasi bello, studiatamente affranto nel blazer di Brooks taglia junior e con il biondo provvisorio ciuffo che mi carezza la fronte.

L'intramontabile rabbino Perugia dà inizio al rito senzε preamboli. Sembra annoiato. Le labbra si muovono appe na. L'idea è che le parole gli escano come una giaculatoria mandata a memoria. L'idea è che, pur conoscendo l'ebraico, non le comprenda o abbia smesso da secoli di sentirle.

Ma ecco avanzare, con la lentezza d'un ennesimo carro funebre, una nera Mercedes 500 fresca di autolavaggio, e fermarsi proprio all'altezza dello scuro crocchio, nella piazza antistante la tetra cappella del cimitero ebraico. Come un divo del cinema scende dall'auto Giovanni Cittadini (per gli amici Nanni), amico d'una vita di Bepy e socio truffato: vestito di grigio scuro, un'ombra costernata a offuscargli lo sguardo abitualmente nitido. Si tratta d'un meraviglioso sessantacinquenne che sa di canfora e gelsomino: giraffona snodabile che, se non ne conoscessi la proverbiale castigatezza, potresti scambiare per una checca contrita (una di quelle omosessualità rattenute che si esprimono attraverso una stizzita misoginia). Anche lui ha lo zucchetto, non richiesto omaggio ai Perfidi Fratelli

Ebrei, con effetto comico assicurato: ossimoro deambulante: la sua figura non ha nulla d'ebraico: troppo dinoccolata, troppa sicurezza nell'incedere. Scortato da due efebici ragazzini dal sesso indecifrabile austeramente abbigliati come garçon d'honneur, eccolo passare in rassegna la ve dova, il figlio maggiore, il minore, i nipoti e così via in una sequela di convenevoli. Solo ora che mi guarda fisso negli occhi con l'intensità di chi ha tante cose da dire capisco che non ha niente da dirmi. Ancheggia, mettendo conti nuamente a posto i polsini ingemellati della camicia bianca, come credesse d'essere lui, e non il cadavere, la vera star del cimiteriale rendez-vous.

È sorprendente vederlo alle esequie dell'uomo inde gno che – a sentire quello che la gente mormora – gli ha rubato un mucchio di soldi. *Quindi lo ha perdonato?*, ci si chiede intorno. Non solo Nanni, nella sua signorilità, si è prodigato per i congiunti di Bepy, per trarli d'impaccio, restituire loro una vita dignitosa, ma ora trova anche la generosità di partecipare al funerale dell'ex-amico furfante che osò provarci con Sofia, la sua stupenda moglie di sangue blu: come è riuscito Nanni il Magnanimo a perdonare Bepy l'Irredimibile? Non sono pochi i motivi legittimi e illegittimi di risentimento che il Magnanimo vanta nei confronti dell'Irredimibile: e stavolta gli affari non c'entrano e neppure la lealtà tra amici d'una vita. Ci sono diverse faccende in sospeso che Nanni, con tutta la sua bonomia, non ha ancora condonato. Una su tutte: Giorgia, la sublime modista diciassettenne. Non che Nanni ne fosse innamorato. Un'infatuazione, un estemporaneo trasporto, ecco tutto. Cose che accadono a un ultraquarantenne tutto d'un pezzo come Nanni dopo una vita d'onorato servizio coniugale. L'interesse per una creatura incantevole. Niente di più. Diciamo che a Nanni piaceva parlarle, fare il galante, escogitare ogni giorno un trucco diverso per farla ridere. Non è fantastico vedere ridere una ragazza? Diciamo che aveva ritrovato il gusto di fare la doccia al mattino e di spendere un

29

quarto d'ora per scegliere una cravatta. Diciamo che per un po' di tempo non aveva visto l'ora di arrivare in ufficio per verificare se l'incontro con quella ragazzina gli avrebbe suscitato la lieve alterazione al respiro del giorno prima... Insomma, date tali premesse, è plausibile ritenere che il piccolo scandalo familiare che coinvolse Bepy e la giovane modista – la traumatica scoperta da parte di Ada della dissoluta relazione del consorte a base di weekend balneari e urina-party – abbia maldisposto Nanni, e lo abbia fatto sentire cretino. Sì, non deve essere stato facile per un tipo orgoglioso come lui – e così puritano – accettare l'idea che nei giorni in cui aveva appena iniziato a interrogarsi sull'opportunità d'invitarla fuori a colazione Bepy se la scopasse da oltre un mese. *Una minorenne, capito che roba? Una minorenne. La mia bambina...*

Eppure questo arcangelo – via, ragazzi, un uomo così distinto! – è venuto lo stesso: è qui al funerale tra noi. Sembra persino commosso. E in segno ulteriore di distensione diplomatica ha portato con sé i biondi nipoti vestiti con grigi cappottini gemelli i cui bottoni di madreperla fanno pensare a scintillanti superfici artiche: due creature così angelicamente astratte che mi viene voglia di abbassare lo sguardo come se, invece del funerale di mio nonno, mi fossi ritrovato immerso nello spettacolo della mia umana degradazione. Solo ora mi accorgo che si tratta d'un bambino e d'una bambina.

È come se la comparsa dell'ariano mascherato da ebreo e dei due cherubini avesse confermato nei presenti – siano essi congiunti stretti o amici lontani – l'idea che quel figlio di puttana di Bepy sia morto al momento giusto, all'apice del disdoro, giovane abbastanza per suscitare nel prossimo la pietà appianatrice ma non perché gli si possa abbonare ogni trascorsa depravazione. Bepy era uno di quei temperamenti capaci di trovare piena armonia nell'effervescenza dell'età giovanile: durante la folgorante galoppata ch'è stata la sua esistenza, ha già percorso le tappe significative verso l'abiezione. Quale ragione per esserci ancora?

Bepy non è nato per vivere d'espedienti, correre dietro a domestiche e segretarie, frodarle per pochi spiccioli, come ha fatto negli ultimi anni. È una figura carismatica, col bisogno d'un palcoscenico su cui esibirsi. Vogliamo serrare le palpebre e vederlo in smoking bianco, espressione ispirata, baffi dorati e il sorriso insolente dagli incisivi larghi alla Clark Gable, mentre gusta una coppa di champagne sul ponte della *Michelangelo*, al fianco di sua moglie e di tutta l'audace ciurma di gaudenti, alla conquista di New York! E allora ben venga la morte dello scellerato. Sì, morto al momento giusto. Non era tipo da giacche sformate dall'incipiente gobba della senescenza. Né tipo da sopportare stoicamente gli acciacchi e gli handicap psicomotori. C'è da dire che forse – come alcuni sostengono – la sua vita sarebbe stata ancor più perfetta (in senso mitopoietico) se solo si fosse suicidato pochi anni prima, ai tempi del tracollo economico. Quella coda degradante dell'ultimo lustro, quello della rovina e dell'indegnità, erano già un surplus volgare, opera di qualche artista decadente e senza talento. Figurarsi se Bepy avrebbe potuto tollerare la vecchiaia, quella brutta, quella della sordità, delle ubbie, dei ricordi, quella del passo stanco e delle gambe tremule e larghe da prostatico incontinente. No, non era roba da Bepy Sonnino. Mai morte fu più pietosamente tempestiva. Lo testimonia la commozione dei convenuti tutta rivolta a quello che lui è stato e non a quel che avrebbe potuto essere ancora.

Per la famiglia è una liberazione. Non c'è dubbio. Sembra che tutti guardino i figli e i nipoti pensando alle traversie procurate loro dall'Iconoclasta, che, dopo aver costruito e consolidato lungo l'arco di una vita un'onorabile stimabilità, ha smerdato tutto in un paio di mesi. Quel crack finanziario di cui si parlò molto nell'ambiente tessile all'inizio degli anni Ottanta. Chi non conosce quella storia che consacrò mio padre, Luca Sonnino, come involontario eroe d'un'epopea tutta nostra, come un ebraico Buddenbrook di fine millennio?

A ventitré anni, quando abbandona Ingegneria, frastornato dalla promessa di "soldi facili", Luca è uno di quei rampolli della buona borghesia ebraica che s'infuriano se, entrando al mattino in ufficio, non trovano una rosa fresca in un bicchiere di cristallo. Bepy a quel tempo è ancora stabilmente il suo eroe: un imbonitore, mani e lingua da illusionista, uno cui basta il contrasto tra gli abiti avvitati di lino color ghiaccio e il viso perennemente abbronzato per stregarti. Un gioco da scolaretto per lui – dotato di spericolate capacità seduttive – prometterti un futuro da brividi. Fin lì, Bepy non solo è stato il riferimento ideale – chi ha sottratto mio padre al cilicio della diversità? –, ma anche il garante di sfrenatezze. Normale ascoltarlo, lasciarsi penetrare dalla persuasività di quel sorriso augurale.

Ma quando Bepy, preda d'imprevedibili idiosincrasie mascherate da splendori napoleonici – altro che la Recessione dietro cui presto si schermirà! –, manda tutto a rotoli, indebitandosi all'inverosimile, frodando amici e nemici, Luca è un trentenne viziato: per Bepy bancarotta e rischio imminente di galera. Il castello di carta stagnola dei Sonnino è crollato. Tra gli amici c'è chi compostamente esulta (*Dio, si davano tante di quelle arie!*), chi scompare, chi interpreta i fatti come un monito dell'Onnipotente: per quanto ancora Egli avrebbe permesso a un qualsiasi Bepy Sonnino di sfidarLo con tale impudenza?

Ma non c'è tempo per l'autocommiserazione. Bepy ha messo a segno un centinaio di truffe: è braccato da carabinieri, finanzieri, curatori fallimentari, probabilmente anche da malintenzionati nanetti al soldo di qualche furioso usuraio, e da Dio sa chi altro: non gli resta che un'immediata fuga negli Stati Uniti. Sì, da un giorno all'altro acquista con gli ultimi spiccioli, estorti a mia madre con l'inganno, un biglietto aereo per New York (Concorde, naturalmente: anche la fuga reclama i suoi agi) e vola via verso Angelo, il fratello minore, che ha aperto dopo la guerra un ristorante ebraico-romanesco nel cuore di Manhattan. Da Angelino: locale delizioso che la mitologia familiare (o la mitomania?) assicura frequentato da Frank Sinatra, Sammy Davis Jr., Barbara Streisand e tanti altri; alla parete una foto risalente al Cinquantanove (l'anno dell'inaugurazione) che coglie Marilyn Monroe con un sorriso dimesso, in uno degli ultimi abbracci con l'ineffabile Arthur Miller. Specialità della casa: concia, carciofi alla giudia, polpettine col sedani, mozzarelle all'imperiale, Chianti rigorosamente *kasher* e sottofondo di vecchi motivetti italiani che incrociano melodie di violini nostalgici di certi romanzi di Isaac B. Singer. Il circo equestre di Bepy, il parco divertimenti cambia solo domicilio, trasferendosi sulle rive dello Hudson: il tenore e il menù invariati: polpettone di facilona amoralità in salsa di megalomania ebraica.

Ma proviamo a immaginare, invece, la tempesta che travolge mio padre di qua dell'Oceano: appena trentasei anni (cazzo, tre più di me oggi!). Gli echi d'una vita ricca d'orpelli e possibilità che sembrano uno sberleffo postumo alle attuali ristrettezze.

La nostra casa, nei giorni successivi al cataclisma, sembra essersi trasformata in un Ente Benefico; Bepy ha avuto l'impudenza di telefonarci (telefonata a carico del destinatario): «Tutto bene ragazzi, non preoccupatevi per me. Qui è magnifico!».

Preoccuparsi? Per lui? Ma siamo pazzi? Ha perso il lume della ragione? A questo punto Bepy trova persino l'insolenza di sollecitare la spedizione del suo smoking estivo (*Scusate ragazzi, ma qui senza abito da sera non si vive! E con quello di lana si crepa di caldo...*).

Mio padre lo insulta. Sì, per la prima volta insulta il suo eroe. Un insulto lungo migliaia di chilometri traversa l'Atlantico in un batter d'occhio! Mio padre grida, rifugiandosi nel confortante guscio dell'autocompatimento: ma non lo capisci, brutto bastardo, che vita conduciamo qui? Ogni giorno un creditore diverso... Siamo sotto assedio: tappezzieri, argentieri, pellicciai, sarti, concessionari d'automobili, perfino il bar vicino al magazzino. Tutti quei negozianti che ti hanno creduto, tutti quei pezzi grossi che ti hanno fatto credito, ora fanno la fila esibendo conti faraonici.

È esattamente così: ogni volta che il telefono squilla e una voce gelida chiede di Bepy, Luca rabbrividisce. Sa che dovrà tergiversare, inventare balle o eludere la verità, dovrà smorzare la rabbia d'un interlocutore, che per il solo fatto di vantare un credito si sentirà autorizzato alla scortesia. Come ci siamo ridotti così? L'umanità intera sembra avere un conto in sospeso con Bepy. Persino creditori improbabili che gettano una luce da operetta sulla sua turpitudine. Un giorno si presenta addirittura Johanna, domestica capoverdiana, amica della mia tata, creola dal fisico tonico d'una ballerina di varietà. Ha perso il marito camionista in un incidente stradale. Ebbene, solo ora che Bepy è fuggito lei trova in lacrime il coraggio di rivelare ai miei genitori d'aver intrecciato una relazione con lui, d'avergli affidato una manciata di milioni in contanti, la liquidazione del marito, tutto quello che aveva, per farseli investire dal Seór Giuseppe – che Bepy, ovviamente, non si è mai preoccupato di restituire. Non osiamo dirle che certamente quei soldi sono entrati nell'immenso calderone finanziario, la bestia sanguinaria che Bepy ha cercato di tenere a bada finché ha potuto, e c'impegniamo a restituire i soldi un po' alla volta. A un certo punto il danaro deve aver perso ogni valore per lui... così come le persone.

Solo adesso ci si rende conto che la ricchezza luccicante degli ultimi anni si reggeva su un perverso incastro di crediti bancari, giro vorticoso d'assegni scoperti e postdatati: estremo illusionismo di quel funambolico Mandrake.

E stavolta non è certo l'ammirazione ad annichilire mio padre, ma semmai la rabbia.

Che cosa si prova nel ricevere la telefonata di un diretto re di banca, uno che fino a ieri ti ha trattato con riguardo, uno che non hai mai gratificato d'alcuna considerazione,

che hai sempre compianto per abitudine perché indossa
va pantaloni senza risvolto ed era convinto che il segreto
della vitalità fosse racchiuso in una cravatta sgargiante? E
che significa ora sedersi sulla sedia incandescente, di
fronte a questo individuo, improvvisamente imbronciato?
Lui, dispensatore di fortune, croupier della vita moderna,
in modo compunto ti snocciola l'edificante discorsetto che
rende il suo mestiere simile a quello d'un predicatore. Ti
dice – con moderazione, come un po' gli costasse (solo ora
hai il sospetto di non essergli mai piaciuto: tu, con i tuoi ri-
svolti di tre centimetri e mezzo ai pantaloni e le tue cravatte di maglia a tinta unita) – che sei rovinato: ci saranno almeno venti persone a Roma che se t'incontrano (nel dirlo
gli scappa un sorrisetto)... Il tuo tenore di vita dovrà cambiare, devi iniziare a considerare l'ipotesi che il portentoso
futuro immaginato per i tuoi figli debba essere ridimensio-
nato (e questo che c'entra? Perché me lo dice? Che ne sa?
Come si permette?). «Vendere tutto, anche l'argenteria:
non vedo altri modi praticabili per arginare la mostruosa
voragine, dottor Sonnino. Lo dico nel suo interesse e per la
sua integrità.» Ciò che non sopporti sono le lezioni di etica
all'ingrosso. È tipico dei direttori di banca impartirle. Ecco
perché impallidisci quando costui azzarda che il disastro
sia l'"inevitabile conseguenza" del malcostume della tua
famiglia, della spregiudicatezza di tuo padre (come se il
capitalismo osservasse l'etica rigorosa dei virtuosi!).

Il dolore di doverlo comunicare a tua moglie, che se
non ti ha sposato per soldi lo ha fatto certo per la libertà (e
i soldi c'entrano). È probabile che lei si stia chiedendo se
sia il caso, avendo sposato un uomo ricco, di sobbarcarse-
ne il tracollo. (Quante sono le mogli che in analoghe circostanze, vedendo precipitare da un giorno all'altro il proprio status sociale, non chiederebbero il divorzio?)

Il terrore d'incorrere in quel miliardario oculato di tuo
suocero, cui non chiederai mai una mano (o forse sì?). Cosa produce questo sconvolgimento sulla fibra vulnerabile
d'un ultratrentenne?

Luca ha carattere e talento, e soprattutto il disperato ot
timismo di chi ha avuto la vita facile. Dopo un istante
d'abbattimento, al primo cigolio della deliziosa avventura
coniugale, lui stringe i denti, proprio mentre le umiliazioni si moltiplicano in quel vortice di auto vendute e mobili
pignorati. L'ufficiale giudiziario ti chiede che fine abbia
fatto tuo padre. Che fine abbia fatto la sua collezione di
quadri. «Dove sono, dottor Sonnino, i Burri e i Sironi che
avevate assicurato?» Non lo sai, o fingi di non saperlo.
Forse è scappato, dottore. E prima di scappare li ha venduti. Vorresti scongiurarlo, vorresti inginocchiarti di fronte a lui. Ma non sei stato educato per questo. Sei stato
educato alla tracotanza. Non è mica tua la colpa. Tutto è
avvenuto così in fretta, dottore, in modo così imprevedibile. Una vera tragedia.

Tra le mille cose che non vorresti fare, tra i mille oltrag-
gi cui non vorresti sottoporti, ce n'è uno il cui solo pensie
ro ti fa quasi svenire dall'angoscia. Sono mesi che Bepy
non paga ai principi Torlonia l'affitto della tenuta di caccia, e sai che al più presto dovrai andare lì a saldare il
debito, a prendere tutta la roba di Bepy e incrociare lo
sguardo sprezzante dei tuoi aristocratici locatori. Trovi il
coraggio un sabato: parcheggi l'auto sotto la tettoia, tra il
bosco rosseggiante di castagni e la club-house eccentrica-
mente arredata da Bepy secondo i suoi dandistici bisogni
di fine secolo. L'odore lievemente muffoso delle foglie
umide ti trafigge come un pugnale in mezzo allo sterno.
Tranquillo! Tranquillo, Luca. In fondo non hai mai amato
eccessivamente questo posto. Forse proprio perché esso ti
sembrava (e tanto più oggi ti sembra) il fiore all'occhiello
del Bepy's style. Il simbolo di quella rustica megalomania
mescolata al ridicolo vitalismo hemingwaiano. Questa tenuta a nord di Roma distesa su centoventi ettari di bosco
è sempre stata l'oasi domenicale di tuo padre. Fino a
qualche mese fa quello sciagurato in preda al suo cupio
dissolvi vi organizzava battute di caccia o festini notturni
a base di sguaiate troiette e whisky irlandesi. Calma, Lu-

ca! Ormai hai superato il trauma. Puoi concederti un po
di ironia e un po' di compassatezza. Trascorri due ore a
riempire valigie e scatoloni dell'inconfondibile mercanzia
di Bepy: boccette semivuote di colonia, stivaloni infanga
ti, scoppole di tweed, mantelle di loden sfoderate e lise
fiaschette di pelle e argento che puzzano ancora di grappa. Ora è tempo di dedicarsi al reparto ippico: svuoti un
armadio intero da cap, frustini, speroni incrostati, finché
l'odore schiumoso e asprigno di cavallo impregnato nei
guanti di tela sriminzita ti investe le narici. Ma è solo
raggruppando i fucili e le cartucciere in un angolo che ti
sfiora un pensiero che per cultura non dovrebbe apparte-
nerti: *Quanti soldi gettati al vento per il puro gusto di gettarli!*
E ora la parte più difficile della faccenda: cominci a stac-
care con un senso di nausea i trofei di caccia dalle pareti.
Bepy era il re incontrastato della caccia al cinghiale. Im-
balsamati trofei in casa e in ufficio con cui hai sempre
identificato la fatua ferocia di tuo padre. Un cacciatore
esuberante ed esperto: poca freddezza, grande carica,
proprio come negli affari, proprio come nella vita. Ti tornano in mente con disgusto i flash della prima caccia al
suo fianco, la sua irritazione di fronte alle tue difficoltà
ambientali e alle tue inadeguatezze fisiche: eppoi la pratica tribale che t'impose: addentare il cuore del tuo primo
(e ultimo) animale trucidato.

Ma c'è qualcosa di lui, di Bepy, che desideri salvare?

A ben pensarci, c'è una giornata. Per essere più precisi
un mattino, un risveglio in albergo. Siamo alla fine degli
anni Cinquanta: Bepy è a Londra e ti ha portato per la prima volta con sé: tu, il piccolo Luca, *l'albino di suo papà*. Oc-
cupate un'ampia stanza al quarto piano dell'Hotel Savoy.
Siete stati svegliati da un negretto magro e gentile vestito
d'una blusa rossa dai bottoni d'argento che con gesto
spettacolare ha sollevato i coperchi scoprendo un tesoro
di muffin dorati e uova con bacon e salsicce, disseminan-
do per la stanza un lezzo acre di strutto. Bepy ha bagnato
le labbra con un sorso di caffè lasciandoti il resto della co-

lazione. A questo punto il ricordo si ravviva, come se non fosse un ricordo, ma una di quelle immagini tatuate nella memoria. È poco più di un attimo. Una manciata di secondi. Una serie di fotogrammi: Bepy che poggia il vestito stirato sul letto disfatto. Bepy che carezza il fazzoletto immacolato dopo averlo inserito nel taschino. Bepy che estrae le forme rossastre di acero dalle Tricker's di camoscio testa di moro. Bepy che vicino alla finestra controlla che la cravatta non nasconda alcuna ombratura. Bepy che slaccia i bottoni della camicia che dovrà indossare. Bepy che senza alcuna pudicizia si spoglia completamente esibendo il colore brunito della sua pelle così in contrasto con la tua nivea carnagione. E, infine, quel denso vapore che esce dalla porta spalancata del bagno, che sa di doccia, di sapone, di borotalco, di colonia, di sigaro toscano: si tratta della parte gassosa (la più prelibata e inebriante) dell'anima di Bepy.

Perché? Chi è Bepy?

L'impressione è di trovarsi di fronte agli strumenti d'un prestigiatore. Qui, nel fatiscente casino di caccia è chiuso il segreto del successo di Bepy Sonnino, formidabile collezionista di miti di latta e di platinate fregature.

Ecco chi è Bepy.

E se qualcuno, di fronte a questa cassa di palissandro all'interno della quale giace un cadavere così improbabile, in un accesso di pedanteria ai limiti del cattivo gusto, si stesse interrogando sul mistero del suo fallimento e della sua fine, sappia che Bepy non era un farabutto, ma semplicemente uno dei tanti individui che odiano apparire quello che sono. Non è mica facile fare il bottegaio, facendo di tutto per non sembrarlo. E Bepy non aveva niente del bottegaio. Nei trent'anni di lavoro in cui la sua stella aveva gioiosamente brillato, lui aveva impegnato tutto se stesso nel tentativo di far dimenticare agli altri la sua professione di grossista di tessuti – sebbene fosse unanimemente riconosciuto come il più abile "pezzivendolo" del-

38

l'Italia centrale. In realtà lui era un attore, un illusionista, un incantatore di serpenti, uno sceneggiatore di se stesso. Se nel Millenovecentosessanta eri un agente di commercio nel ramo dei tessuti sapevi che se Bepy Sonnino si fosse innamorato di te ti avrebbe reso ricco con la narcisistica e capricciosa gioia del benefattore. Ma guai se l'avessi fatto improvvisamente disamorare. Avevi chiuso con lui. Perché lui chiedeva continuamente al prossimo di sorprenderlo. Affinché potesse sfoderare il suo indimenticabile sguardo ammaliato.

Agli agenti, l'estate, dava appuntamento il giovedì, alle quattro del pomeriggio. Ognuno dei questuanti – improvvisati damerini – che facevano anticamera il giovedì pomeriggio sapeva che, nel luminoso ufficio rinfrescato da un preistorico condizionatore, avrebbe trovato un Bepy appena risorto da una lunga pennichella e da una doccia rigenerante (Bepy adorava farsi la doccia), con indosso un vestito di lino beige e una camicia d'un azzurro terso. Spinti da una legge non scritta o da uno spirito di empatia, gli agenti erano indotti a presentarsi al cospetto di quell'arbiter elegantiarum non solo inappuntabilmente vestiti ma con un colorito capace di esprimere un complessivo benessere spirituale. Il mito sonninesco racconta che qualcuno arrivasse a truccarsi, ma non ho riscontri in tal senso. Naturalmente, nel caso quel giorno gli fossi spiaciuto, Bepy non avrebbe mostrato alcuna irritazione, avresti intuito il suo disappunto dalla modestia dell'ordine e dalla distrazione dello sguardo. Gli agenti pendevano da quel sorriso accogliente, incantati dalla voce pastosa, inebriati dall'aroma di caffè appena bevuto che Bepy emanava. Essi si sentivano allo stesso tempo accolti e giudicati. Bepy aveva il vizio di mettere loro a posto il nodo della cravatta come se fossero scolaretti in collegio. Per qualche minuto i quattrini smettevano di avere importanza. Gli agenti sapevano che lui li avrebbe coperti di complimenti, eppure non si stupivano che tali blandizie – piuttosto che offenderli per l'ordinaria, quasi ossessiva, ripetitività – continuassero, dopo tanti anni, a inondarli di gioia di vivere. E solo quando, un quarto d'ora dopo, la loro pelle entrava in contatto con il calore umido dell'estate che nell'ufficio di Bepy era stato abolito dall'efficienza del condizionatore, essi capivano improvvisamente di essere stati a teatro, di aver temporaneamente interrotto la battaglia per la vita e per il diuturno guadagno, sospesi in un'oasi refrigerante. Solo allora, risorti dal non-tempo di quell'incantesimo orientale, capivano l'insostituibilità e l'inutilità di quella recita. E si sentivano contenti e irritati insieme.

Bepy era un adulatore geniale e spudorato, quello che gli inglesi chiamano "a confidential man": così ti accalappiava. La sua sviolinata non sapeva di zucchero, aveva qualcosa d'intrinsecamente virile: era come l'enzima prodotto da un organismo sovreccitato. Lui arrivava a credere al complimento che stava per fare. Quante volte, di fronte a donne di famigerata bruttezza, nonno si sciolse in elogi spericolati: «Tesoro mio, raramente ti ho vista così splendida». Bastava quell'impudente carezzevole attestato elargito con tanta convinzione dal Principe degli incensatori per trasformare la disgraziata – una volta almeno nella sua sbiadita esistenza di terza fascia – in una venerata Greta Garbo. Non c'era canzonatura nelle sue lodi: e nessuno riuscì mai a stabilire se tali lusinghe servissero di più a chi le riceveva o piuttosto a chi le dispensava.

Così tra le mani di quel Mida ebraico tutto diviene "splendido", "meraviglioso", "inimitabile". Non esiste vacanza dove non si sia divertito, o ristorante dove non abbia gustato una portata "indimenticabile". La vita, a sentirgliela descrivere, è corsa su un carro dorato. La sua aggettivazione è schiava del grado assoluto, così come gli avverbi dell'iperbole: "egregiamente", "mirabilmente", "stupendamente". E, d'altronde, anche dopo, nella disgrazia, Bepy non perderà l'attitudine del grande artista pop di trasformare la merda in oro.

(È strano: ho conosciuto nonno in rovina – l'ombra del

40

fallimento minacciava il sorriso di quell'individuo sempre di buon umore –, eppure anche allora le sue capacità istrioniche erano vive al punto di precedere il resto: sicché ogni bettola dove mi portasse a dormire o a mangiare si trasformava nella "migliore pizza di Roma" o nel "più incantevole e panoramico albergo di Ravello". I suoi conoscenti, persino i più modesti, erano tutti "stramiliardari". Era una fiabesca delizia ascoltarlo. E forse per questo, nei dodici anni trascorsi al fianco di nonno – sebbene lui schiettamente manifestasse la sua preferenza per mio fratello Lorenzo, il suo *bechor*, forse, chissà, per la condivisione d'effervescenze atletiche e carisma sociale... –, sì, in quei dodici anni non smisi di considerarlo una forza della natura.

Le storie della sua ascesa e della sua caduta gli si erano come attaccate addosso, al punto che – quando Bepy lottava con se stesso e col mondo per autopersuadersi che nulla fosse cambiato – mi veniva facile sovrapporre la sua figura a quella di certe attricette di mezza età, cadute nel gorgo dell'insuccesso, irrancidite dal ricordo amaro della ribalta trapassata: insomma, una *vecchia gloria*! Il tempo e le retrospettive su di lui, dopo la morte, modificarono la sua figura entro di me per sempre. Se penso a lui così, liberamente, senza pregiudizi, vengo investito da un'estiva folata di caldo: sì, ma d'un'estate che non esiste più: un'estate che esaspera i contrasti cromatici con una violenza fauve: bermuda gialli, camicia azzurra aperta sulla ricciuta foresta del petto, le braccia maculate, il viso abbronzatissimo contrastato dagli sbuffi dei pochi capelli di platino e soprattutto le pupille che conservano tutto l'albeggiante stupore dei Sonnino. Il dorato fulgore della pelata di Bepy fa pensare alle cupole di Gerusalemme negli incandescenti tramonti israeliani. Siamo di fronte alla spiaggia di Positano, è venuto a trovarci qualche giorno. Non mi stupisce che tutti lo conoscano: baristi, concierge, commesse, pescatori, lui chiama tutti "tesoro" o "amore mio", elargendo mance fantasmagoriche. Il mio cuore infantile esulta d'orgoglio, mentre lui, poggiato al bancone della Buca di Bacco, sorbisce un tè freddo con la granita di limone, me ne offre un sorso, solo per assaggiarlo. *Che ti diceva nonno? Non è squisita?* È raggiante. In un attimo è tornato a scintillare l'uomo d'una volta, protetto dall'impressione che qui nulla sia cambiato: da queste parti nessuno sa del suo fallimento e delle successive indegnità. Il tempo sembra essersi fermato. Tutti lo trattano come se la vita non gli avesse riservato tanti rovesci. Solo allora, vedendolo impettito, scarmigliato come uno yacht-man senza yacht, Ray-Ban a goccia e polpacci glabri, riesco a farmi un'idea, chissà quanto approssimativa, di chi potesse essere mio nonno nei tempi precedenti la mia nascita. E allora Bepy mi dà un buffetto, sorride e prende a raccontare: «Sai, amore di nonno, un tempo eravamo talmente tanti e affiatati che potevamo determinare l'economia dell'intera costiera. Una volta tua nonna se la prese con un ristoratore scortese e in un solo giorno quello perse cento clienti. Sì, da queste parti i locali alla moda non lo erano abbastanza se non erano benedetti dai Sonnino. Saremo stati almeno in settanta. Una volta affittammo l'intero albergo Le Sirenuse per tre settimane e più. Vennero tutti, i Castelnuovo da Firenze, i Levi da Milano, Elio Segre da Torino, Giudy Almagià da Ancona, persino tua zia Rachel direttamente da Cannes. Non mancava nessuno all'appello. Eravamo una tribù. Twist. Bagni di mezzanotte. Ettolitri di alcol. Giocare a peppa o a poker fino alle cinque di mattina... Era magnifico».

No, non saprei dire quanto ci sia di vero, d'inventato o d'iperbolico in questi sfoghi nostalgici di nonno: questo epos alla Grande Gatsby che ci contagiava entrambi sulla spiaggia di Positano! So che è inessenziale stabilirlo. O quanto meno a me non interessa. Se da un lato questi abbandoni di Bepy mi fecero sentire parte di qualcosa di molto più grande di me, una sorta di ultimo discendente di questa famiglia-tribù, di questi nani, rancidi bizantini alla mercé della loro ultima stagione, questi gagà semie-

42

brei scampati allo sterminio che avevano saputo mirabilmente divertirsi e dissipare, dall'altro oggi m'intristisco-
no come se fossi un bilioso curatore testamentario, uno
che deve raccogliere i cocci d'un'eredità minata da terribili ipoteche. Sono uno di quegli etilisti pellerossa che bi-
vaccano nelle sempre più anguste riserve americane nel
culto e nel vagheggiamento di tempi che non possono
più tornare.

Non so mica come la figura di Bepy in seguito sia sban-
data nella memoria, fino a incarnare il simulacro del mio
problema originario. Non ho motivi di personale rancore.
Semmai è lecito parlare d'un livore riflesso, suscitato, re-
troattivo. Questo sì! E anche se da un certo punto della
mia vita in poi lui non è più esistito e lo spazio che da lui
mi separa è più largo di quello che occupai al suo fianco,
in qualche modo Bepy ha continuato a vivere di volta in
volta in alcune espressioni ipertrofiche di mio padre, negli
sguardi luminosi dello zio neo-israeliano, o in certe esu-
beranze erotico-vitaliste di mio fratello, ma soprattutto in
talune affettazioni di galanteria e snobismo che, inattese,
emergevano dal mio acido cuore di secondogenito e di sopravvissuto.)

Solo alle soglie del *kaddish** ci si accorge che tra i convenuti ci sono soltanto nove ebrei adulti. Ne manca uno per
comporre il *minian*, numero minimo di dieci maschi adulti
per poter eseguire le funzioni. Mio fratello e io siamo
esclusi, non essendo ebrei. Mio padre e mio zio sono co-
sternati, mentre il rabbino Perugia – con la sua florida faccia da goloso cronico – torna a fare la conta nella speranza
di trovare qualcuno che abbia i requisiti. Ma lo spettacolo è
composto e, all'occhio d'un *vero ebreo*, avvilente: una banda di marrani, convertiti, sangue misto a iosa, atei d'estrazione marxista, cattolici apostolici romani, commercianti

* Preghiera per i defunti.

truffati o beneficiati, cugini francesi, cognate americane, accademici, vecchie fiamme, assicuratori, persino direttori di banca semirovinati e nostalgici... Ecco l'umano garbuglio accorso al funerale dell'indegno Bepy Sonnino: un uomo travolto, sin dagli anni dell'infanzia, dal proprio _deside-rio d'assimilazione_: un tizio che ha spudoratamente – ma forse non deliberatamente – spostato le soglie della propria moralità d'una decina di spanne più in là rispetto alla media delle persone normali, e d'una quarantina rispetto ai suoi austeri patriarchi ebrei: un tipo il cui _chiccoso cadavere_ (l'unica cosa che Bepy ha lasciato scritto è che desiderava affrontare l'eternità con indosso il gessato confezionato a Savile Row e i neri stivaletti di Lobb) sembra la dimostrazione di come l'ottimismo non smussato dal senso della realtà possa annientare un uomo nel giro di pochi anni. Sono tutti commossi, e non perché ognuno abbia smarrito le ragioni di personale risentimento nei confronti di quel morto (chi non ha una moglie o una figlia concupita dallo sciagurato? chi non vanta almeno un piccolo credito pecuniario nei suoi confronti?), ma perché tutti intuiscono che la vita senza Bepy Sonnino avrà un sapore diverso.

Finalmente vediamo un piccolo signore camminare verso di noi, i fiori in mano e l'espressione mesta: Mario Debenedetti. È l'anniversario della morte della moglie. Il rabbino gli chiede se voglia unirsi per il _kaddish_ (l'ortodossia impone che simili richieste vengano accolte: è una _mizvà_*), ma il vecchio Mario, mingherlino e avvizzito, senza neppure guardarci, ci brucia con la più inattesa delle risposte:

«Io non prego per quer fijo de 'na mignotta, mi deve ancora un mucchio di soldi...»

Rimaniamo di sasso, anche il rabbino è stranamente a corto di parole.

È ora di farsi avanti!, mi intima imperiosamente una voce

---

* In ebraico precetto positivo, opera di bene.

44

interna. «Ci sono io!» azzardo, e lo dico con un insorgente orgoglio. Voglio mostrare d'essere uno che sa prendersi le proprie responsabilità, pur cosciente che il mio gesto provocherà sconcerto. Tra me e quel sasso in terra non c'è alcuna differenza. «Ma dai, Daniel, tu non puoi» sibila mio padre. «Perché non posso, papà?» «Come "perché"? Tu non sei ebreo.» «E va bene» replico piccato, «te lo concedo: non sono ebreo. A patto che tu ammetta che sono la cosa più simile a un ebreo che tu abbia mai conosciuto.»

È lì che lui prende a ridere: è allora che mio padre si piega in due, sghignazzando come un matto, senza riuscire a smettere, di fronte a tutta quella gente costernata, di fronte alle tombe monumentali, al cospetto del conclave di cadaveri Sonnino cui si sta unendo – senza la sperata solennità – il nostro Bepy. È proprio allora, subito dopo avermi sentito pronunciare quelle parole piene di risentimento, che mio padre sbotta in un'irrefrenabile risata senza riscatto. Tale inopportuna ilarità si nutre – e continuerà a nutrirsi nelle successive settimane – di strambi interrogativi che lo affliggono: come ha fatto Teo, un sant'uomo oramai, a dimenticare un ebreo adulto per Bepy? Cosa direbbe quella stronza della sua ex analista d'una tale disattenzione? Usare il proprio campo di competenza – la religione – per vendicarsi di papà? E perché anche mamma si è lasciata sfuggire un dettaglio così importante? C'è ancora di mezzo Giorgia? Il rancore per Giorgia? Il rancore per tutte le Giorgie che l'hanno preceduta e seguita? Bepy la deve pagare? E perché Daniel, mio figlio, che non è ebreo e che non ha neppure tredici anni tutto d'un tratto, con aria ieratica, si svela come se fosse Re Artù di Camelot o il Messia tanto atteso? Come ha potuto il rabbino chiedere di onorare la morte di Bepy proprio a Mario Debenedetti, il più incazzato dei suoi creditori?

Evidentemente la risata di mio padre è destinata a non finire perché proprio quando sembra aver raggiunto il punto di saturazione, proprio mentre lui sta provando a riguadagnare un'opportuna compostezza, interviene

45

energicamente mia madre per offrire al rabbino sempre più sconcertato un'allettante controproposta: gli chiede se almeno Lorenzo, il primogenito dei suoi figli, possa andare: «Dopo tutto, signor rabbino, non se ne accorgerà nessuno... Eppoi al nonno avrebbe fatto piacere che uno dei suoi nipoti... Non vorrà mica rimandare la funzione alla settimana prossima? Ma lo sa che c'è gente venuta da Losanna e da Budapest?...». In fondo anche il pestifero Bepy Sonnino (nei confronti del quale mia madre non smetterà mai di provare ogni sorta di rancore! Alcune malelingue assicurano che il pervertito c'abbia *provato* anche con lei, pensate, con la sua castissima nuora) merita una fulminea trasvolata all'ebraico empireo. Il rabbino è indignato. Ma come, cari signori? Di fronte a un morto? Di fronte alle esangui spoglie di *Yoseph Sonnino* (così lo ha chiamato, restituendolo alle sue origini, sottraendolo in extremis alle tirannie della carne), fate questa sceneggiata? Ecco perché il rabbino è contrario ai matrimoni misti. Non si sa mai come va a finire. Non è mica possibile sperdere il seme ebraico in questa maniera. E con quali esiti, cazzo?

Sono ferito. Mio padre è stato chiaro. *Tu non sei ebreo!*, ha pronunciato con la causticità d'un novello Minosse. E, a ben pensarci, non è la prima volta che se ne esce così. Non è la prima volta che mi insulta in questo modo.

La mente corre al giorno in cui, appena decenne, per festeggiare la restituzione del cadavere di nonno Graziaddio trafugato da un branco di nazisti burloni, sono stato condotto per la prima volta al cimitero e mi sono sentito travolto dalla solennità della tomba dei miei avi, tutta marmi e decorazioni corinzie. Mi è venuto spontaneo chiedere a mio padre se avevano già deciso dove mi avrebbero sistemato, ma mi sono sentito rispondere che non era questione di posto, che il posto ci sarebbe stato, ma che io non potevo stare con lui e con tutti gli altri. Gli ho chiesto di spiegarmi, di essere più preciso. Ma stavolta non ha voluto rispondere. Allora gli ho chiesto se era lui a non volermi al suo fianco. Mi ha detto che certe cose non era lui a deciderle. «Daniel, tu non sei ebreo! Esistono regole e divieti che ci sovrastano...» e bla, bla, bla... Così Rabbi Sonnino a suo figlio Isacco! Ne ho dedotto che queste regole e questi divieti sancissero la mia esclusione e la mia indesiderabilità. Quella tomba, a dispetto delle apparenze, non mi apparteneva. Non era poi così difficile capirlo: un trascurabile cavilloso difetto genealogico mi stava privando d'un mio possedimento. D'un comodo cantuccio nell'aldilà. Ebbene sì, un'esecrabile corruzione nel DNA stava sfrattando un povero bambino di dieci anni dal suo spicchio di eternità!

Ed ora ritorna l'adagio: *Tu non sei ebreo!* Ma stavolta con l'aggravante di tutta quella gente intorno. Si tratta d'una pubblica umiliazione. D'una condanna severa e senza ambiguità inflitta da uno dei pochi individui che dovrebbe proteggermi. Mi viene naturale guardare la bionda dolente ragazzina che stringe la mano a Nanni e lasciarmi sopraffare da un empito paralizzante di vergogna. D'un tratto capisco che il dolore per quest'umiliazione è sinistramente connesso alla presenza di quella ragazza dagli occhi color brezza marina. Capisco che se lei non ci fosse, io non soffrirei così tanto. Arrivo addirittura a capire che perfino lo sprone a farmi avanti (che poi ha determinato il resto) è derivato da un estemporaneo desiderio di protagonismo instillatomi da quegli occhi che non potrò più guardare. È a loro – a quegli occhi – che dedico la mia umiliazione. È di fronte alla loro vigile e canzonatoria inflessibilità che devo ingoiare questo rospo assurdo: semplice cruda verità storica: *Tu non sei ebreo!*

Tu non sei ebreo! Perché sbalordirsi, in fondo? Questa è semplicemente la tua condanna: essere ebreo per i gentili e gentile per gli ebrei! Né c'è da stupirsi che qualcuno, benché ancora adolescente, desideri ardentemente essere ebreo. Non c'è da sbalordirsi che un bambino voglia essere come suo padre. Un ebreo come tanti altri.

Perché oggi è uno spasso essere ebrei. Compianto, accudito, esaltato: ecco la troika verbale per definire la condizione dell'ebreo contemporaneo. C'è gente che, contro ogni logica, fa ricerche per accreditare la propria discendenza, non dall'ennesimo conte o marchese imparruccato, ma da un pio israelita cinquecentesco. Un tipetto alla Montaigne, tutto casa e famiglia. Da non crederci. Un ebreo nell'albero genealogico: il grande sogno distintivo del Ventunesimo Secolo. L'araldica del Nuovo Millennio. La griffe capace di renderti dolentemente salottiero e civilmente provocatorio. Non può sfuggirti che i tempi dell'Invidia Del Pene siano stati soppiantati da questa stagione consacrata all'Invidia Del Circonciso Prepuzio.

Per questo hai enfatizzato la parte di te che in altre circostanze storiche avresti nascosto? Che differenza se Daniel Sonnino, con questo nome e questo profilo woodyalleniano, piuttosto che venire al mondo in un radioso luglio del Millenovecentosettanta fosse nato in un cupo gennaio d'un secolo prima in un villaggio lituano... Beh, ci sarebbe stato poco da ostentare.

Daniel, quanto è vero il tuo rancore antiebraico? Quanto c'è di commedia e di avanspettacolo? Chi può assicurarti che fuori di te, mentre sbraiti contro la retorica filosemita, non sieda un altro te stesso, serafico e ponderato, intento alla contemplazione del tuo sosia indiavolato? Un te stesso scaltro, privo di scrupoli, che, con l'occhio clinico d'un vecchio agente teatrale, ti guarda compiaciuto e dice: ehi, mica male l'idea del mezzo-ebreo incazzato con gli ebrei. Un po' vecchiotta forse, ma sempre in auge. Mica male questo orgoglio da mezzosangue. Quest'anno i mezzosangue tirano da morire.

Per quale altra ragione scrivere quel libro, altrimenti? Che senso ha scrivere un libro intitolato *Tutti gli ebrei antisemiti. Da Otto Weininger a Philip Roth*, e annoverarti implicitamente tra la ricca lista di costoro quando chiunque sa che tu non sei né ebreo né antisemita ma che vorresti essere sia una cosa sia l'altra? Che giochetto facile è questo?

Perché attribuire a quei magnifici scrittori quello che tu pensavi di te stesso in rapporto agli ebrei, e non fissare l'attenzione, con l'onestà d'un solerte cattedratico, su quel che loro pensavano del proprio rapporto con gli ebrei?

Per la ragione più antica del mondo: furbizia, sostenuta dal desiderio di esistere: valorizzare il poco che la vita ti offre. Estremizzarlo. Renderlo appetibile agli altri, a costo dell'inganno inflitto a se stessi. Chi ha amato quel tuo libro ha semplicemente confuso la furbizia con la buona fede, lo spettacolo del dolore col dolore, e l'esibizionismo con la verità. Ha creduto che quel bruciore fosse comunicabile. Che non esistesse niente di più autentico e affascinante di un mezzo-ebreo che snida gli ebrei. Un mezzo-ebreo contro gli ebrei. Un mezzo-ebreo che accusa gli ebrei di razzismo e un mezzo-cattolico che accusa i cattolici di ecumenismo. Chi ha amato quel tuo libro non ha compreso la facilità e la disonestà d'una simile operazione. Non ha tenuto conto della Storia: non sono forse secoli, millenni che gli ebrei parlano male degli ebrei all'unico scopo di parlarne bene e che i *chiusi* parlano bene degli ebrei al solo scopo di parlarne male? Il cuore ha tremato all'impressione di trovarsi al cospetto di qualcosa la cui verità era dimostrata dalla scomodità dell'assunto, dalla sua natura moralmente e politicamente riprovevole. In un mondo in cui tutti siamo alla disperata ricerca di qualcosa da odiare, di qualcuno con cui avercela a morte, che bello questo piccolo ebreo odiatore degli ebrei. Insomma, quel tuo saggio non è che una grande manipolazione antisemita architettata a danno dei tuoi parenti incolpevoli, e per il tuo solo vantaggio: quel senso di orgoglio che sa infonderti la violenza masochista da troppi scambiata per onestà intellettuale.

3.
L'eroico trafugatore di collant

Fu l'incontro fortuito con i piedi di zia Micaela a precipi-
tarmi nel gorgo della depravazione feticista.

Micaela Salzman, figlia di russi emigrati in Israele nel
Quarantanove, aveva sposato il fratellino di mio padre
sull'onda d'una passione da kibbutz, sorta pochi giorni
dopo la fine della guerra del Kippur e svaporata nelle prime settimane di matrimonio. Nel Millenovecentottantatré, durante la mia sesta consecutiva vacanza estiva a Tel
Aviv, Micaela era un'inappagata trentasettenne priva
d'un solo requisito (fatta salva la scontrosa avvenenza e
una patologica inclinazione ai piaceri del cioccolato) capace di noverarla tra il bizantino clan di famiglia. Non a caso
bollata dai miei nonni ultrasnob come *shotè**, Micaela non
aveva trovato di meglio che corredare la propria ingarbu-
gliata esistenza sposando quello sbandato di Teo, il secondogenito la cui partenza dall'Italia nel Settantatré per
unirsi all'esercito israeliano aveva letteralmente fiaccato
di preoccupazione gli apprensivi genitori. E poco importa
che il contributo di Teo Sonnino alla causa israeliana fosse
stato assai modesto (a parte il sostegno morale, si capisce), perché due giorni esatti dopo il suo arruolamento si
era buscato un morbillo che lo aveva tenuto lontano dai
campi di battaglia.

---

* Pazzoide in giudaico-romanesco.

Allora conoscevo soprattutto la versione bellicosa di Teo Sonnino: quella delle rare visite romane, quando, smantellando l'apparato di castranti ritualità religiose, tornava a indossare i panni dello squilibrato che vent'anni prima s'era presentato all'Excelsior di via Veneto, al matrimonio del fratello superborghese, in bermuda e T-shirt, strepitando, come il Messia al Tempio:

«Non sarà venuta l'ora di finirla co' 'sti vomitevoli spettacoli alla Cecil B. de Mille?»

Per poi lasciarsi andare al pianto, tanto da commuovere il sempiterno rabbino Perugia, che nei mesi successivi s'era occupato del suo reinserimento sociale attraverso una serrata istruzione religiosa: con il solo effetto di trasformare un distaccato e confuso allievo in un ebreo fondamentalista. Ma Dio, che sollievo per Teo sbarazzarsi di rancori ventennali, della svenevole *chiusa* conosciuta sui banchi di scuola, della BMW parcheggiata in garage, della mistica analista junghiana, di quell'avvilente sensazione di fallimento e soprattutto del ricatto d'una famiglia all'epoca ancora rispettabile e agiata, per votarsi interamente alla causa ebraica! Ecco finalmente uno scopo di vita, tanto faticosamente cercato, concretarsi nell'anacronistica forma dell'emigrazione.

Da allora è sufficiente il contatto con l'Italia per ricordargli che la sua vocazione consiste nell'opporsi all'arroganza – mascherata da condiscendenza – del padre e del fratello (che strano modo di porre la questione!). A quel punto riesci a figurartelo sedicenne, comprendendo la sofferenza che quelle due personalità effervescenti gli hanno saputo cagionare sin dal primo minuto della sua vita, ma anche il disagio che le sue insolenze devono aver suscitato in loro. In casa Sonnino non si ha troppa indulgenza per i contestatori, ma mica per spirito reazionario, bensì per un endemico scetticismo. D'altronde, io non potevo far altro che vacillare tra la simpatia per il fuggitivo, dettata dall'affinità della mia condizione – essere simultaneamente nipote di Bepy, figlio di Luca e fratello di Loren-

51

zo Sonnino (tre superman in una sola famiglia sono davvero una mancanza di tatto e di senso della misura!) –, e la solidarietà per i destinatari di tanta sciagurata furia.

Ma quest'anno, a dispetto delle estati precedenti, o abbiamo perso il controllo o le cose hanno smesso di funzionare. "Annata storta", l'ha liquidata mio padre nel suo inane ottimismo-Sonnino: ci siamo colti a celebrare il primo-anno-senza-Bepy travolti da un'emozione sconosciuta. Non si può dire che la sua morte abbia lasciato un velo di malinconia, è come se avesse sciolto nell'aria un'incertezza tendente all'incredulità.

Ma soprattutto mio cugino Gabriele (per tutti Lele), figlio unico di Teo e Micaela, dopo la diagnosi di tumore a un testicolo ne ha subito l'asportazione. Temo mi abbiano mandato a Tel Aviv per seguire la sua convalescenza.

Lele non è neppure la controfigura del delicato moretto d'un anno fa. Dove sia andato a nascondersi il David di Donatello dai capelli flessuosamente corvini che, come mi ha rivelato tutto fiero il padre, faceva miagolare le ragazzine della sua classe di Tel Aviv in un modo imbarazzante, non saprei dire. In sua vece questa larva mono-testicolare che inforca un cappello per nascondere calvizie sintomatiche.

La mia psiche è già sufficientemente minata dall'ipocondria per sostenere la tragedia di mio cugino, e la mia cultura sin troppo forgiata nel paterno positivismo per trascurare il precedente genetico. E la minestra è fatta aggiungendo all'infausto quadro il mio pessimo rapporto con i testicoli: per il cocente ricordo dei bagnetti-tortura con mio fratello Lorenzo imposti da mia madre, quando il bastardello, preda di improvvisi raptus proto-pederasti, me li schiaccia con il piede. Non che ci riesca sempre, ma ormai basta il gesto a farmi sussultare: pratica dolorosa e tuttavia sollecitante abissali fonti di piacere. E perché talvolta nelle medesime circostanze irrompe Bepy (sarà capitato due volte, ma qualcosa mi spinge a trasfigurare le sue incursioni in rito quotidiano) e c'intima con un'aria piena di cameratismo nero: «Fatemi vedere il piccione». Mio fratello non mostra grande imbarazzo nella grottesca esibizione dei propri gioielli. Per me, invece, è assai mortificante. Anche se alla fine sono costretto a sollevarmi ed esporre il mio trofeo striminzito dall'acqua e dall'imbarazzo.

Frattanto ho raggiunto l'età in cui si assiste sgomenti alla proliferazione di amici e compagni che non sanno fare altro che vantare pirotecnici happening masturbatorii. La gara per lo schizzo più lungo ha raggiunto una certa popolarità nella mia decrepita, esclusivissima scuola di piazza di Spagna. E a me? Perché non mi accade niente? Non sono normale? Impotente? Non vedrò mai l'alba? La mia vita sessuale consegnata a un inesorabile tramonto? Non violerò mai il denso mistero della riproduzione? Non uscirò dalla nebbia d'irresolutezza che mi fa desiderare le ragazzine della mia classe fino alle lacrime, impedendomi la post-orgasmica sazietà? Ma no, Dani, stai tranquillo: c'è chi si sviluppa a quindici anni. E se a sedici fossi ancora così?

In preda a queste ambasce sono partito da Roma per trovare mio cugino in questo stato. Per constatare, inoltre, nel bagno di Tel Aviv, che uno dei miei testicoli, quasi per spirito di emulazione parentale, è sospeso a mezza altezza, come incassato nel ventre. Devo interpretare tale asimmetria come un segno d'infermità? Vorrei chiedere a Lele come sia iniziato. Come se ne sia accorto. Come s'insinua il male. Ma ho promesso ai miei di non fare allusioni. Di trattare con lui naturalmente. Come non fosse successo niente. Così mi hanno intimato guardandomi negli occhi («Sei un uomo oramai» ha detto mio padre, con una certa rabbinica imprecisione, a quel tredicenne impiastro del figlio minore). Pare facile. Come *trattare naturalmente* chi naturale non è? Come può un ragazzino così alterato non rimanere offeso dal tuo sforzo di dissimulazione? O dal tuo sfoggio di umanità? Questa la ragione per cui Lele mi sfugge? O semplicemente la paura? La morte? Sentirla vicina, insinuarsi al di là delle amorevoli rassicurazioni dei suoi genitori. Al di là della loro fiducia in Dio e nella medicina. Lele è solo un bambino. Certe cose non accadono ai bambini, non devono accadere. È questo ciò che non sa confessarmi perché non è riuscito a confessarselo? Il motivo per cui elude ogni mio tentativo di intrecciare un discorso?

Eppoi l'omosessualità, il paradossale inciampo nella vita d'ogni ragazzino normale, sì, l'incredibile rivelazione, l'attitudine sessuale che ancora per molti anni Lele terrà a freno, esplode proprio nei giorni in cui la malattia reclama le sue prime attenzioni. Un segno: ecco cosa gli viene da pensare: lui – bimbo plagiato dai maniaci integralismi paterni – ha avuto un segno dal Biblico Vendicatore: la punizione divina originata da quei pensieri illeciti sui suoi compagni: l'abnormità di quei pensieri, la frenesia di quei pensieri gli ha fatto impazzire le cellule. Mentre i suoi compagni parlano e pensano solo alle ragazze, Lele non fa che pensare ai suoi compagni (ma senza poterne parlare). Quasi una liberazione constatarlo: Dio, come lo eccitano i giovani *hassidim**, con quelle treccine, l'aria sudiciamente ieratica e le labbra sbrodolose. Per non parlare dei militari in mimetica: basco, sfumatura alta, tricipiti in rilievo, irruente malagrazia, vocazione omicida. Non può dirlo al padre. Non può dirlo a nessuno. Ma quel tumore ha liberato la bestia ch'è in lui, la pregevole bisbetica che gli si sommuove dentro da sempre.

L'omosessualità, ecco l'eredità del male. Il Gigantesco Contrappasso. Il male è solo la via per uscirne indenni. È la via della redenzione. Così gli viene da pensare fanciullescamente enfatico. Così gli piace ridirsi sulla scia delle mistiche meditazioni paterne, e mentre l'organismo lentamente risponde alle cure l'anima larvatamente s'ammala.

---

* Membro della corrente mistico-integralista (*hassidismo*) nata in Polonia nel XVIII secolo.

Non è mica uno scherzo, l'omosessualità. O almeno non lo è nella mia laicissima apertissima liberalissima famiglia. Mio padre, quando si imbatte per lavoro in uno di quei delicati finocchi anglosassoni tutti vino fruttato e arte rinascimentale, si lascia andare a estatiche espressioni di giubilo: «Ho conosciuto un fascinoso designer australiano frocissimo!...». Sì, insomma, l'omosessualità è una gran cosa se colpisce i figli degli altri. Ma i nostri? Beh, diciamo che da queste parti si ha una visione della ricchioneria piuttosto estetizzante: può essere bella come un abito di Valentino, purché non sia uno di noi a indossarla. Prendiamo il giorno in cui, appena dodicenne ma già angosciato dal mio mancato sviluppo, mi presento al capezzale di Bepy morente e gli chiedo quasi senza pensare: «Nonno, e se fossi gay?...», per vedere il suo viso ritrovare temporaneamente i colori rossi della furia e della vita: «Per Dio, Daniel, il Signore Iddio ti ha dato un cazzo così per scopare, non per prenderlo nel culo!». Testuale.

Non molto tempo fa Lele, di passaggio per Roma, mi è venuto a trovare dopo anni che non ci vedevamo.

Eccolo là finalmente, le valigie in mano e un sorriso che sembra un merletto: eccolo là, il *diverso* più diverso che abbia mai veduto.

Non ho mai capito se quella capacità di cambiare pelle, quel mimetismo da salamandra di Lele fosse l'ennesima versione dell'istrionismo della nostra famiglia, o se, più semplicemente, andasse ascritta all'attitudine degli omosessuali per il camuffamento o, addirittura, alla mancanza di personalità che affligge molti individui raffinati ma senza talento. Ma devo confessare che dopo tanti anni mi ha divertito trovarmi di fronte a questo tipo imprevedibile. Lele sembrava la variante mediterraneo-avvenente dello scrittore David Leavitt, con quella castigatezza maoista nel vestire, armoniosamente coniugata a un contegno dimesso che pareva alludere a una sorta di mistica integrità. Ho trovato altrettanto sorprendente che un ra-

55

gazzino così snello avesse, con gli anni, smisuratamente allargato i margini del fondoschiena e che il corvino scintillio dei suoi capelli fosse stato annacquato da piccoli pois bianchi che gli davano un aspetto così parigino.

Abbiamo pranzato all'Hungaria, perché Lele ha insistito. Gli ricordava i tempi di Bepy e di Ada. Andavamo lì per i più meravigliosi e truculenti hamburger dell'Italia centrale: un'epifania di uova, formaggio, senape, ketchup e cipolle. E durante quel pasto, affogando in un cocktail di birra, Xanax e maionese, ebbro di autocompatimento e di scabrosi ricordi, Lele mi ha raccontato come ebbe luogo la rivelazione ai genitori della sua omosessualità quasi quindici anni dopo averla scoperta, e dopo dieci che ormai la praticava febbrilmente.

Via, la storia di Lele era pressoché identica a tutte quelle che avevo immaginato o di cui avevo letto (per esempio nei romanzi del suo illustre sosia David Leavitt) sulla confessione d'un qualsiasi ragazzo borghese della propria omosessualità a genitori qualunque, increduli e sgomenti. Il racconto-tipo che avrei potuto trovare in un documentario girato da qualche curioso marziano sulla razza umana. Sì, è vero, questo caso esternamente presenta caratteristiche differenti, come una madre per nulla protettiva, un padre fondamentalista ebreo e lo spettro di un nonno che ai suoi tempi considerò i finocchi alla stregua dei nazisti. Ma si dà il caso che anche stavolta il demone della banalità rivendichi il proprio oscuro dominio: sicché lo spettro del nonno, in quanto spettro, non può nuocere più di tanto, la madre mostra il suo profilo più umano e comprensivo, e soprattutto il fondamentalista ebreo, nonostante tutte le rigidezze etiche, messo di fronte all'ineluttabilità di quella filiale condizione non può fare altro che arrendersi.

Ormai ventisettenne, dopo aver vissuto per un lustro a Provincetown, pittoresca cittadina del New England, nella penisola di Cape Cod, avendo ottenuto una laurea in "Scrittura Creativa" in una università poco distante da Boston niente meno che con Norman Mailer, Lele torna a

Tel Aviv, proprio i giorni precedenti il Kippur, sì, per la commemorazione dell'ebraica espiazione, a ridosso dell'anniversario della fuga dall'Italia del padre e delle sue nozze con Micaela. Sì, insomma, una bella manciata di solenni ricorrenze pronte a essere dissacrate dalla pederastia di quel pervertito! E proprio in quest'occasione, chissà se per anticonformismo o se in aperta ostilità con il suo vecchio, Lele si presenta con capelli color paglierino, pantaloni attillati, zatteroni d'almeno cinque centimetri ai piedi, e soprattutto con la drammatica intenzione di mettere al corrente i genitori del suo incontenibile appetito.

Teo rimane turbato da quel modo eccentrico di vestire. Ma avendo lottato una vita contro l'ipocrita convenzionalismo di Bepy, non può certo rimbrottarlo. Come non angustiarsi, però? Fin qui Teo ha sempre creduto che la libertà si esprimesse nell'indossare jeans e maglietta. Che la libertà fosse un rifugio dall'affettazione. Non gli è venuto in mente che si può essere liberi esasperando i contrasti, enfatizzando capricci e vezzosità: libertà di vestirsi da donna, per esempio, o di girare il mondo completamente nudi o di prenderlo in bocca a un negrone dell'Illinois. Solo ora sembra scoprire che la libertà non è soltanto la tua legittima aspirazione a emanciparti da tuo padre, ma anche il desiderio altrettanto struggente di tuo figlio di emanciparsi da te.

Quindi ben venga l'esibizionismo di Lele e che Iddio c'assista.

Così, quando due giorni dopo il Kippur, alle cui celebrazioni Lele si è comportato impeccabilmente, il figlio dice che vuole parlare con i genitori, per comunicare qualcosa di grave e importante, Teo rimane impressionato da quel tono serio, minaccioso. Ma poi sorride dentro di sé, preparandosi a mettere mano al portafoglio: Lele ne avrà combinata una delle sue: il figlio viziato avrà contratto un debito, o avrà visto una motocicletta cui non può rinunciare. È da quando è stato male che tenta di farsi risarcire dai suoi genitori. Ha iniziato con le moto a quindici anni e

57

ha finito con quell'idea bizzarra di studiare letteratura in America (un autentico salasso per le già minate finanze di Teo e Micaela). Ma Teo è così felice che Lele sia qui, che gli abbia confidato l'intenzione di voler lasciare Provincetown e tornare a stare nella sua terra: è pronto a qualsiasi sacrificio economico pur d'accontentarlo. Anzi lo stupirà, non lo lascerà neppure finire di parlare, tirerà fuori dalla tasca il libretto d'assegni e dirà: «Quanto ti serve?», lasciando moglie e figlio esterrefatti.

Ma non è di soldi che Lele ha bisogno: semmai di comprensione e soprattutto – anche se le sue nuove idee emancipate non gli consentono d'ammetterlo – d'un'assoluzione. Per questo, senza tradire imbarazzi se non nella vorticosità dell'esposizione, inizia il discorsetto che si è preparato nel corso di un'intera giovinezza. Sono anni, infatti, che riflette sulle frasi che dovrà dire: è sempre stato consapevole che a un certo momento gli eufemismi non sarebbero più serviti. *Ci sarà un punto di rottura*, ha ripetuto mille volte a se stesso. Un istante dopo il quale il mondo sarà cambiato. Per questo nel lungo training di preparazione al Gran Discorso si è persuaso che l'unica strada sia la stringatezza: attacco ex abrupto, senza cappelli, andando al nocciolo della questione, come t'ha insegnato il vecchio Mailer. Ma, nonostante gli encomiabili propositi, come spesso avviene ai discorsi su cui si è troppo fantasticato la confessione di Lele si rivela ellittica, confusa, e soprattutto ha il torto di iniziare con una litote e di proseguire con una serie vertiginosa di negazioni:

«Non sono un eterosessuale. Non mi piacciono le donne. Non mi sono mai piaciute. Non ho mai nutrito il minimo dubbio che potessero piacermi...»

Finché finalmente, di fronte allo stupore dei genitori, Lele ritrova lucidità:

«Ho passato anni difficili, ma adesso sto bene. La mia fortuna è essere andato via abbastanza presto, in una città dove erano gli etero a essere considerati anormali. So che per voi – soprattutto per te, papà – sarà un colpo. Eppure non riesco a dispiacermi. Non per il fatto di farvi soffrire. Sono un assertore della libertà sessuale. Non c'è molto altro da dire. Se non che vorrei che non vi avvelenaste la vita tentando di capire dove avete sbagliato o in cosa avete mancato, e tutte queste altre cazzate, sia perché nel mio modo di essere non c'è nulla di sbagliato, sia perché io sono così da sempre, da quando avevo dodici anni. Il tumore non c'entra. L'intervento ai testicoli neppure. Ero così anche prima, anche senza saperlo. Ho convissuto con un uomo più grande di me per quasi tre anni. L'unica cosa che mi dispiace è che dovrete – almeno per adesso – rinunciare a un nipotino. Non mi trovo nelle condizioni di potervi accontentare. Anche se vi assicuro che l'associazione cui sono iscritto da quasi dieci anni, e di cui ormai sono il vicepresidente, sta combattendo anche per questo, per liberarci da quest'ennesimo sopruso, quest'ignobile discriminazione contro le nostre libertà fondamentali, quest'omofobia di Stato. Vedi, papà, tu dovresti capirmi. Tu che fai tanto per gli ebrei. Ecco, tu dovresti capire che per gli omo è la stessa cosa. La gente usa lo stesso criterio di giudizio.»

Perché il mio Lele è così prodigo di dettagli?

Questo il primo interrogativo di Teo, sorto istintivamente, prima ancora che la notizia sia stata assorbita, cui segue il secondo: perché Lele parla con il tono asettico d'un bollettino rivoluzionario? Perché suo figlio fa della propaganda ideologica in un momento così drammatico? Sbaglia o suo figlio usa una verità crudele per torturarli? Una crudeltà che forse gli ricorda qualcosa: la sua stessa crudeltà contro il fratello e il padre: una crudeltà che all'epoca sembrava al servizio d'una giusta causa ma che oggi non ha più senso. Per esempio, che c'entra l'allusione all'impossibile paternità o a quella sciagurata impensabile convivenza? È davvero indispensabile spifferare tutto? Non sarebbe meglio: "Papà, perdonami, ho peccato contro natura. Ma farò di tutto per riscattarmi. Lo giuro sulla santità di questo paese!"? Perché lo ha mandato negli Stati Uniti? È ancora redimibile? Come ha potuto non capire quello che stava accadendo a suo figlio? È possibile tornare indietro? Gli si può presentare una bella figliola vogliosa? Forse con un'assatanata capitana delle Forze Speciali si sentirebbe a suo agio come con un uomo?

Via, non bisogna pretendere troppo da Teo Sonnino. Cristo, la sua mentalità non è abbastanza sofisticata (anche se lo è assai di più di quella di Bepy) per poter immaginare suo figlio posseduto da un baffuto macho del New England. E bisogna considerare che i finocchi sono come gli ebrei e come i negri: è bello amare l'idea che rappresentano, è bello sapere che esistono, ma è assolutamente urtante frequentarli.

«Insomma, qualcosa da chiedere?» fa Lele, con aria di sfida, irritato dall'attonitezza dei suoi. Chissà perché si era figurato che lo avrebbero schiaffeggiato e chissà perché gli dispiace che non abbiano fatto neppure il gesto. Chissà perché nella decennale fantasticheria intorno a questa scena aveva immaginato molta più concitazione, sia in se stesso, sia nei suoi vecchi. Come aveva potuto credere che le sue parole sarebbero state contrappuntate da una di quelle musiche enfatiche da soap opera? Ma ormai il punto critico è superato brillantemente. Ora tocca a te, papino, a te, mamma cara. Il pallino, dopo anni di sofferte irresolutezze, passa dalle sue mani a quelle tremanti dei suoi genitori.

Micaela prova a piangere. Ma non viene. La bocca di Teo è impastata dei microrganismi dell'angoscia. Una cosa vuole precisarla, e subito. Una cosa che in prima istanza gli sembra intelligente, che non sa e non vuole tenersi dentro, anche se subito dopo si pentirà d'averla semplicemente concepita.

«Lele, ti possiamo chiedere almeno, se non di dissimulare la tua deviazion... cioè la tua preferenza sessuale... sì, insomma hai capito... ti possiamo chiedere di non ostentarla attraverso abiti stravaganti?... In fondo che bisogno c'è? Io mica ostento la mia virilità o quel che ne resta... Il

60

narcisismo è un difetto, se non addirittura un peccato. Che senso hanno i capelli di quel colore, ragazzo? E quelle scarpe da donna? Non trovi anche tu che non aggiungano niente?... In fondo ti abbiamo insegnato il rispetto...»

Sì, è proprio Teo a parlare. È lui che per la prima volta nella sua vita sta mettendo tra virgolette l'odiata parola "rispetto".

D'altra parte gli basta un attimo per rendersi conto di essere caduto nel più banale tranello tesogli da quell'infida isterica di suo figlio. Ma come? Proprio lui che ha combattuto contro il formalismo di famiglia adesso accampa pretestuose futilità esteriori? Proprio lui viene a parlarci di rispetto? Possibile che a esprimersi in modo tanto conservatore sia lo stesso teddy-boy che sfidò quei damerini del padre e del fratello con i suoi abiti sdruciti? Lui, il sessantottino che sbeffeggiò le consuetudini borghesi con la sua T-shirt e i suoi bermuda contro i tight di quello strepitoso rinfresco matrimoniale? Come osa indignarsi per le stravaganze del figlio? Da quanto tempo è così ipocrita? Così farisaico? È l'aria di Israele ad avergli cambiato la testa?

La stoccata di Lele è inesorabile. E, Teo non può dolersene, è stato lui a provocarla:

«No, papà non puoi chiederlo. Non c'è un modo onesto o uno disonesto di vestire. E se hai deciso d'impormi come vestire solo perché sono in casa tua, allora domani stesso andrò a cercarmene un'altra. D'altronde mi riuscirebbe difficile convivere con una persona che ha un'idea così convenzionale della "rispettabilità". Uno che attribuisce agli abiti un'importanza così determinante... Oppure ti vergogni semplicemente di me?»

«Ma no, dai, non fare così, non intendevo questo e lo sai. Volevo semplicemente dire che qualsiasi manifestazione pittoresca di diversità finisce con l'essere inautentica, parodistica. Una posa. Una moda. E quindi nociva alla tua stessa causa. Questo volevo dire. Non è quello che ti ho sempre insegnato?»

Così si sente un po' rinfrancato. Sente di aver dato una promettente sterzata al discorso, mentre la coscienza dell'omosessualità del figlio gli entra dentro torcendogli le viscere.

«E in ogni modo, papà, sappi che, sebbene io a mio modo sia credente, e sebbene io rispetti i tuoi sentimenti (hai visto come sono stato bravo ieri a quella pagliacciata del Kippur), non posso più accettare una religione come l'ebraismo basata sul razzismo e sull'omofobia. E ti avverto che alle prossime elezioni voterò contro quei fanatici del Likud!»

La cosa che più colpisce Teo è che suo figlio – il suo unico figlio – non solo ha un sacco di idee su tutto, ma non vede l'ora di esternarle, di metterne a parte i suoi genitori. Allo stesso tempo Teo ha l'impressione sgradevole che tutte le idee espresse dal figlio gli siano più o meno esplicitamente ostili.

E questo è davvero il colpo di grazia. Ecco la vendetta profetizzata (o auspicata?) da Bepy. «Te ne pentirai» gli aveva detto Bepy tanti anni prima, quando era ancora un uomo sicuro di sé, quando era ancora ricco e rispettato, quando era lontano anni luce dall'indegna e truffaldina persona in cui la vita lo avrebbe trasformato. Quando era ancora un uomo invincibile e venerato. «Non partire» gli aveva ripetuto con la cadenza incongruamente profetica che talvolta prendeva la sua voce. «Che c'entra ora Israele?» gli aveva chiesto. «Hai tutto qui. Tu non sei uno di loro. Tu non hai nulla in comune con quella gente disperata. Tu non sei un combattente. Tu non esporrai i miei nipoti all'odio, agli attentati, alle guerre. Io conosco la guerra...» Eppoi era giunta la profezia: «Te ne pentirai, non so come, ma sono certo che te ne pentirai». Così gli aveva detto tanti anni prima, quando lui aveva deciso di partire. E quelle parole erano pesate, sì, Teo le aveva allevate dentro di sé come un piccolo tumore. Prima durante la malattia di Lele, poi durante gli sfibranti litigi con Micaela e le mille traversie economiche, e ora di fronte a questa rivelazione, le aveva sentite salire da dentro, fino a squassargli la coscienza. «Te ne pentirai» gli aveva detto. E Teo – Teo il Superstizioso – aveva avuto l'impressione che esse testimoniassero un wishful thinking più che una dolente previsione. Una vendetta, insomma. "Spero che tuo figlio ti faccia passare quello che tu stai facendo passare a me e a tua madre, maledetto incosciente." Ecco il senso di quel "Te ne pentirai". Così almeno Teo, nella sua instabilità emotiva e nella sua letterariotà, l'aveva interpretato. Non come protesta d'un genitore in apprensione, ma come rappresaglia. E proprio ora che si sente al sicuro, ora che il padre si è socialmente suicidato, ora che quell'uomo non ha più nulla da insegnare, ora che la sua influenza ha smesso di assillarlo, ora ch'è morto da così tanti anni che neppure le sue ceneri potrebbero vibrare di gioia, proprio ora quel "Te ne pentirai" gli torna alla memoria. Ora che lui ha trovato una ragione di vita, contro la dissipazione della sua famiglia, nei principi d'Israele, nella moralità e nella forza di questo Stato in trincea, nello spirito di conservazione che alberga nel cuore israeliano, scopre di aver messo al mondo un figlio che – dopo aver smaniato tutta l'adolescenza per fuggire dal Paese tanto faticosamente guadagnato da suo padre, per non fare il servizio militare, per non mettere a repentaglio la propria esistenza corrotta, per pura viltà – ha scelto questa *cosa* abnorme che i nostri avi, con un senso di disgusto, chiamavano "sodomia", fino a noverarla tra i peccati mortali. Ecco il castigo: chi ha cercato l'autentico ben oltre le umane possibilità ottiene in premio di affidare il proprio nome a questo dissoluto scherzo di Natura. Chi ha abbracciato con tanto calore il più estremista tradizionalismo ebraico si ritrova per figlio questa checca laburista!

Teo Sonnino in quel Millenovecentottantatré era il malpagato redattore d'un giornale vicino al Likud e in pochi anni s'era conquistato sul campo i galloni di fiero nemico del popolo arabo.

Un uomo tutto d'un pezzo o una testa calda?

A leggere i suoi corsivi c'era da stupirsi, sia che li avesse scritti l'uomo cordiale e sorridente che nei pleniluni estivi, disteso sulla spiaggia deserta di Tel Aviv, ieraticamente assorto, imbracciando una chitarra acustica rigata dalle intemperie e dagli eccessi degli anni Sessanta, canticchiava *Across the universe*, sia che tanti anni prima quell'uomo, a ridosso della sua sbornia israeliana, avesse avuto una militanza rivoluzionaria. Più semplice associare quella mostra di muscoli e di giornalistiche intransigenze al viso ossuto e agli occhi visionari di un integralista d'origine russa: qualche odioso figlio di puttana che, avendo patito tutto quello che un uomo medio stimerebbe assai oltre la soglia della tollerabilità, ha sviluppato un feroce sprezzo per la vita: per la propria e per quella di tutti gli altri. No, quelle astiose parole non s'attagliavano alla pacifica silhouette di Teo Sonnino, ai suoi occhi che esibivano il celeste smalto della meraviglia. Ma il suo fascino, oltre allo straordinario eclettismo e a una forma ironica di simpatia umana, sembra consistere nella contraddizione. Sin dalla nascita ha nutrito in sé un fottio di incongruenze. Ecco il suo appeal per alcuni. E ciò che urta tutti gli altri.

Sovversivo in gioventù, odia con dostoevskiano ardore i laici liberali della sua famiglia. Finché negli anni Settanta, durante la guerra del Kippur, rompe con i suoi amici di estrema sinistra, accusandoli di aver comprato la causa araba e svenduto quella israeliana. Dà loro degli antisemiti, dei nazisti, dei terzomondisti del cazzo, trovando altrettanto nauseante il modo aperto e scevro di pregiudizi di valutare la questione mediorientale esibito da Bepy, quel moderato campione d'equidistanze, quel damerino troppo occupato a tenere in fresco lo champagne per pensare alla Storia-che-ci-travolge.

(Dio, Teo, come sei ingiusto!)

Ancora molti anni dopo la partenza di suo figlio, Bepy non aveva saputo dimenticare il giorno in cui aveva visto Teo ritagliare da un numero de "L'Europeo" le foto degli otto atleti israeliani uccisi durante le Olimpiadi di Monaco del Settantadue. Bepy aveva negli occhi nel naso nelle orecchie tra le mani la concitazione di quei giorni. Ricordava quel ragazzo con le forbici, ricordava sparse sul tavolo della cucina le foto dei ragazzi giovanissimi morti per il solo fatto di rappresentare Israele nel mondo. Aveva trovato tutto questo così toccante. Aveva stimato la partecipazione del figlio a quel dramma una testimonianza della sua sensibilità. Aveva persino deplorato il modo cinico dell'altro figlio di minimizzare una tragedia tanto simbolicamente rilevante (Luca era fatto così. odiava i simboli). Ma come avrebbe potuto credere che il passo successivo a quel macabro album di fotografie potesse essere la decisione di andare a vivere, a combattere, a procreare in Israele? Non lo avrebbe creduto possibile. Eppure se solo avesse saputo interpretare la dolente serialità di quei gesti filiali. Se solo avesse saputo quanto Teo si sentisse toccato dalla morte di quei ragazzi che avevano la sua età. Se solo avesse saputo ascoltare i sospiri di quel figlio. Se solo avesse compreso quanto quell'attentato lo avesse sconvolto. Quanto gli fosse entrato dentro. Quanto fosse difficile per lui disintossicarsene. Se solo avesse saputo intuire che Teo non era in grado di liberarsi dalle espressioni facciali di quei giovani atleti. Le espressioni stampate sulle pagine di un settimanale. Le espressioni di ragazzi vivi che ora sono morti: come quella un po' strafottente di chi si sente in cima al mondo, o quella meditabonda di chi ha paranoicamente trasfigurato la professione di campione, tanto meno quella più spiritosa che sembra reclamare un infinito divertimento. Se solo Bepy avesse avuto la sensibilità per capire tutto questo. Se solo avesse saputo dare corpo nel suo animo allo scenario più prevedibile ma anche al meno pensabile. Se solo non avesse liquidato con un sorriso la comparsa di quel poster di Gerusalemme nella camera del suo secondogenito. Se solo non se la fosse cavata con la solita alzata di spalle di fronte all'abitudine sempre più molesta di Teo d'intrattenerli sulla grandezza della politica israeliana e sull'ignominia della propaganda anti-israeliana. Se solo avesse saputo imporre al figlio un linguaggio meno dogmatico, se solo, durante i lunghi pasti serali, gli avesse severamente impedito di parlare degli arabi con tanta acrimonia («Sono peggio dei nazisti!» lo aveva sentito dire una volta. Eppure la schiena di Bepy aveva evitato per l'ennesima volta di riempirsi di sudore). Se solo avesse opposto a quelle farneticazioni fondamentaliste del suo irriconoscibile figlio un ragionamento piano e persuasivo piuttosto che la solita gelida secchiata di sarcasmo... Ebbene, forse allora...

Ci sono almeno un'altra dozzina di "se" con cui Bepy avrebbe potuto torturarsi negli anni successivi alla partenza di Teo, per tentare di comprendere retrospettivamente tutto quello che allora non aveva capito, e per illudersi, forse, che se solo avesse colto uno di quei lampanti segnali lanciati dal figlio, avrebbe potuto impedirgli di compiere il proprio destino in fondo nient'affatto tragico.

In quegli anni ci saranno state almeno un centinaio di famiglie di ebrei romani in pensiero per i loro cari che avevano deciso di trasferirsi dall'altra parte del Mediterraneo, in Israele. Queste famiglie erano accomunate non solo dal terrore di essere raggiunte da qualche notizia drammatica sulla sorte degli eroici congiunti, ma anche da un ribollente sentimento di orgoglio per quella (quasi ascetica) scelta. Era come se queste famiglie avessero versato un tributo di carne sangue e cromosomi a quella Grande Madre, a superstiziosa tutela delle proprie vite meschine, dell'insensato benessere, e soprattutto della sicurezza. A sentirli parlare – questi ebrei-parenti-di-ebrei-israeliani – si sarebbe detto che una forza misteriosa li tenesse avvinti all'Italia impedendo loro di raggiungere i familiari disseminati per i vicoli di Haifa e Gerusalemme o per gli eleganti quartieri residenziali di Tel Aviv. Perché se da una parte essi spendevano la vita a raffrontare il dissesto italiano-europeo con l'efficienza sovrumana degli israeliani (amando elogiarne il civismo, l'efficienza burocratica, i successi militari e scientifici, gli esperimenti agro-genetici – pompelmi giganteschi e angurie senza semi dolci come l'ambrosia –, l'esperienza ecumenico-comunitaria dei kibbutz, i nuovi scrittori, una lingua antica e freschissima, le sovrappopolate università piene di cervelloni...), dall'altra non avevano alcuna intenzione di lasciare Roma. Ogni Pesach formalmente promettevano (come i loro antenati avevano fatto per millenni) che entro il prossimo si sarebbero trasferiti tutti a Gerusalemme, ma poi evidentemente, già con le valigie in mano, ci ripensavano.

Eppure tra queste cento famiglie che avevano un parente in Israele ce n'era una che d'Israele se ne infischiava, che non aveva mai preso in considerazione di trasferirvisi, ma che, semmai, era piuttosto incline a mostrare la propria gratitudine a Roma, all'Italia, all'Europa tutta per aver meravigliosamente risposto alle esigenze di lavoro, sfrenatezza e libertà di ogni suo membro. Questo nucleo si raccoglieva intorno al patriarca Bepy Sonnino così poco venerabile che non smetteva di chiedersi come avesse potuto suo figlio minore, così bello, così simpatico, così atletico, così amato dalle donne, così protetto dalla famiglia, fuggire in quel luogo ostile e insensato che si chiama Israele.

D'altro canto Teo non si sarebbe più liberato dei sorrisi di quegli atleti assassinati. Era la sua vicinanza, la sua contiguità con quei ragazzi a sconvolgerlo. Non c'entrava l'ebraismo. Non era così fazioso. Quei morti lo commuovevano, non lo facevano respirare (più di tanti altri morti nel mondo e nella Storia, più dei morti dell'Olocausto) perché quando erano vivi assomigliavano precisamente a lui. Avevano i suoi capelli lunghi. Ascoltavano la sua musica. Amavano ragazzine bionde con gli occhi verdi. Fumavano le sue sigarette senza filtro. I suoi spinelli. Dovevano aver traversato gli anni Sessanta con la sua stessa febbrile eccitazione. Ecco quello che suo padre e suo fratello non riuscivano a capire. Lui non poteva disinteressarsi di tutto questo. Lui doveva essere parte in causa. Lui vi era immerso fino al collo. Altrimenti la sua vita sarebbe stata mostruosamente insensata. E quelle facce avrebbero continuato a tormentarlo. Ecco perché le aveva diligentemente, pazientemente ritagliate. Ecco perché le aveva messe in una cartella. Aveva scritto e riscritto i nomi di quegli atleti cento volte, nell'illusione che il funesto effetto prodotto in lui da quelle cadenze mediorientali potesse essere esorcizzato dalla consuetudine.

E Bepy, sgomento, aveva visto suo figlio – al quale aveva cercato d'inculcare l'idea tutta Sonnino che nella vita bisogna accantonare il passato per proiettarsi morbidamente e incoscientemente nell'avvenire – affezionarsi in un modo morboso a quelle facce trapassate. Ma non aveva saputo capire come quel feticismo iconografico fosse soltanto il prologo alla sua emigrazione: un'emigrazione che Bepy considerava come una sconsiderata improvvida trasvolata verso un remotissimo passato, e quindi una cosa allo stesso tempo stupida e triste.

Solo ora, dieci anni dopo, ormai a tutti gli effetti cittadino israeliano, Teo Sonnino ha sposato la "linea dura", proclamandosi nemico della "pace a tutti i costi" e dello smantellamento degli insediamenti ebraici nei territori occupati, fautore dell'indivisibilità di Gerusalemme e della sua inviolabilità spirituale, uno dei più irriducibili alfieri del ministro Shamir e fiancheggiatore dei metodi estremistici di Ariel Sharon in Libano. Solo ora la sua posizione è diventata irrimediabilmente oltranzista. Restituire la striscia di Gaza a quei...? Non starete mica scherzando? Sono semmai loro, quei ladri, a dover sloggiare. Quelle terre ci appartengono. Ce le ha donate Jahvè. È roba nostra, da millenni. Le tombe dei Patriarchi sono lì per noi. Le risoluzioni delle Nazioni Unite? Crediamo in Jahvè, mica nelle Nazioni Unite.

Teo non ha imparato a sopportare che i suoi parenti italiani – Bepy ma anche Luca e tutti gli altri – si lascino commuovere dal dramma palestinese. È una cosa cui non può serenamente pensare: quel patetico sfoggio di sentimentalismi. Quelle indegne sceneggiate. Quei bambini mandati a morire solo per il gusto di poter ostentare i loro corpicini senza vita, al solo cinico scopo di commuovere il mondo, affinché quando noi si salta in aria tutti si possa esclamare allegramente: «Beh, ragazzi, non si può dire che non ve la siate cercata!...». I palestinesi sono una fabbrica all'ingrosso di commozione e retorica, pensa Teo rabbiosamente. E non si limita a pensarlo. Lo scrive tutti i giorni. Indefesso. Ecco come ha finito per occupare un posto di prestigio nella lista stilata dall'OLP, alla voce "integralisti ebrei da eliminare".

Non è veramente incosciente, quasi scandaloso, da parte di genitori apprensivi come i miei, mandarmi in vacanza l'estate a casa d'un uomo inviso al sempre più agguerrito terrorismo palestinese? Il segno palpabile di come i miei avessero un senso forte di fatalismo che i prudenti, cattolici filistei della famiglia di mia madre consideravano (a ragione?) un'inconfessabile presunzione d'invulnerabilità: così smisurata da coinvolgere persino i figli piccoli.

Mi faceva una certa impressione, d'altronde, vedere Teo la mattina con un abito di lino spiegazzato, il cui color crema sembrava esaltato dall'abbronzatura delle mani e dal celeste degli occhi, uscire di casa per andare al giornale, e prima di salire sull'auto, lasciata imprudentemente di fronte a casa, togliersi la giacca, chinarsi, infilarsi sotto la macchina a sincerarsi che non ci fossero ordigni esplosivi o manomissioni ai freni, come si trattasse d'un'operazione di routine come quella di togliere l'antifurto o il ferma-pedale: per poi sgattaiolare fuori, darsi una pulitina distratta, rimettere la pistola nella fondina, sorridermi e partire con una sgommata verso il giornale.

Come se la paura avesse smesso di celebrare segretamente il suo oscuro officio, scaturendo dalle tenebre della clandestinità, per diventare sostanza organica e luminosa, lava rovente che si scioglie nell'atmosfera confondendosi con gli odori di zagara. Paura che tutto scompaia. Che d'un tratto una grassoccia teenager, in giro per qualche compera, venga travolta da una deflagrazione: i pezzi di lei sparpagliati nel calore meridiano. Paura che quell'autobus impazzisca. Che un'ombra vile faccia scattare una terribile detonazione. Che il cielo diventi piombo. Che i marciapiedi si torcano. Che qualcuno *spezzi l'equilibrio del giorno* di questo strano Paese strappato faticosamente al deserto, popolato da fitta popolazione eterodossa di biondi che si difendono dal sole con una sovrapproduzione di melanina e di Sabra corvini abituati a sfidarlo: questo Paese sporco e disadorno, che tenta solo di essere inessenziale, in cui i giovani sono drogati di Coca-Cola e i cui vecchi stentano a disintossicarsi di tutta la rabbia accumulata fin dai tempi delle persecuzioni faraoniche: sì, questa strana lingua desertica, veementemente inverdita, che gli ebrei di tutto il mondo chiamano "nazione": questo Paese che sembra composto di atomi di terrore. Tutto qui è ammutolente. Anche i tramonti incredibili hanno il colore del sangue. A chi cercasse un macabro diversivo, basterebbe far esplodere un palloncino in una pubblica piazza per seminare il panico, per vedere giovani manager imbellettati che tornano dal loro aperitivo nel grazioso quartiere di Jaffa gettarsi a terra nella polvere pur di scampare alla disintegrazione. Sotto quegli abiti civili, sotto le ostentate eleganze, sotto l'aspirazione alla normalità, sotto il vitalismo edonista, si nascondono mimetiche e cinturoni, e più sotto ancora, nella cassa toracica, cuori rabbiosi che stentano a demilitarizzarsi.

Ebbene, quelle paure sembrano assommarsi alle mie in questa estenuante estate Ottantatré. Paura di non essere un uomo. Paura che il mio naso non smetta più di crescere. Paura di diventare cieco. Paura che gli altri mi vedano brutto come io mi vedo. Paura che l'interminabile adolescenza che mi attende non sia all'altezza delle aspettative. Paura di non poter appagare il mio piacere. Paura di allevare un cancro ai testicoli proprio come mio cugino. Paura di non vedere mai sgorgare una sola goccia di sperma dal mio timido Circonciso. Paura di rimanere impegolato in questa palude di erotica titubanza.

Come avrei potuto immaginare che sarei sortito dall'incubo della sterilità grazie ai piedi di zia Micaela e che questo avrebbe rappresentato una svolta determinante? Proprio lei: Micaela Salzman, l'affusolata ragazza ucraina la cui ocabra bellezza aveva letteralmente sconvolto Teo, sin dal loro primo incontro nel kibbutz sul monti del Golan, fu l'involontaria causa della mia emancipazione.

Un pomeriggio mi trovavo nel soggiorno polveroso della casa di Tel Aviv in quella penombra artificialmente creata per combattere la canicola. Mia zia girava per le stanze, nella sua delicatezza da adolescente avvizzita che m'accendeva come nient'altro. In mano l'immancabile tavoletta di cioccolata al latte. Non faceva che mangiarne, forse per alleviare la delusione crescente. Aveva sempre i bordi delle labbra screziati di marrone, nuvole di gianduia e virgole di cacao che le davano un aspetto commoventemente infantile. Il miracolo era che tale dieta a base di grassi saturi non scalfisse d'un grammo la sua linea tenera e affusolata se non per una lievissima prominenza appena sopra il pube che, d'altronde, era così incantevole che mi ci sarei addormentato sopra per morirci. Micaela continuava a essere ogni giorno più sgarbata con me e con il figlio, come sfogasse il rancore che provava per il marito folle e squattrinato sulle innocue propaggini della di lui famiglia. Lo scandalo è che lei rimproverava Teo di non essere l'individuo che lui tutta la vita aveva cercato di non essere: un tipo realizzato e rassicurante come mio padre. Un uomo vero, insomma, che, dopo essersi risollevato dai casini di Bepy, aveva ripreso a veleggiare sulle calme acque del benessere, con una bella casa, un'auto sportiva e due figli promettenti (ecco come l'ingenua ragazzina russa aveva trasfigurato la mia famiglia). Già allora sentivo come la misteriosa e illecita attrazione nei confronti di

71

quella donna fosse legata, in un modo che non avrei saputo definire, al suo cattivo umore (mi preparavo al calvario della mia adolescenza che sarebbe consistito nell'innamorarmi a tempo di record di ragazze che palesemente mi disprezzavano?).

Quel pomeriggio rimanemmo soli. A Micaela caddero dalle mani alcuni spiccioli. Subito, per assecondare la galanteria che quella presenza sapeva ispirarmi, mi chinai per raccoglierli. A quel punto, in terra – in una condizione subalterna che mi sarebbe sembrata negli anni a venire preliminare alla ricerca del piacere –, arrancando carponi come un cane da tartufi verso la mia zietta, sentii un odore provenire dai suoi piedi. In quel preciso istante, con la testa che continuava a schiacciarsi a terra e le narici che si dilatavano, ricevetti il dono del dio minore che sancisce il trionfale esordio nell'età adulta (stavolta l'attributo "trionfale" mi sembra davvero adeguato). Le mie mutande s'empirono del liquido caldo che da anni attendevo. E da quel giorno la mia vita non fu più la stessa.

Ho bruciato l'adolescenza a trafugare collant dalle case delle mie compagne, delle ragazze dei miei amici, delle mie zie, di mia nonna, esponendomi a più riprese al rischio di essere scoperto. La cleptomania a scopo feticista divenne una missione oltre che una dolorosa necessità vicina alla dipendenza.

Quell'inclinazione era talmente irrefrenabile che anche a scuola presi a puntare le estremità delle mie compagne, per cinque ore consecutive. Talvolta le mie signorine sfoggiavano calze chiare e scarpe ballerine. Ma ecco, che, a un tratto, Monica Lambicchi, la mia vicina di banco, sublime racchietta con tanto d'occhiali e apparecchio, decideva ch'era giunto il momento, per inconscio diversivo, di tirare fuori il calcagno dalla scarpa. Bastava quel giochetto a inondarmi il ventre di dolore. Ebbene, quello spazio tra scarpa e calcagno era per me un luogo metafisico, degno della più assoluta venerazione, d'una nuova mistica: un luogo fuori dal tempo in cui lasciare confluire ogni aspirazione. Mi coglievo a sognare che nell'aula irrompesse il Benigno Dio di Israele desideroso di esaudire un nuovo desiderio: fermare il tempo e lo spazio a uso e consumo di questo figlio arrapatissimo. Mi vedevo planare tra le dormienti statue di cera dei miei compagni. Atterrare al fianco di Monica Lambicchi impietrita. Infilare il pene nella fessura oscura tra il piede e la scarpa e raggiungere in un attimo l'orgasmo. Risorgendo da quella deliziosa fantasticheria sentivo la virilità spingere dolorosamente sulla patta dei jeans. Qualche attimo dopo, perso ogni autocontrollo, mettevo la mano destra nella tasca dei pantaloni, appositamente forata, e iniziavo a lavorare. A un tratto sentivo che il calore e la concitazione m'avevano dipinto il viso e il momento s'avvicinava. Finché erompevo nella solita doccia tonificante, consapevole che il novanta per cento della classe aveva assistito a quella mia esibizione con elettrizzato disgusto.

Questi erano i soli gesti rivoltosi, le sole rappresaglie che mi concedessi. È come se Daniel Sonnino, il Più Grande Trafugatore Di Calze Femminili Dell'Emisfero Boreale, tradizionalmente un vile matricolato, avesse trovato un po' di coraggio solo nella degradazione. Ecco, credo che questo dovrebbe essere oggetto d'una ponderata riflessione. Perché mai le mie poche scorte di coraggio erano indissolubilmente intrecciate alla mia abiezione? Se avessi visto mio padre annegare non sarei mai riuscito a trovare la forza per buttarmi in acqua e salvarlo. Eppure, se per avere le calze di Monica Lambicchi qualcuno m'avesse imposto una prova terribile, come quella d'attraversare un canyon profondo camminando su uno spago, probabilmente, spinto dall'adrenalina e da quel dolore allo stomaco, avrei accettato la sfida, e forse l'avrei persino superata! E quell'articolata forma di coraggio che sfiorava, talvolta, la più autolesiva incoscienza, non poté essere vinta neppure dal biasimo e dal ludibrio generale.

Così neppure l'enigmatica scritta apparsa un giorno sulla grigia porta della toilette femminile – CARE RAGAZZE,

NON DATE LA MANO A DANIEL SONNINO. POTRESTE INFETTARVI —, neppure quella scritta dai neri caratteri cubitali che ogni ragazza poté vedere riuscì a persuadermi, dopo un lutto di pochi giorni, che fosse venuta l'ora, una volta per tutte, di abbandonare quella pratica quasi quotidiana.

Sarei arrivato al ricatto pur di ottenere nuovi cimeli. Sognavo di minacciare Monica Lambicchi (*Ucciderò tuo padre!*) se non mi avesse consegnato le sue scarpe da ginnastica in busta sigillata e con annessa fotografia della sua faccia da secchiona. Sognavo quei megastore giapponesi in cui giovani studentesse per arrotondare o sbarcare il lunario vendono i loro usati indumenti intimi a vecchi (o giovani) bavosi come il sottoscritto. Arrivavo a esaltarmi per la meravigliosa civiltà giapponese. Per quell'orientale intuizione sulla natura umana.

Così d'un tratto la mia vita si trasforma in una permanente sfilata di moda: sul palcoscenico della mia coscienza sfilano ininterrottamente schiere di sandali, ballerine, espadrillas, mocassini college, tacchi sottili cui basta associare un viso (anche il più improbabile) per innescare il miracolo.

La mia stanza di sedicenne è un museo degli orrori. Ceste, cassetti, armadi straboccanti di calze, calzini, pantofole, scarpe. Nessuno può capire più di me il gusto irrefrenabile per il collezionismo dei serial-killer (ma forse sbaglio a usare il vocabolo "gusto", che sembra implicare una scelta ponderata ed esteticamente consapevole. In realtà si tratta d'una coazione al furto che non puoi fare altro che secondare). Ho catalogato fin dai primi tempi tutta quella montagna di stoffa sporca con un ordine cartesiano-enciclopedico: età delle vittime, anno del sequestro, numero di seghe dedicate. Ecco il mio album di fotografie, il mio cassetto pieno di ricordi commoventi, l'inventario delle cose perdute, l'oggetto della mia indomita idolatria. È più forte di me. Su ognuna di quelle reliquie ho goduto, fantasticato, esultato e pianto. Ecco la contro-storia della mia breve vita di bambino diligente, dall'ottimo profitto scolastico, dall'insuperata sprovvedutezza, con il difetto di somigliare troppo a un accademico in nuce e di essere schiacciato dal calore d'una famiglia perfetta.

Ma c'è una domanda che continua ostinata a perturbarmi: perché, dopo tanti anni, il ritmo delle mie performance onanistiche non è affatto diminuito rispetto a quello fastosamente inaugurato vent'anni fa in terra d'Israele? È insultante liquidare una simile irriducibilità con vieti psicologismi tipo: *Daniel, ti stordisci di seghe perché sei un malcresciuto frustrato*. Non mi persuade, d'altronde, neppure una nota storico-antropologica: *Sei l'ultimo depositario di quella mentalità decadente che ha dato molto, ma altrettanto ha sottratto, alla generazione intellettuale cresciuta tra il 1850 e il 1945*. Né mi sembra appropriata l'ipotesi patologica: *Arrenditi all'evidenza, sei un pervertito cronico!*, nella quale avrei creduto diversi anni fa, prima che i miei notturni naufragi su Internet non mi svelassero i segreti dell'umanità solitaria.

No, non ci sto: stavolta voglio sbalordire me stesso: d'altro canto, sarebbe facile e monotono cavarsela con un'ennesima sparata autodenigratoria. Vorrei, piuttosto, inaugurare un'intensa nonché fugace stagione autoapologetica.

La masturbazione è la più alta espressione di libertà – dietro alla quale si piazza soltanto la letteratura (che purtroppo ha regole troppo ferree e impedienti per reggere il confronto) – che il mio organismo abbia saputo concedersi negli ultimi trentatré anni. Una libertà che supera perfino la sfrenata sessuomania di certe rockstar, rispetto alle quali ho il vantaggio di poter scopare simultaneamente, o nell'arco di quegli elettivi dieci minuti fuori dalla Storia, con donne decedute da anni come Marilyn Monroe senza correre il rischio di passare per un necrofilo, con vecchie compagne di scuola senza per questo sentir parlare di passatismo, con starlettine della TV senza dover diventare a mia volta celebre, con le mogli dei miei amici senza per questo tradirli, con la sorella che non ho mai avuto senza commettere incesto, con studentesse universitarie senza compiere alcun abuso, con vergini beate senza indulgere in blasfemia, con undicenni lolite senza violare il codice penale, con prestanti giovanotti senza cambiare sponda... Tutto questo dalla mia confortevole tribuna domestica, protetto dall'inebriante anonimato dei Giusti.

4.
Jihad coniugale

Dovrai contentarti della vichinga imponenza di quello sconosciuto stagliata nel caos aeroportuale di fine luglio, piuttosto che godere della trepidante esilità di tua madre come sarebbe stato naturale aspettarsi: la vista di quel gigantesco uomo bianco e biondo ha mortificato il tuo slancio, facendoti rallentare il passo, nella speranza che la figura di Lei emerga improvvisamente alle spalle dell'impaziente estraneo.

Dovrai cavartela senza di Lei, stavolta.

«Ciao Dani...» sorrise quel tale venendomi incontro.

Non riuscii a chiedergli perché mia madre, dopo avermi mandato in vacanza studio in Cornovaglia per un mese intero, dopo avermi ripetuto al telefono, e più volte del necessario, quanto fossero vuote la casa e la vita senza il suo *topolino*, non avesse trovato il tempo di venirmi a prendere. Dovevo retroattivamente interpretare le sue parole come un espediente cinico per placare le mie lagnose nostalgie d'Oltremanica? E perché mandare quell'uomo? Che senso aveva? Perché questo disagio nel disagio?

E mentre l'anticiclone aveva letteralmente immobilizzato l'atmosfera in un'umida condensa che attaccava i vestiti alla pelle ed esasperava le signore in menopausa appena rientrate da venti giorni polinesiani, ero come paralizzato dall'emotiva ineluttabilità di cui soffrivo in quegli anni alla fine di ogni vacanza rocambolesca. Come se il mondo stesse per crollare. Come se la tristezza fosse destinata a non finire più. Era un esperimento di morte in miniatura. Non avevo ancora piena consapevolezza di quanto fossi infelice, va bene. Più che altro ne avevo una percezione embrionale. Tale visione bastava a serrarmi lo stomaco. Ero certo che non avrei mai più potuto mangiare alcunché. Almeno non attraverso quella bocca, quell'esofago, quello stomaco che sembravano come atrofizzati, come se appartenessero a un altro che non ero io.

L'agostano processo di desertificazione sembrava aver rinsecchito i prati e gli alberi e le rotaie e gli asfalti e gli spiriti (il mio certamente). Tutto aveva un color crema pallido. Quell'aria satura di vapori era un'amichevole replica alla mia innocua disperazione: eco d'un turbamento che agiva sottotraccia. Tutto era infinitamente più piccolo e più sordido: l'aeroporto, le auto parcheggiate, i taxi, i vigili, il vento tirrenico, la città dov'ero nato e vissuto, persino i nomi delle cose... Come un contumace in terra straniera, avevo nostalgia dell'arenaria e detestavo il cemento! Forse persino il mio appartamento – se mai lo avessi raggiunto – sarebbe stato polveroso caldo trascurato buio e asfittico. Tutto era estraneo e sconosciuto da quelle parti, e soprattutto minaccioso. Avevi l'impressione che presto persino i tuoi muscoli si sarebbero arresi al caldo di quel mezzogiorno liquefacendosi sull'asfalto come un gelato di fragola.

Sarei riuscito a riabituarmi a quella vita? A quella città? A quella gente? A quella lingua?

E intanto non sapevo se abbracciare quel tale, o se lasciarmi abbracciare. Scelsi un'irresoluta astensione. Afferrando le valigie per avviarmi, mi sentii spintonare.

«Lascia, sarai stanco...»

«Beh, sai a che ora ci siamo svegliati stamattina?»

«...»

«Alle quattro. E avevamo l'aereo alle cinque e mezzo.»

Ora sei smisuratamente infelice, in preda a pura enfasi adolescenziale (disturbo della personalità che continuerà ad affliggermi persino alla vetusta età di trentatré anni): la vita è dietro le spalle. Tutto quel che hai lasciato non potrà tornare: amici, Inghilterra, famiglia ospitante, i deliziosi toast imburrati, i litri di tè con il latte che ogni mattina scortica le viscere, l'alberghetto di Londra messo a soqquadro la notte prima della partenza dall'energia della falange di brufolosi cui orgogliosamente appartieni: per arginare tale distruttiva euforia hanno dovuto chiamare una decina di bobby con tanto di manganello e baffetti. Subito dopo aver passato la dogana ti sei reso conto di non aver salutato nessuno dei ragazzi. Di essere corso via per rifugiarti nelle braccia di tua madre. Nel biscottato odore della sua pelle di ultraquarantenne. Ma hai trovato questo strano uomo, questo gigante avulso.

«Avrai voglia d'un caffè...» tornò a incalzarmi l'uomo.

Solo dopo questa frase compresi come il mio disagio non fosse neppure paragonabile al suo. Era lui, mio padre, che doveva farsi accettare. Dire la cosa giusta. Rilassarsi e rilassarmi. Condurre il gioco, insomma. Sapeva benissimo che questo era il *suo* compito istituzionale ma sapeva che nessuna parola avrebbe potuto definire peggio il suo ruolo (e il nostro rapporto) del vocabolo "istituzionale". Avrei voluto dirgli: "Papà, non prendo caffè, ho solo quattordici anni. Io prendo il latte, talvolta il tè, mai il caffè". Ma non sapevo chiamarlo "papà" e quindi evitai il resto della frase.

«Va bene, prendiamo un caffè» tagliai corto per districarmi dall'impasse.

Questo sembrò placarlo. Avevamo qualcosa da fare. Insieme, per di più. Lo guardai mentre aggrediva la tazzina fumante. Era impacciato, fremente, come incapace di dominare le mani gigantesche. Si muoveva a scatti, forse a causa del forte astigmatismo. Non aveva niente di armonico. Ma al contrario del suo figlio minore, abilissimo nel dissimulare quella scorta di goffaggine e terrore con una lentezza circospetta, lui sembrava voluttuosamente abbandonarvisi.

«E allora? Che te ne pare?» mi chiese, una volta giunti

al parcheggio dell'aeroporto, facendo improvvisamente lumeggiare lo sguardo.

È esasperante e tipico non cogliere le allusioni di un tizio su cui vuoi fare colpo.

«Cosa?» tergiversai.

«Cosa ne pensi della sorpresa?»

«Quale... sorpresa?»

«Su, Dani, non vedi dove sono appoggiato?»

«È nuova?»

«Nuovissima.»

«È tua?»

«Nostra!»

Dal buio del garage vidi emergere le linee suadenti e aerodinamiche d'una vettura sportiva, presumibilmente lussuosa. Riuscivi quasi a specchiarti nel suo blu metallizzato, a perderti nelle onde perfette disegnate dalle sue fiancate.

«Cazzo, Dani, è una Porsche. Una Carrera. Credevo ti piacessero le auto.»

Aver acceso l'aria condizionata a una temperatura glaciale senza curarsi del mio fastidio e del mio sudore e aver iniziato a correre come un pilota di rally rientrava perfettamente nell'immagine d'iperbolica effervescenza e di svagata insensibilità in cui identificavo mio padre. Lui era smodato nel fisico come nei comportamenti: qualche psicologo condiscendente avrebbe detto che quell'uomo aggrediva il mondo prima d'esserne aggredito. Questa malcontenuta irruenza doveva essere l'antidoto, naturalmente prodotto dal suo organismo, contro il veleno della propria anomalia: il surplus energetico-competitivo messo in campo sin dai tempi della scuola – la prima volta che, uscito dal morbido alveo familiare, entrando in contatto con la planetaria ostilità, aveva compreso il disagio da lui suscitato negli altri. Sì, lui era diverso. Lo era totalmente. Lui era un'elegia della differenza. Esiste qualcosa di più originale d'un ebreo alto un metro e novantacinque, semi-albino, prossimo alla cecità, vestito con una ricercatezza (raramente leziosa) che fa pensare a quei businessman britannici che non si vergognano di spezzare l'austerità d'un gessato grigio con una cravatta sgargiantemente liberty? Esiste niente di più strano che questo gustoso incrocio tra Edward Windsor e Bruno Schulz?

A questo serviva il supremo gusto della maschera e della recita? Null'altro che il tratto distintivo di quegli eccentrici che, incapaci di accettarsi tali, dissimulano dietro un confortevole stereotipo? Guai a privarlo delle sue carnevalate. La ragione per cui faceva equitazione (sebbene avesse paura di essere disarcionato e sebbene odiasse gli sport in genere e sebbene la sua alta statura in groppa anche al più alto dei cavalli facesse di lui una parodia donchisciottesca) era di sfoggiare pantaloni a soffietto tipici della cavalleria britannica. Così come la ragione per cui ogni febbraio si sobbarcava centinaia di chilometri per raggiungere Cortina era solo poter sfoderare dolcevita di cachemire (inadatti, a suo insindacabile giudizio, alla città) che lo facevano somigliare a uno chanteur esistenzialista fuori tempo massimo. La ragione per cui amava i cambi di stagione (e perché spesso arrivava ad anticiparli) era tutta nel desiderio di rinnovare, dopo lunghi mesi di monotonia, il proprio guardaroba. Come i veri artisti, Luca Sonnino partiva da un dettaglio, e sul dettaglio costruiva il mondo. Se, ad esempio, acquistava un paio di calzini mélange d'un color ruggine, una volta rincasato si divertiva – con l'euforia di certi pirotecnici pittori informali – a orchestrare intorno a quel paio di pedalini un tourbillon di cravatte, di scarpe, di pochette, finché alla fine sceglieva, salutando con malinconia tutte le altre strade abbandonate, i sentieri interrotti della sua vestimentaria fantasia.

Quindi guai infagottarlo con una tuta sportiva o con un paio di confortevoli jeans domenicali! Si sarebbe sentito perduto, sarebbe franato fino all'inferno della sua condizione primigenia, quella che aveva cercato tutta la vita di sfuggire. Avrebbe sentito la sua armonia con il mondo, conquistata duramente, spaccarsi in una nuova disarmonia. Non sarebbe sopravvissuto allo squallore d'una vita media di footing e calcetto, di sapori elementari e soffocanti banalità. Sin dai primi anni dell'infanzia aveva sentito come il proprio corpo gigantesco andasse smussato, addolcito, addirittura occultato, possibilmente da stoffe inglesi, ma anche da una dialettica raffinata e uno spirito combattivo o, altrimenti, andasse secondato, esaltato con una buona dose di volgarità e arroganza. E più oltre non sarebbe potuto andare. Aveva schiacciato il mondo, aveva schiacciato quel suo fratellino tanto più bello e delicato di lui, aveva schiacciato la moglie, aveva schiacciato i suoi dipendenti e i suoi collaboratori, pur di affermare la propria personalità.

Accese la radio. Spinse una cassetta nel mangianastri.

«Senti che roba!» disse rivolto più a se stesso che a me. Naturalmente la sparò a un volume folle. A guardarlo si sarebbe detto che inalava la musica con le narici, come se la respirasse profondamente, o addirittura la ingurgitasse, per iniettarsela nelle vene: come se il suo corpo già così imponente chiedesse solo di poter esplodere d'impazienza e di felicità. Così la musica perdeva di trascendenza fin quasi a divenire solida, concreta come uno di quei ghiaccioli alla menta che durante le estati al mare non aveva nessuna paura di addentare. Era entusiasta del suo nuovo impianto stereo. «Tu non hai idea» mi disse, «che cosa vuol dire per uno della mia generazione ascoltare la musica in auto con questa definizione. Ricordo ancora la prima radio di Bepy, era uno strazio. Gracchiava. Non si sentiva niente. Eppure sembrava un miracolo.»

Il Progresso con la P maiuscola.

Mio padre viveva qualsiasi miglioramento tecnologico come un successo personale o quanto meno come l'ennesimo trionfo dell'intelligentissima specie cui aveva l'onore di appartenere.

«Insomma, ti piace?»

Era una canzone dei Supertramp, *Goodbye Stranger*, un

titolo così beffardamente profetico. Gli piaceva quel pezzo. Per quell'estate era il massimo. E questo era il suo modo di dirmi: "Ehi, piccolo, io non sono un nostalgico". E in effetti lui non era un nostalgico. E non tanto perché non avesse nulla per cui provare nostalgia (tutt'altro), ma perché un uomo intelligente – secondo il peculiare significato da lui attribuito all'intelligenza – non poteva, né doveva indulgere in nostalgie. Per mio padre l'Avvenire era la dimora degli intelligenti. Lui odiava gli apocalittici o i passatisti. Era indispensabile interessarsi pervicacemente al presente. Ecco la ricetta giusta. Mica come i padri dei miei compagni, mica il tipo da *canzonetta dei miei tempi*. Il suo approccio musicologico era l'inevitabile emanazione e la folgorante epitome del suo feeling con l'universo: curioso, talvolta addirittura coraggioso, se non proprio sperimentale, certamente onnivoro e quindi totalmente immune da qualsiasi snobismo préalable. Mescolava novità a evergreen con disinvoltura: da Thelonious Monk ai Supertramp, in un'acrobazia estetica che era parte del suo amore insaziabile per il mondo. Amore rapace per la sua epoca. Amore ingordo per l'Occidente e per il Ventesimo Secolo, epurati di tutte le spaventose lordure e trasfigurati dal magnifico sogno progressista che proprio in quegli anni – gli anni della sua maturità – aveva ripreso a veleggiare.

Solo allora ti viene in mente che forse è venuto a prenderti senza tua madre per mostrarti la sua Carrera nuova. Solo allora ti rendi conto di non esserti affatto sdilinquito in complimenti, di non aver coperto d'entusiastiche interiezioni quei sedili avvolgenti profumati di pelle, il poetico ruggito del motore che entusiasmerebbe qualsiasi tuo compagno di classe. Ci sarà rimasto male? È odioso ferirlo. È strano, talvolta hai un piacere bieco nel torturare tua madre. Ma con lui è diverso. Farlo soffrire ti fa salire un groppo in gola. Lui non è nato per soffrire. Lui no davvero. Sei mortificato per non aver espresso tutta la tua meraviglia per quella vettura. Quasi disperato per non essere riuscito ad abbandonarti. (Cosa c'è di peggio che l'incontro tra due ritrosie?) Pagheresti per avere una maggiore intimità con lui. Ma non è colpa tua. Lo conosci appena. È stato via per così tanto tempo. Così tanti anni distante. Per quasi dieci anni l'avrai visto al massimo un paio di giorni al mese. Naturale ti faccia l'effetto d'un estraneo. O per meglio dire, d'un ospite speciale e sottilmente sgradito.

L'ospite d'onore. Quello per cui ogni volta mia madre mobilitava la sua superba macchina igienico-organizzativa. Affinché il marito, una volta a casa, non avesse a preoccuparsi di niente. Si sentisse un pascià. Mi raccomando, Dani, non dare noia a papà... Mi raccomando, ragazzi, stasera torna papà... Mi raccomando, Johanna, stasera c'è mio marito a cena... Così le raccomandazioni sembravano dispiegarsi sulle nostre teste, eppoi insinuarsi nelle nostre coscienze come se esse fossero state programmate ad accogliere l'idea – subdolamente instillata da mia madre – che Luca Sonnino meritasse allo stesso tempo il rispetto che si deve al sovrano e la pietà che c'ispirano i martiri.

Non posso scordare che quando lui tornava percepivo, sebbene fossi così piccolo, le vibrazioni erotiche della sua giovane moglie, sì, di questa donna che per ragioni indipendenti dalla sua volontà si era ritrovata un marito globetrotter, una giovane donna – così nevroticamente ossessionata dalla sobrietà sentimentale – costretta a trascorrere gli anni migliori del suo matrimonio lontana dal marito. Così come non posso scordare l'ineffabile dispiacere – e la disperazione con cui cercava di nasconderlo – che calava sul viso di lei quando lui ripartiva. Un dispiacere drasticamente dissimulato da pudicizia e da ironia (ecco le coordinate sentimentali sin dagli esordi della loro relazione di compagni di scuola). Le nostre sere all'aeroporto, con lui elegantissimo nel suo cappotto a doppiopetto di Daks (*lo stesso che Churchill aveva indosso a Jalta!*, si vantava) puzzavano di scena patetica. Almeno così io le vivevo. Questo è l'importante: come io le vivevo.

Dai miei ricordi, dal sordido mugolio della mia psiche, tornano alla memoria certi fotogrammi in bianco e nero. Emigranti disperati con i loro fagotti in partenza per l'America. Ebrei orientali stanchi di pogrom e di salse cipollose. Smilzi braccianti calabresi in cerca di fortuna che lasciano moglie e figli, scaraventati in un misterioso avvenire di umiliazioni e fame. Salire su rugginose imbarcazioni di terza classe è il destino più allettante che riesca a immaginare. Non avere idea di cosa ti riservi l'avvenire è la tua condizione perpetua. Ma qui le cose sono diverse. Mio padre parte in aereo, scende in grandi sofisticati alberghi, conduce vita comoda, appassionato di gastronomia e vini francesi, non manca mai alle mostre della londinese Royal Academy o alle retrospettive del MOMA a New York, di cui è anche socio. Probabilmente ci sarà anche qualche avvenente collaboratrice ad accompagnarlo, ad accudirlo là dove un uomo vuole essere accudito.

Se vederlo lì nel suo cappotto color senape, pronto a salire sull'ennesimo aereo, non mi procura emozioni particolari, trovo assolutamente indigeribile il gorgo angoscioso in cui mia madre si dibatte subito dopo la partenza di lui. Torniamo a casa e lei finge tranquillità, in realtà è preda d'una morsa di terrore all'ipotesi improbabile che l'aereo precipiti o il tassì che conduce mio padre nel suo albergo di Francoforte sbandi sul ghiaccio per schiantarsi sul guardrail. La fantasia di quella soave creatura è stipata d'immagini raccapriccianti di sangue e lamiere. Il suo diaframma è gonfio del pesante respiro che emana l'Imponderabile. Il suo cuore è colmo degli estremi istanti di suo marito morente. E finché non arriva la telefonata libera-tutti, finché lui non la informa, con l'asetticità che lo distingue, di essere in albergo, d'essersi fatto una doccia e d'essersi messo sotto le coperte, lei non riesce a stare ferma. Il tempo rallenta, i minuti pesano. E tutto sembra sciogliersi negli squilli miracolosi che tagliano le notturne rarefazioni d'un elegante appartamento romano. Lei aspetta prima di rispondere per non dare l'idea, né a noi, né a lui, né a se stessa, di essere in apprensione e poi, una volta risposto, pronuncia quelle parole che nella mia mente funzionano come il completarsi d'una liturgia: «Sei arrivato? Già sotto le coperte? Quale? Quel vecchio film di Frank Capra? Splendido! Dormi però, ci sentiamo domani... Vuoi che ti chiami per la sveglia domani mattina?... Ma no, lo sai che mi fa piacere... Allora dormi bene, tesoro...». A quel punto il mondo cambia, trasformandosi da squallido ostello in lussuoso albergo di montagna. La signora è euforica, addirittura ciarliera. La signora non è abbastanza nevrotica per pensare che il suo adorato e lontano sposo potrebbe incorrere nel più grottesco degli incidenti, come quello di mettere un piede in fallo uscendo dalla vasca e sbattere fatalmente la testa, o morire nel sonno per un'arteria incrostata. La signora è giovane. La signora si contenta. La signora è strafelice di dormire in un letto vuoto ebbra del pensiero che migliaia di chilometri distante il fulcro palpitante delle sue ambasce sia sano e salvo affondato in un materasso straniero. Un po' le fa pena, adesso. Ma è un pensiero poco più che fugace che in ogni modo fa parte di quell'indecifrabile ventaglio emozionale che la tiene avvinta all'idea misteriosa di quello strano uomo. Un'idea ora miracolosamente epurata dal sinistro soffio dell'Imponderabile.

Un'idea – bisogna pur dirlo – incapace di rinnovarsi quando lui fa le sue saltuarie apparizioni romane, col suo fardello di vizi, d'indifferenze, di vacuità salottiere, di truci egoismi coniugali, d'acquisti sempre più inutilmente sofisticati. A quel punto il loro rapporto si sposta dalle siderali altezze d'un Empireo sognato e desiderato alla frustrante tolstoiana consuetudine matrimoniale.

Eppoi tutto ancora ricomincia come in una giostra infinita: perché non è facile, non è affatto facile andare a letto la sera sapendo che tuo marito o tuo padre sta salendo sull'ennesimo aereo che lo porterà dall'Indonesia al Messico. È una scena che tu – in procinto di andare a letto – non riesci quasi a immaginare: non senza quel patema cosmico che tende a coprire le distanze astrali tra te e il tuo congiunto. Perché è vero, tu te ne stai a letto, sotto il piumone, e fuori fa freddo, piove o che so io: e non è facile per uno che sta a letto da ore, per uno che si sente protetto e avviluppato da una specie di languida coltre di buio e di silenzio, immaginare il proprio marito o il proprio padre – questo commesso viaggiatore intergalattico – sospeso a novemila metri d'altezza su una distesa magnifica e terribile come l'oceano Indiano, a mille chilometri orari, insidiato da una temperatura esterna di -50° e da un'aria così rarefatta da essere irrespirabile. È un pensiero che gela il sangue. Un pensiero che favorisce l'insonnia. Un pensiero che non può essere placato neppure dal sonnifero della Statistica (quanti aerei *non* cadono quotidianamente nel mondo? Quanti taxi *non* vanno fuori strada quotidianamente del mondo? Quante persone *non* tornano a casa mai più quotidianamente nel mondo?...). L'unica cosa possibile è immaginare tuo marito o tuo padre nelle sue abitudini di viaggiatore, nelle sue regole ferree un po' geniali un po' folli un po' sceme come quella che gli proibisce tassativamente d'indossare scarpe senza lacci perché in aereo i piedi si gonfiano. Ecco come tuo marito o come tuo padre si stacca dal minaccioso cielo ove l'hai confinato. Ecco come lui torna sulla terra tra i vivi. Domani lo rivedrai. Domani potrai andare a prenderlo all'aeroporto. Dormi, ragazzo. Dormi, dolce signora. Dormite. Non esiste alcuna ragione per stare svegli. Gli aerei atterrano quasi sempre.

E forse tutto sarebbe stato diverso se lei avesse inteso che a lui andava bene così.

In fondo basta capire che lui è uno degli uomini della nostra epoca che non solo non ha casa, intesa come fissa dimora, ma non sembra averne necessità. Detto così può apparire enfatico, ma la sua casa è il mondo: se non tutto, uno spicchio ragguardevole. Più a suo agio nei labirinti asettici dei duty free, nei meticolosi reticoli dei ristoranti giapponesi, nei fasti impersonali degli Hilton, persino nelle afose sarabande delle sale d'attesa che non a casa propria. Forse perché un uomo di quella mole extralarge non sa che farsene del calore domestico: ha bisogno di spazi larghi, di affollate hall. Dio mio, quel principe delle superfici abitava i suoi anni con straboccante entusiasmo. Ecco qua la versione altolocata dell'*ebreo errante*, la trasposizione chic del milleriano viaggiatore. Nessuno più di lui avrebbe saputo comprendere la sublime poesia di un McDonald's di un'oscura area di servizio della Germania Occidentale alla mezzanotte d'un qualsiasi giorno di dicembre. Nessuno più di lui si sarebbe potuto commuovere di fronte a una quattordicenne ucraina che, protetta da un paio di jeans scoloriti e da una pidocchiosa giacca a vento, aspetta l'autobus soffiando sulle proprie mani per il freddo. Lui amava certe scene moderne. Ne intuiva l'intrinseca elegia.

E la cosa singolare è che aveva un'autoironica coscienza di queste sue disposizioni. Per esempio, quando qualcuno gli chiedeva se era stanco, o se era ancora stonato a causa del fuso orario, lui rispondeva di aver avuto la meglio, dopo molti anni di viaggio, sul jet-lag. Diceva che per lui non esisteva, il jet-lag. Che si trattava d'una ridicola suggestione. Chi possiede il mondo in tasca sa che in fondo esso non smette mai di essere illuminato. E alla fine aggiungeva, con un pizzico di divertita vanagloria: «Diciamo che mi sento come Carlo V: sul mio regno non tramonta mai il sole». Tale autodefinizione mi sembra descrivere perfettamente il personaggio che mio padre aveva saputo costruirsi quasi in opposizione alle intemperanze della natura: sì, c'è tutto mio padre qua dentro: da un lato la burbanza nel vantare vittorie improbabili, dall'altro la professione costante di razionalismo.

Era ogni giorno più schiavo delle sue abitudini, viziato dalla solitudine, completamente asservito a folli cerimoniali che chi non l'avesse conosciuto avrebbe detto apotropaici. Tutt'uno con la valigia e con il nécessaire. Non ho mai incontrato un uomo che fosse identificabile con i propri accessori come mio padre: il profumo della sua pelle – quel misto di virilità, Players senza filtro e agra colonia al bergamotto – diceva della sua personalità e della sua vocazione più di qualsiasi esaustivo discorso. Luca Sonnino viveva i suoi abiti visceralmente: le camicie di Brooks a quadretti – alla Moravia! – indossate sotto il blazer, le cravatte regimental annodate alla Windsor, i fazzoletti bianchi, le scarpe inglesi di cuoio naturale, gli avvitati soprabiti di covercoat dai baveri di velluto, i cappelli a larghe falde erano solo le concrete propaggini della sua anima, custodi d'una scelta morale, o a dir meglio, d'una visione del mondo.

C'è chi dice che la prima vera grande storia d'amore d'un essere umano non sia il turbamento adolescenziale per una compagna di classe, tanto meno quell'elettiva corrispondenza fra ventenni che di solito nel momento più drammatico sfocia nel matrimonio borghese, ma semmai la prima indimenticabile avventura extraconiugale. È lì, nel tradimento di giovane sposo o di giovane sposa, che uno sente correre l'adrenalina e il cuore esplodere. È lì che come il dottor Živago ti senti talmente perso, così dolorosamente esaltato, così invischiato in qualcosa di soprannaturale e di tragicamente ingiusto, da volerlo confessare al tuo consorte, non per urtarlo, ma per condividere la tua felicità illecita e la tua inevitabile colpa con la persona che più consideri amica. Non so dire se questo momento meraviglioso sia arrivato nella vita di mio padre e quale effetto abbia prodotto sul suo organismo sovreccitato. Immagino di sì, se non altro a considerare l'anomalia logistica del suo matrimonio e l'esperienza che nel frattempo mi sono fatto – seppur indirettamente – dei comuni rapporti coniugali. È naturale: accade a qualsiasi uomo che non sia sconvolto da paralizzanti ritrosie religioso-moralistiche, figurarsi a un individuo come lui, agiato inquilino della parte comoda di questo mondo. Eppure, a dispetto di tutti gli altri uomini della sua famiglia, a dispetto di Bepy soprattutto, a dispetto di tutta la stirpe da Bepy rappresentata, Luca era di assoluta discrezione. Nella difficoltà che a tutt'oggi provo nell'accettare che mio padre fosse un uomo e mia madre una donna e che io fossi il prodotto della loro umanità, non posso esimermi dal notare che la riservatezza di mio padre aveva qualcosa di elegantemente sopraffino. La sua vita intima era un mistero fitto quasi quanto la sua interiorità. L'opera di desertificazione sentimentale che i suoi genitori avevano operato su di lui, affinché dimenticasse (o quanto meno non drammatizzasse) il suo singolarissimo aspetto, aveva sortito l'effetto collaterale di renderlo superbamente enigmatico. Sì, era un enigma purgato della viscosità degli enigmi. Come ho già detto: per Bepy il piacere dell'adulterio era tutto nella possibilità di ostentarlo. Per mio padre – ammesso che lo abbia praticato con l'assiduità del suo dissoluto genitore – fu probabilmente qualcosa di molto più profondo (passioni cocenti e inconfessabili) o altrimenti di molto più superficiale: scosse ormonali, appetiti erotici placati con qualche occasionale compagna viaggiatrice. Forse perché lui, che a prima vista poteva sembrare inscalfibile, lui, che amava sfoggiare un cinismo da cui era totalmente immune e che quando gli si torceva contro lo faceva soffrire tremendamente, non aveva perdonato al padre e alla madre l'esibizione delle loro rispettive conquiste. O forse solo perché la sua peculiare idea di stile – solo talvolta debordante in veniali grossolanità assolutamente in accordo con la sua stazza-Orson Welles – non contemplava la possibilità di essere così sfacciato nelle cose erotiche. O forse, molto più semplicemente, come tutte le persone fisicamente eccentriche aveva sviluppato una timidezza che lo obbligava a dissimulare qualsiasi trasporto sentimentale, dal più canonico al più illecito. Il solito problema Sonnino: nevrotica pudicizia confusa per euforica leggerezza. Fatto sta che un animo così tenero avrebbe meritato un altro corpo. Un corpicino alla Kafka, ossuto e problematico. E invece la natura l'aveva fatto a quel modo, e lui s'era dovuto inventare un altro se stesso, un se stesso che fosse in accordo col proprio fisico, un se stesso gagliardo. Era questo il suo segreto? Questo il segreto incomprensibile che si manifestava nella continua alternanza tra timidezza e competitività, arroganza e suscettibilità? Questo l'inconfessabile mistero di Luca Sonnino? E forse allora il suo corpo era cresciuto così tanto proprio per meglio custodire quel segreto, nel modo in cui nel Medio Evo venivano edificate enormi fortezze per proteggere una reliquia?

Comunque, e so di non sbagliare, il segreto del matrimonio dei miei – dall'esterno così anomalo e insensato – era tutto nella capacità di esserci della moglie e di non esserci del marito. A lei bastava vederlo uscire dall'area bagagli dell'aeroporto di Fiumicino, con un cappotto da gangster e un cappello a larghe falde, per provare un intrattenibile sentimento di irritazione. Così come a lui bastava incocciare nell'espressione improvvisamente rabbuiata di lei per capire che ora, dopo essersi sobbarcato quel lungo viaggio sfibrante, gli toccava montare sulle montagne russe di quella moglie ciclotimica.

«Non andiamo a casa?» gli chiesi, mentre imboccava la direzione sbagliata.

«No, a Positano.»

«Positano?»

«A casa di Nanni.»

«Perché?»

«Che vuol dire "perché"? Mettiamola così: perché sono tuo padre, perché sono alto un metro e novanta, perché guadagno molto più di te, perché la tua sopravvivenza è strettamente legata al mio portafoglio. Credo di avere le carte in regola per decidere sia per me sia per te. Soddisfatto?»

«Non mi avete detto niente...»

«La prossima volta faremo un comunicato stampa.»

«Non intendevo questo, ma...»

«Uff, Dani, sono in vacanza, vorrei divertirmi e riposarmi. Nanni ci ha invitato. Mi è sembrato giusto accettare.»

«E mamma?» trovai finalmente il coraggio di chiedere.

Forse è morta e non sa come dirmelo.

«Ci raggiunge domani mattina.»

«Ma» gemetti «non ho niente con me... Il costume. Né i bermuda. I teli da mare. Sono stanco. Ho la valigia piena di roba sporca...»

«Che palle! Mamma t'ha fatto una valigia con la roba pulita e da mare. Quello che non hai lo compriamo oggi pomeriggio. Dopo tutto» riprese un attimo dopo con un sorriso faceto «un signore come te non gira con le valigie. Un signore come te si rifà il guardaroba in ogni nuova località.»

Pausa prolungata.

«Insomma? Non mi racconti niente?»

«Cosa?»

«Tutto.»

Di solito era Lorenzo a incaricarsi di queste dettagliate relazioni di viaggio. Era affidato a lui il compito di esagerare, di storcere, d'inventare. Il mio ruolo era secondario. Facevo da testimone silenzioso. Da attore non protagonista. Il mio compito era assentire, negare, talvolta sospirare, nei casi estremi arrivavo persino a emettere monosillabi. Ma stavolta toccava a me. Lorenzo era rimasto a Londra, per un corso intensivo di altre tre settimane. In realtà era voluto rimanere a causa d'una ragazza. Non saprei dire se fosse stato più insolito o più angosciante vedere mio fratello invaghito. Non è sempre terribile scoprire un individuo sicuro di sé imbrigliato nelle svenevoli maglie amorose? Non trovate insopportabile la vista d'un altezzoso sdilinquito e domato? Ebbene, quell'adorabile dispensatore di scetticismo – naturale riequilibrio ai languori del fratellino – alle viste della ragazza efebica e occhialuta, una sorta di elegia della più fresca e primaverile romanità, era schiantato irreversibilmente.

Lorenzo somigliava a mio padre molto più di me. E non

è solo questione di corporatura. E neppure di carisma da leader. Non conta che tutti lo ascoltassero sentendosene influenzati, quasi plagiati. Non parlo del connubio di agnosticismo e corrosiva sensualità. La sua anomalia – ciò che lo rendeva così profondamente affine al padre e così sfacciatamente diverso da ogni altro individuo – era il sentimento, la purezza del sentimento, lo scandalo dei sentimenti: il dolente accordo tra la generosità e il disperato tentativo di dissimularla attraverso quella verbosa ostentazione di cinismo. Nel nostro piccolo nucleo familiare coesistevano due persone buone che sembravano cattive con altre due cattive che sembravano buone. Era la nettezza che s'intuiva in Lorenzo a disturbare molte persone, ma a esercitare sulle medesime un fascino morboso. Quel modo truce e onesto, solo apparentemente spietato, di giudicare gli altri.

Via, non aveva che diciassette anni, e sembrava già dominare l'arte di farsi ascoltare. Lui che un giorno avrebbe messo il suo ardore intellettuale al servizio della causa liberale, attraverso la professione di giornalista indipendente, con quel libro shock su Raymond Aron (chissà perché i Sonnino scrivono solo libri scioccanti?), allora era marxista. Il solo marxista nel nostro liceo. E tutti lo temevano per questo. Lui non aveva la mia debolezza. Lui non voleva essere come tutti gli altri. Lui amava essere quello che era. Lui non era un conformista come il fratello minore. Lui non era la sbavante dama di compagnia del bello e della bella di turno. Lui aveva costruito una sua personalità indipendente. Lui sembrava sfidarli, i bastardelli della nostra scuola, quelli che lo chiamavano "zecca comunista", solo perché una volta all'ora di religione aveva difeso la-sacra-inviolabilità-della-democrazia. Mio padre si riconosceva in lui. «Alla sua età» diceva «ero esattamente come Lorenzo, con la sola differenza che non avrei mai indossato quei terribili giubbotti a doppiopetto da eroe risorgimentale.»

«Vuoi sapere perché Lorenzo è rimasto a Londra?» gli chiesi.

«È un inizio.»

«Ha una ragazza» dissi trionfalmente, sicuro dell'impatto che quella frase avrebbe avuto su mio padre.

«Davvero?»

«Sì...»

«Beh, insomma?»

«Cosa?»

«I particolari!»

Così racconto a Luca Sonnino esattamente quel che Luca Sonnino si aspetta gli venga raccontato, dando in pasto all'orca assassina il suo cibo preferito, blandendo i suoi timpani con le ciarle più dolci che essi sappiano recepire. Gli dico che il suo primogenito nel nostro gruppo era quello che sapeva meglio l'inglese, al punto che avevano istituito un corso apposta per lui. Gli dico che nel minitorneo delle nazioni organizzato dalla nostra scuola, l'ultima sfida di calcio tra Italia e Francia è stata decisa da una rovesciata di Lorenzo che è stata enfaticamente paragonata a quella di Pelé in *Fuga per la vittoria* (perché i suoi successi mi commuovono più dei miei?). Gli dico che Syria, la ragazza di Lorenzo, è in assoluto la più bella e ambita. Gli dico che Lorenzo ha avuto una discussione serrata, dalla quale naturalmente è uscito vincente, con un altro ragazzo, un biondino di proverbiale sfrontatezza, nonché maldestramente invidioso di Lorenzo, ma non di me, che ha sostenuto che gli ebrei sono tutti tirchi e si aiutano tra loro. Gli dico che quando Lorenzo parla tutti l'ascoltano, come non potessero fare altrimenti.

Cosa sto facendo?

Semplice: risarcisco mio padre. Mi attengo alle viscide indicazioni materne. Trasfiguro i successi britannici di mio fratello per farmi perdonare il mancato entusiasmo dimostrato alla vista della sua Carrera, per non essere riuscito ad abbracciarlo, per non averlo quasi riconosciuto. Gli do quello di cui ha bisogno. Gli servo il suo cocktail preferito: sicurezza, successo, sensazione che tutto abbia un senso e che quel senso gli sia vagamente benigno. Che i suoi figli ce la faranno, come lui, più di lui. Ecco perché, mentre parlo, sento il suo profondo respiro (il respiro virile e affannato di Winston Churchill). Ecco perché preme ancora di più il piede sull'acceleratore. Deve sfogare in qualche modo tutta l'euforia superflua che talvolta è più insopportabile e lancinante del dolore.

Sto mentendo, allora?

Certo che sto mentendo. Chiunque abbia una pur minima pratica della vita sa che per fare felice il prossimo non c'è ricetta migliore della menzogna. E chiunque avesse visto mio padre in quel preciso istante inspirare con tanto vigore, come se anche nell'aria cercasse di afferrare qualcosa d'inafferrabile, se solo qualcuno avesse potuto sentire il tono con cui continuava a ripetere: «Dici davvero? È proprio così che sono andate le cose?...», mi avrebbe dato ragione.

Luca Sonnino era la creatura più simile a un orso bianco che avessi mai visto: regale, feroce, tenerissimo. Oltre a tangibili elementi quali le spalle larghe, l'impaccio e l'albinismo, contribuivano alla somiglianza l'appetito pantagruelico, il celeste sguardo che mescolava dolcezza rabbia e impazienza, il disagio d'ogni movimento sulla terra capovolto dall'agilità esibita in acqua. Ecco, era come se quel corpo niveo avesse una predisposizione anfibia. Come se fosse venuto al mondo per dominare gli elementi terracquei. Quando camminava aveva la spavalderia arruffona di Gérard Depardieu, ma l'estate al mare o in piscina si tuffava come un'orca e nuotava velocissimo, sollevando le masse d'acqua d'un'elica di motoscafo. Le lenti spesse degli occhiali facevano sembrare i suoi occhi palle da biliardo. La barba bianco-bionda toccava quasi il petto sporgente, mentre il naso aveva l'ebraica spudoratezza che faceva pensare agli ashkenaziti sterminati quarant'anni prima dai nazisti o a certi dandy ebrei che infestavano i salotti viennesi ai tempi della Felix Austria.

Venuto al mondo quasi completamente cieco, grazie a

un'operazione subita dopo la guerra aveva rimediato quelle due o tre diottrie appena sufficienti per leggere con immani difficoltà un vocabolario, per prendere la patente di guida e per guadagnare molti soldi col commercio del cotone. Sebbene la natura si fosse divertita a sfavorirlo tanto in certe cose (la vista, la goffaggine, i capelli fosforescenti), essa lo aveva subdolamente risarcito, dandogli quell'aspetto imperiale che incuteva misteriosamente rispetto. La sua carnagione era talmente caratteristica e la sua figura talmente imponente che da figlio sapevi che nella piazza più affollata del mondo tuo padre l'avresti riconosciuto tra migliaia di altri anonimi individui. Tutto si poteva dire del suo aspetto, salvo che passasse inosservato. Bepy aveva profuso ogni impegno per trasformare l'eccentricità del figlio, che sembrava fatta apposta per generare complessi d'inferiorità, in una sorta di alterigia. Ciò che Bepy, per deformazione culturale, non avrebbe mai tollerato, è che il suo primogenito sviluppasse uno spirito autocommiserativo o addirittura perdente. Gli aveva insegnato a nuotare a Capri negli anni Cinquanta gettandolo dalla barca in mare *dove non si tocca*. Gli aveva insegnato a fare la doccia fredda. A mangiare le interiora o la testa del pesce. A non farsi scrupoli con le donne. A cacciare il cervo. A non vergognarsi di essere il più chic. Il risultato ottenuto da Bepy non era stata certo la creazione d'un suo gigantesco clone. Il figlio aveva mediato l'istrionismo vitalista del padre in una sorta di aggressiva competitività, in una maniera che somigliava molto, specularmente, al rifiuto assoluto che l'altro figlio, Teo, aveva opposto al suo metodo educativo. Luca, il suo *bechor*, il prediletto, era uno destinato ad avere sempre un'idea netta sul mondo, uno che avrebbe sempre voluto esprimerla, quell'idea, che avrebbe desiderato esporsi, uno che i professori avrebbero considerato un talento di lucidità e che le donne avrebbero detestato per la sua rissosa voglia di parlare.

Ma dopotutto, valutando le premesse, si poteva considerare l'impegno di Bepy e Ada Sonnino in favore del loro adorato Luca, quello scherzo di natura, quel vichingo uscito da chissà dove, come un assoluto capolavoro pedagogico. Essi erano riusciti a trasformarlo in un individuo allo stesso tempo normale e straordinario, civile e inurbano, dimesso e barbarico, a sottrarlo definitivamente all'handicap della sua difformità fino a renderlo quel tenero arrogante che era.

Ma nonostante lo sforzo prodigato per essere come tutti gli altri, nonostante la lotta per farsi accettare, affinché il colore dei capelli perdesse per gli altri di significato, nonostante la normalità conquistata a caro prezzo nel corso d'un'adolescenza intera, mio padre, alle soglie del matrimonio, non era riuscito a sottrarsi all'unanime perplessità del mondo. E l'aver scelto per sé una ragazza piccolina, per giunta d'un'altra religione e d'un altro ambiente, aveva reso le cose ancor più complesse.

Fu un *affaire*, il matrimonio dei miei. È bene chiarirlo. Altrimenti tutto il resto non può essere inteso. Fu ardua e in fondo perigliosa la strada che li condusse all'altare. Nessuno lo voleva, quel matrimonio, nessuno lo aveva cercato e avallato. Perché da che mondo è mondo nessun ebreo gradisce che suo figlio sposi una cattolica e nessun cattolico ambisce ad avere un genero ebreo. Alla fine però tutti se n'erano fatti una ragione. Le due controparti, seppur senza alcuna serenità, quasi con rancorosa accettazione dell'inevitabile, si erano arrese. State sbagliando, avevano detto tutti. Questa storia non promette niente di buono, avevano tenuto a sottolineare. Ma infine s'erano arresi. I Sonnino avevano capitolato rapidamente. Più per un'intrinseca incapacità di tollerare la lotta intestina che per una sentita temperanza.

Mentre dall'altra parte, dalla parte dei Bonanno, infuriava la tempesta. Il coro lagnoso di madri, padri, nonni, parenti e amici lontani si mobilitava per esecrare la scelta della reproba. C'è da dire che per loro era più difficile. È sempre più difficile per la maggioranza accettare la minoranza. Chi sono gli ebrei? Loro non ne hanno mai conosciuti. È la prima volta che vi entrano in contatto. Gente disgraziata, che ha sofferto. Gente ricca e maliziosa. Gente avara e scaltra. Gente che ha il naso fatto in un certo modo. Gente per lo più stempiata. Gente furba che ti frega. Ecco chi sono: strozzini e pezzivendoli, banchieri e gioiellieri. Se la sono cercata. Che senso ha rimanere ebrei in un mondo di cattolici? Che senso ha non mangiare certi cibi prelibati? Che senso ha essere tanto snob e vittimisti? Eppoi questo dove lo ha pescato? Con i capelli di quel colore strano? Un albino affetto da gigantismo. Ma siamo sicuri al cento per cento che costui possa mettere al mondo figli sani? Come può la nostra cara ragazza aver fatto una scelta tanto stravagante?

Ma su, non poteva essere altrimenti. È proprio l'abnormità di lui ad averla avvinta. Lei è sempre stata così, sempre dalla parte dei perdenti, dei diseredati, eppure sempre così megalomane e nascostamente hollywoodiana. Da bambina voleva farsi suora. Però non riusciva a staccarsi dalle sue gigantografie di Cary Grant. Uno zio le aveva portato dagli Stati Uniti un cimelio da lei religiosamente serbato: il manifestino originale di *The Philadelphia Story* risalente al Millenovecentoquaranta, pochi anni prima della sua nascita, sul quale campeggiavano i giovanissimi volti d'uno strepitoso Grant e d'una svagata Hepburn. Ascetismo e lusso trovavano insperato accordo nel cuore di quella liceale svanita. Quando era piccola, durante la quaresima, il giorno delle missioni, era sempre lei a portare le cose più preziose ai poveri. Si sarebbe spogliata di tutto per far felici i bisognosi. Chissà perché poi? I maligni dicono per orgoglio. I ben disposti puntano decisamente sul senso precoce di oblatività. I cinici sostengono che le due istanze convivano mirabilmente. Quale altro sprone se non la carità mista alla grandeur può averla indotta a innamorarsi di quel goffo Gulliver di zucchero? Cosa vuole da lui se non il privilegio di proteggerlo, se non la fierezza di ostentarlo? Lui non c'incanta. Quale abisso si nasconde dietro ad abiti sartoriali? Di quale mondo artificioso è il prodotto questo damerino? Perché sfida continuamente la misura e il ridicolo, inforcando d'estate panama immacolati, d'inverno borsalini di feltro? Perché è sempre così impostato nel parlare? Perché è ossessionato dall'ostentazione? Perché ha un bisogno irrinunciabile di essere provocatorio e iperbolico? Ma avete visto come assaggia il vino, come lo annusa, come lo fa roteare nel bicchiere? Dio, è così vanesio! La risposta è semplice. Come può sfuggirci? Questo povero ragazzo è semplicemente fratto e disperato. Per questo si è attaccato a lei. Perché lei, la nostra ragazza, a dispetto delle apparenze, è una creatura forte. È lei la figura dominante. Lei sarà l'energia propulsiva in questo matrimonio disastroso e splendido. Sarà lei che lo terrà a galla se ne varrà la pena, così come sarà lei a farlo inabissare se le circostanze lo imporranno.

Così al primo invito in casa Sonnino, nell'attico di largo Argentina che domina un formidabile spicchio di Roma, i futuri consuoceri, diversi per storia e concezioni, si trovano gli uni di fronte agli altri, pronti a darsi battaglia. Gustiamola, questa disfida. Studiamola, questa partita a scacchi. Tracanniamola fino all'ultimo sorso. Partendo da un assunto fondamentale: nessuno uscirà vincente. Tutti perderanno. Perché tutti avranno forte la sensazione della sconfitta.

La rozzezza di Alfio Bonanno, il padre di mia madre, ha qualcosa di solenne e perturbante. Un uomo tarchiato, il cui sguardo opacamente azzurro esprime l'ottusa alterigia del parvenu che odia i fronzoli. La bazza massiccia fa il verso a Benito Mussolini ma l'oblungo taglio degli occhi è inequivocabilmente quello di Mao. Un uomo che parla poco e lentamente. Le sue finalità e la sua visione del mondo aderiscono all'aspetto incolore da self-made man. Pratico, franco, diffidente, cattolico senza misticismo ma con devozione, puritano, sessuofobo, farisaico e profondamente spaventato dal mondo. Fa effetto vedere Bepy e

Alfio, individui così vicendevolmente avulsi, stringersi la mano, atteggiare un sorriso e tentare un'intesa nella fluorescente cornice di questa profumata abitazione. La vita li ha uniti senza che loro abbiano mosso un dito. Hanno fatto entrambi il necessario per dissuadere Romeo e Giulietta. Ma di fronte alla loro ostinazione, non hanno potuto che accondiscendere. Quella piccola, snervante battaglia è stata combattuta mentre i rampolli frequentavano il liceo, e poi l'università. Ora sono grandi, non li si può più fermare. Non resta che limitare i danni.

La terrazza dei Sonnino è un quadrato perfetto i cui lati sono frastagliati dagli sbuffi bianco-rossi di gerani e margherite, è un intrico di muretti d'un colore giallo deserto. Tutt'intorno la cornice d'una Roma by night: il fascino ocra-scrostato dei tetti. Quel retroprofumo di gatti e di prima estate. Non si può dire che tutto questo non faccia effetto sui signori Bonanno. Si guardano attorno spauriti e diffidenti, chiedendosi quanto sia "vero" tutto questo. "Vero" nel loro peculiare gergo vuol dire "solido", poggiato su "concrete basi economiche". Per i Bonanno la solvibilità è un valore etico. Per i Bonanno vivere al di sopra delle proprie possibilità, "fare il passo più lungo della gamba", pagare gli interessi per un fido bancario, esibire non possedute ricchezze non è solo vezzo e debolezza caratteriale, ma perversione morale, e se non proprio un crimine, certo l'infallibile criterio per giudicare il prossimo. Anni dopo, quando l'inesorabile sciagura economica s'abbatterà sui Sonnino, i Bonanno l'accoglieranno con l'animo oscillante tra il dispiacere per la figlia maggiore incorsa in un simile dramma e il sinistro orgoglio di aver per l'ennesima volta constatato come la mancanza di oculatezza e la vanitosa smania di ostentazione conducano alla rovina. Ai loro occhi, i Sonnino (e la sorte che li stava per sfavorire) sarebbero divenuti la vivente dimostrazione di quanto essi – i Bonanno, con la loro parsimonia e con tutta la retorica della parsimonia – avessero avuto ragione sin dal principio: la prova ennesima di come quella prima subdola sfida non fosse stata che la versione mondana dell'eterno conflitto tra il Bene e il Male, incarnato ancora una volta in un'innocua consuetudine borghese. Molti dicono che il problema tra queste due famiglie a confronto sia la religione. Che tra esse possa esserci, se non una disputa dottrinaria, un'incompatibilità antropologica. Lasciatemi dire che questa è una clamorosa balla. Una generica frottola quieta-coscienze. Le difformità e i dissensi tra queste due coppie sono talmente radicati e irriducibili che verrebbe paradossalmente da dire che il solo punto di contatto tra loro, oltre alla comune appartenenza al genere umano, sia costituito dall'origine giudaico-cristiana: una disattenta condivisione dello spirito dei Comandamenti. Sì, insomma, il fatto di essere ebrei e cattolici li unisce molto più di tutto il resto: molto più dell'aver vissuto per tanti anni nella stessa città o dell'aver condiviso le stesse esperienze storiche, per esempio.

È l'estate del Sessantasette. Quella in cui il mondo ha preso a camminare vorticosamente. Sono trascorse poche settimane dalla conclusione della Guerra dei sei giorni. L'atmosfera in casa Sonnino, sebbene tutti siano troppo snob per aderire completamente agli umori della comunità ebraica, è ancora elettrica. Le mensole ingombre di quotidiani con titoli cubitali. Suvvia, è stato emozionante per chi ha vissuto certi tempi, per chi ha visto i propri decenni cuginetti deportati, per chi si è dovuto nascondere, per chi ha sopportato la violazione del proprio domicilio e lo scorticamento della propria anima, per chi ha tremato per il suono sordo degli stivali tedeschi e il clamore ferrigno dei loro ordini mortuari di quel fatale Sedici Ottobre, vedere un esercito ebraico così formidabilmente equipaggiato annichilire lo stranumeroso nemico arabo sotto la guida di quel Messia ebraico del generale Yitzhak Rabin. Lo abbiamo già detto, in fondo: i Sonnino non sono tipi da commuoversi su Israele, non sono tipi da finanziarlo, non sono quel genere d'ebrei per cui *Israele innanzitutto*. Israele non è altro che una delle concrete propaggini della Memoria Ebraica da loro guardate con diffidenza. No, i Sonnino sono dell'altro tipo: orgogliosamente affezionati al loro ufficio di sobri dispensatori di spirito critico e obbiettività. Chiediamo molto a Israele. Giustizia e democrazia. Tolleranza e laicismo. Proprio dagli israeliani, in guerra permanente, pretendiamo un comportamento esemplare, da padri pellegrini, da ultima frontiera: inflessibilmente duri ma severamente giusti. Ma stavolta no, è stato impossibile trattenere l'emozione: ci siamo commossi, abbiamo sofferto, perso il sonno, tifato, temuto realmente che Israele potesse smettere di esistere, scomparisse dalla faccia della terra, un nuovo genocidio ebraico e l'ennesimo sogno tramutato in tragedia. Abbiamo subito avuto l'impressione che stavolta le cose sarebbero andate diversamente. Abbiamo compreso che lo stoicismo con cui i genitori attesero di essere massacrati ha insegnato ai figli l'inderogabile necessità di combattere. Non potete capire l'orgoglio che riempie il cuore di Bepy. Incredibile che in una manciata di ore la piccola aviazione israeliana (cazzo, anche gli ebrei hanno un'aviazione!) abbia annientato i reattori russi, messi a disposizione degli egiziani e dei giordani, assicurandosi una supremazia aerea assoluta. E come quegli eserciti composti per lo più da masse analfabete e demotivate abbiano ceduto di fronte a un piccolo esercito compatto e così straripante di motivazioni.

Questo ha lasciato nell'animo di Bepy e dei suoi familiari una sinistra euforia. È strano continuare a occuparsi di cose insignificanti quali mandare avanti l'ingrosso, ricevere rappresentanti, organizzare feste in maschera, scoparsi modiste minorenni, mentre in una parte di mondo nient'affatto lontana si consuma una vittoria così schiacciante dell'armata ebraica. Per vari giorni tutti in famiglia hanno continuato a comperare cinque quotidiani, delusi dalla progressiva perdita d'interesse dei giornali italiani per quell'evento straordinario, addolorati dalla faziosità filoaraba della maggior parte dei commentatori.

Come se un giornalismo impeccabile fosse tenuto a decantare ogni giorno l'inusitata potenza dell'esercito israeliano. Sono diverse notti che Bepy dorme poco. Si alza, ascolta la radio, guarda la televisione. È scostante e irritabile. Soffre di quella sindrome periferica – quella sensazione di decentramento rispetto ai fatti della Storia – che ben presto porterà suo figlio Teo a emigrare laddove la Storia ancora esiste e la Cronaca non ha che un peso esornativo.

Ecco perché quando Alfio Bonanno gli chiede. «Eh, in somma tutto bene, dottor Sonnino?» e Bepy atteggia un'espressione del viso che indulge a una certa inquietudine al punto che l'altro torna a chiedere: «Qualcosa non va?», Bepy, domandandosi se lo stia prendendo in giro, ammicca: «Beh, insomma sa, con quello che è successo!».

«Cosa è successo?»

«Beh, in Israele...»

«Ah sì, credo di aver letto qualche cosa...»

Proprio così dice Alfio, lasciando Bepy di stucco. *Ah sì, credo di aver letto qualche cosa...* Con questa frase, dall'apparenza anodina, Alfio confessa non solo la sua assoluta estraneità alla causa ebraica, non solo la sua maleducazione, non solo il suo metafisico egoismo, ma la totale mancanza di attenzione alle vicende internazionali, all'attualità, alla Storia. Confessa la sua visione modesta. Il suo desolante perimetro mentale. E quest'indifferenza, questo distacco non può che contrariare i Sonnino.

Su, Bepy, non è il caso di crucciarsi. Questo è Alfio, imparerai a conoscerlo. È l'essere umano dagli orizzonti più circoscritti che tu – nato e vissuto nel tuo teatro giudaico – incontrerai nel corso della tua esistenza. Alfio è un provinciale che ha fatto fortuna attraverso un'ostinata determinazione, attraverso il mito continuamente celebrato del risparmio e dell'investimento sicuro. Niente libri. Niente cinema. Niente analisi. Niente seghe. Niente eleganza. Niente cucina sofisticata. Nessuna contrapposizione ideologica. Nessuna commozione. Nessuno sport. Nessuna squadra da tifare. Nessun sogno irrealizzabile. Nessun adulterio. Nessuno slancio che superi qualche ordinario cerimoniale religioso appreso nell'infanzia e mai dimenticato. Nessun grillo per la testa. Un uomo che è dalla parte della sofferenza, perché ha sofferto. Un affarista senza talento per gli affari ma che adora il martirio. Uno che deve tutto a se stesso e al sacrificio inflitto ai suoi familiari. Uno che adora fare prediche apocalittiche. Uno che ha costruito la propria fortuna sugli altrui consumi, ma che non è disposto a consumare a sua volta. Un imprevedibile dissidente del capitalismo keynesiano. Un profeta della civiltà del fil di ferro. Uno che non vuole mettere i propri danari in circolo, preferendo lasciarli dove sono. Uno che ha imparato diligentemente, e anche con una buona dose di umiltà, che bisogna acquistare le camicie da Caleffi, le cravatte da Battistoni, i maglioni e le scarpe da Cenci, che i vestiti sarebbe meglio commissionarli a un vecchio sarto fidato e non troppo esoso, ma che detesta endemicamente qualsiasi sorta di smargiassa ostentazione pecuniaria. Uno che non ama viaggiare. Perché la cosa migliore che gli sia mai capitato di vedere, il suo centro gravitazionale, quello da cui in fondo non sa e non vuole distanziarsi, è il paesino vicino a Macerata che gli ha dato i natali. Quel paesino dove oggi viene trattato come un re. Un figlio che ce l'ha fatta e che per dimostrarlo ha comperato l'intera ala d'un palazzo, quello del municipio. E ora tutti lo rispettano. Tutti si inchinano. Il resto per lui non esiste. Via, Bepy, non prendertela. Alfio non ha niente contro la tua Guerra dei sei giorni. Semmai ce l'ha un po' con gli ebrei. Non in modo peculiare però. Il suo pregiudizio ha qualcosa di democraticamente ecumenico. La sua discriminazione (per meglio dire: diffidenza) coinvolge tutti coloro che non condividono la sua origine, la sua generazione, la sua visione del mondo – e quindi circa cinque miliardi e passa di persone. Non è forse un suo diritto di marchigiano diffidare degli abruzzesi, dei siciliani, dei toscani, degli ebrei, dei francesi, dei negri, degli alpini? Nessun odio. L'odio è una perdita di tempo e il tempo è... No, non dirlo!... Alfio è maniaco dei cliché: ammira la testarda precisione dei tedeschi, così come deplora la sciatta negligenza dei partenopei. Cosa diavolo può importargli allora della tua disfida mediorientale, se lui ha traversato la Seconda guerra mondiale, quella che avrebbe dovuto riguardarlo, con terrore misto a tanta infinita inconsapevolezza? Cosa diavolo vuoi che gliene importi della tua guerrucola se a tutt'oggi il suo vanto è quello di non aver preso partito, in un momento in cui la scelta era, se non proprio una stringente necessità, dimostrazione di carattere? L'importante per lui è non dare nell'occhio. L'importante è rispettare i superiori. Blandirli. Non essere mai irrispettosi. Essere mostruosamente efficienti. Pensare al lavoro anche nei momenti di relax. Parlare di lavoro anche al funerale del suo migliore amico. Non solo per opportunismo, ma perché la vita per lui sembra esaurirsi nel solerte adempimento all'ordine prestabilito. Un ordine sociale che non va violato. Inutile parlarne. Per lui non c'è niente di più odioso dei chiacchieroni. Qualsiasi aspirante artista è un chiacchierone. Qualsiasi goffo immaginifico è un chiacchierone. Tutti quelli che si smarriscono, o semplicemente tutti coloro che vogliono esprimersi ai suoi occhi sono chiacchieroni. La gente va giudicata per quello che ha saputo costruire, non per quel che dice. E per lui le costruzioni devono essere solide e concrete. Terreni da rendere edificabili. Appartamenti da vendere e affittare. Ecco un Fedele Integralista Del Dio Mattone, caro il mio Bepy. La prima cosa che Alfio si è chiesto quando è entrato in casa tua è anzitutto se essa ti appartenga o se tu sia un misero inquilino (lui è pieno d'inquilini e li considera nient'altro che pidocchi e sanguisughe), poi si è chiesto quanto potesse valere e infine se fossero poi indispensabili rifiniture così raffinate e usurabili e un arredo così sontuoso. Ha capito dal modo affettato con cui lo hai accolto che in te si annida il germe del chiacchierone. Ed è contento di averti identificato. Lui si considera uno snida-chiacchieroni. Non devi aspettarti niente da lui, se non quel che è capace di dare: qualche assennato consiglio che spieghi la sua vita esemplare, il suo esemplare destino, la sua esemplare ascesa. Detesta gli uomini con la barba, perché gli sanno di sovversivo. Non può vedere maglioni rossi perché sanno di comunista. La sua sessuofobia non ha nulla del disgusto decadente per la vischiosa intimità femminile: è questione di decoro e opportunità. In fondo, al di là delle apparenze, lui non ha nulla dell'integralista, semmai è un puritano moderato. Tutto può esser fatto purché il mondo non ne venga a conoscenza. L'adulterio in via del tutto teorica non è da rigettare. Purché nessuno ti scopra (il che è difficilissimo garantire preventivamente). Purché non ti svii dalla missione irrinunciabile del risparmio economico e dell'accumulazione (il che, a suo insindacabile parere, è impossibile). Col tempo la forma si è così indurita e cristallizzata da essere diventata sostanza. Per questo lui ha finito col credere di essere quello che non era, come te, caro Bepy, che vuoi dare a intendere agli altri di essere quello che non sei. Guai a chiamarlo quando sta in bagno. Prova pure a farlo, lui non risponderà. Ciò non significa che lui non abbia esigenze fisiologiche. Più semplicemente nessuno deve saperlo. Ecco tutto. Nessuno deve sapere che Alfio Bonanno nel mezzo della giornata sente l'urgenza di defecare.

Quindi, Bepy, non contrariarti. Hai davanti un osso duro. È difficile incontrare nel tuo milieu un uomo così tosto e inattaccabile, così patologicamente insensibile alla lusinga della mondanità e al tuo ascendente. È assolutamente inutile sfoderare il tuo sorriso, adulare sua moglie («Signora Bonanno, le hanno mai detto che ha delle mani incantevoli?»), inutile (addirittura dannoso) sfoggiare un gessato così inappuntabile. È inutile che gli mostri, come stai facendo ora, la tua collezione di quadri moderni, il tuo Burri, il tuo Mafai, il tuo prezioso Modigliani, perché l'unica domanda che ti sentirai rivolgere – come infatti avviene – è se tu non abbia paura di tenere in casa pezzi tanto preziosi, se non temi i furti. E in tal modo, per quanto ti possa apparire meschino, Alfio non fa che mostrarti la sua parte più vera, quella più umana. Il suo luogo sensibile. Parlo della paura. È un uomo che ha paura. Lui così alto, imponente, dall'apparenza indistruttibile, è uno che se la fa sotto. È una fortezza dai muri crepati che attraverso la paura insinuata negli altri prova a esorcizzare la propria.

Cosa teme?

Tutto: non solo la morte, la malattia, l'infermità, fare la cosa sbagliata, ma anche semplicemente scantonare, incorrere nelle ire d'un Potente, vedere tutto quel che ha costruito in frantumi. Lui ama disseminarla, la paura. Lui è un predicatore dell'Apocalisse imminente.

E allora non illuderti: nulla di quello che sei, nulla di quello che hai cercato di essere in tutta la tua vita, funziona con lui. È fieramente imperturbabile di fronte alle tue stregonerie, ai tuoi incantesimi seduttori. E nessuno ti capisce meglio di me. Proprio perché tu ora stai fallendo là dove io fallirò milioni di volte: nella difficile operazione di sedurlo. Lui non è seducibile. Non da gente come noi. Quello che tu stai vivendo in questa serata infernale io lo vivrò per tutta la vita, tutte le volte che entrerò in contatto con lui.

Perché Alfio vedeva in me, forse per la mia somiglianza con mio padre, forse per i tratti ebraici che portavo scolpiti sul mio volto, il figlio della colpa. L'incarnazione stessa dello sbaglio di mia madre. Era lì seduto nella sua grande poltrona a fiori, posta al centro dell'immenso salotto della sua immensa casa sul colle Aventino, da cui sembrava dominare il mondo intero: e d'un tratto mi guardava e diceva a mia madre: «Daniel è furbo, stai attenta, è furbo, già ti sei fatta infinocchiare una volta... Hai visto che naso?... Ha un nasone!... Lo stesso naso di suo padre e di suo nonno...». E non la smetteva di ridere di questa sua constatazione fisionomica che gli sembrava così ineccepibilmente rivelatrice. La biologia era tutto per Alfio Bonanno, anche se lui non lo sapeva! E a nulla valeva l'indignazione di mia madre. A nulla valeva la mia stessa indignazione, né il clamore mediatico della correttezza politica. Lui continuava imperterrito a schernire il mio naso, nel suo modo ondeggiante tra il serio e il faceto. Vedi, Bepy, credo di essere il primo ebreo nella storia dell'umanità ad aver subito discriminazioni dal proprio stesso nonno. Il primo ebreo della Storia con un nonno antisemita. Per tutti gli ebrei c'è sempre stata la famiglia, almeno quella, l'estrema risorsa, l'ultimo luogo di fuga, e invece in casa mia l'antisemitismo si era insidiato con la stessa forte determinazione con cui vi era conficcato lo spirito ebraico. A quale scabrosa schizofrenia, caro Bepy, mi state preparando in questa serataccia del Sessantasette? Se solo tu sapessi come andrà a finire, stasera di fronte al tuo futuro consuocero ti comporteresti in modo assai diverso, assai più duro, affinché il fattaccio non avvenga. Tu forse potresti prodigarti perché non venga unito ciò che non può, ciò che non deve.

«Almeno li ha assicurati?» chiede Alfio, alludendo ancora ai quadri.

«Certo che li ho assicurati» risponde Bepy piccato.

Finché vengono interrotti dalla domestica: signori, la cena è servita.

In tavola troneggia un classico culinario di casa Sonnino. Per la verità si tratta d'un vero e proprio reperto archeologico esumato per l'occasione. Sia per la difficoltà e i tempi lunghi d'esecuzione, sia per la sovrabbondanza calorica in contrasto con i divieti dietetici di Bepy, sono almeno dieci anni che il Pasticcio Dolce Di Nonna Rachele è stato bandito dalle abitudini conviviali dei Sonnino. Ma questa volta Bepy ha preteso che la cuoca si attenesse a un rigido programma filologico. Nessuna aggiunta, nessun aggiustamento. E allora ecco il dorato timballo di pasta frolla – che al proprio interno custodisce un gustoso tesoro di ziti, polpettine e ragù di funghi – mostrare il classico profilo cilindrico a quella fiera coppia di padroni di casa e a quei due convitati diffidenti. Bepy guarda l'indimenticato pasticcio di sua nonna con un orgoglio quasi comico. Ma ad Alfio basta che il palato – viziato dalla gustosa consuetudine a carbonare e a lombate – venga carezzato da un ardente boccone di timballo per liquidare l'operazione come una schifezza pretenziosa, intrugliata e agrodolce. «Proprio come quella gente!» si sfogherà ore dopo con la moglie. «Gente pretenziosa, intrugliata e agrodolce.» Tuttavia Alfio, fedele ai proclami pauperisti, pulisce il piatto, infastidito dalle ciarliere sciocchezzuole delle signore. Nessuno evidentemente osa affrontare gli argomenti per cui hanno deciso d'incontrarsi. Bepy è stranamente intimidito. D'altronde solo la mattina è stato catechizzato dal figlio: «Mi raccomando papà, sii tollerante, cedi sul possibile e non parlare di religione».

«Ma che gente è?» gli ha chiesto Bepy incuriosito.

«Diversa da noi. Sono chiusi, opachi. Ma adorano Fiamma».

«Ma perché tu e Fiamma non venite?»

«Non lo so, me lo ha chiesto lei. Ha detto che erano i suoi a volerlo. A pretenderlo. Credo che lui debba parlarti di qualcosa.»

«Ma lui che tipo è?»

«Un tipo tutto d'un pezzo. Un po' trombone. Ma è essenziale che lui sia d'accordo.»

«Almeno sai di che vogliono discutere?»

«No. L'importante è che tu sia tollerante.»

È il ricordo delle parole del figlio ad aver spinto Bepy a procrastinare il momento della verità ben oltre il dessert. Ma a questo punto, mentre Ada serve i caffè in salotto, Bepy rompe gli indugi.

L'esordio è indimenticabile, un incrocio tra *Indovina chi viene a cena?* e *I promessi sposi*. Bepy attacca con una dichiarazione che potrebbe offendere chiunque ma che, invece, galvanizza gli astanti:

«Insomma, a costo di apparire scortese, non posso nascondervi le mie perplessità...»

Così Bepy, in modo deciso e teatrale, anche se non è poi tanto in disaccordo con la scelta del figlio. Lui e Ada hanno già metabolizzato lo shock del matrimonio con quella ragazza (anche se il mio bisnonno in modo bizzarro l'ha soprannominata "la Cananea". «Anche oggi c'imporrai la compagnia della Cananea?» non fa che chiedere a quel suo strano nipote tanto più canuto di lui). Però Bepy non resiste alla tentazione di blandire i suoi interlocutori: gli piace aderire alle inquietudini del suo futuro consuocero. Vuole essere *completamente* dalla sua parte. E come può quel gentiluomo di Alfio deludere le aspettative d'un così imprevedibilmente solerte piaggiatore?

«Sono contento che anche lei la pensi così» risponde secco. «Non osavo dirglielo, ma visto che lei va sull'argomento...»

«Ecco, guardi, non è una questione di razzismo o altre scemenze... né forse di compatibilità...» si sbriga a spiegare Bepy, «anzi, aggiungerò che ho conosciuto Fiamma e mi sembra una ragazza incantevole, così piccolina, così timida, insomma un vero amore: il mio Luca è pazzo di lei... Tuttavia, insomma, credo che siano molti gli ostacoli a questa unione, alcuni, direi, quasi insormontabili... Sia io che mia moglie crediamo – e lo abbiamo detto a Luca – che un matrimonio misto possa produrre disastri, per esempio, nei figli, ammesso che vogliano averne... Un problema di identità...»

Qualsiasi spettatore diverso dall'ineffabile Bepy di questa sera noterebbe il viso di Alfio assumere un'espressione infastidita e severa subito dopo aver sentito le parole "il mio Luca è pazzo di lei". Basterebbe questa frase inopinatamente sfuggita a Bepy, per capire ciò che realmente rende incompatibili queste due famiglie e l'unione fra esse perniciosa.

"Il mio Luca è pazzo di lei" è un'espressione che rivela la personalità di chi la pronuncia: bisogna essere teatralmente impudichi, bisogna avere un'idea dell'amore piatta e codificata, pur senza escludere il primato dei sentimenti, bisogna conoscere almeno una manciata di romanzi d'appendice e aver visto altrettanti film americani, bisogna aver tradito la propria moglie almeno una dozzina di volte, bisogna aver frequentato un certo ambiente squisitamente immoralista di canottieri romani, bisogna avere poca attenzione per il valore delle parole, bisogna aver superato qualsiasi gesuitico impaccio, bisogna infischiarsene della suscettibilità del prossimo o essere sprovvisti di empatia, bisogna essere stravaganti quanto basta, per dire ai morigerati Bonanno, in riferimento alla loro tenera virginea figliola e al suo sciagurato amore per quell'ebreo: "Il mio Luca è pazzo di lei"...

«Sono contento che la pensiamo allo stesso modo» ripete Alfio, assentendo. «Guardi, le dico che non ho nulla contro di *voi*, anzi sono sinceramente dispiaciuto per quello che *vi* è capitato... però avremmo preferito anche noi che Fiamma sposasse un ragazzo italiano!»

«Italiano? In che senso?»

«Italiano italiano, in quale altro senso?»

«Perché, Luca non sarebbe italiano?»

«Beh, insomma, ha capito cosa intendevo... D'altronde mi ha detto mia figlia che Luca non ha fatto il militare... e neanche lei, se mi permette... e sa, per me la leva è una tappa essenziale. Un'esperienza determinante nella vita di un uomo... Altamente formativa.»

«È vero, né io né mio figlio abbiamo fatto il militare. Ma per motivi affatto diversi da quelli che lei evidentemente immagina. E non certo perché non siamo italiani... Anche se potrà stupirla, noi siamo italiani tanto quanto lei!»

«E allora...?»

«A me lo hanno impedito le leggi razziali. Ma credo di aver servito il mio Paese. Io sono stato partigiano... Per quanto riguarda Luca, beh, insomma lui è stato fatto rivedibile per via della sua vista. Nulla a che fare con la sua nazionalità.»

Bepy ha pronunciato queste parole con crescente irritazione. Sta bluffando, naturalmente. Gli piace rivendicare il suo resistente impegno azionista, sebbene, in senso stretto, abbia limitato la sua attività sovversiva a un'impaurita clandestinità montanara.

«Ma guardi, non volevo mica offenderla... Anzi, mi fa piacere che lei abbia alluso ai problemi, come dire, *fisici* di suo figlio... Diciamo che questa è una cosa che ci sta a cuore. Insomma, quello che vorrei dirle è che noi vorremmo avere garanzie...»

«In che senso?»

«Beh, insomma, ci piacerebbe che Luca, a scopo precauzionale, si sottoponesse ad alcuni esami. Pensavamo a un andrologo o a un genetista o qualcosa del genere. Vorremmo avere la garanzia che lui possa procreare, e che lo possa fare con il minor rischio possibile... Insomma, per noi è assolutamente inconcepibile un matrimonio senza figli!»

«Senta, mi sembra che qui si stia esagerando. Luca è assolutamente normale. Da tutti i punti di vista.»

«Ma perché si scalda?... Credo di avere il diritto di sapere a chi sto dando mia figlia... Di tutelarla...»

«Sì, nella stessa identica maniera in cui noi abbiamo il diritto di sapere a chi diamo il nostro Luca, ma non per questo le ho chiesto di mostrarmi la fedina penale di sua figlia. E in ogni caso trovo grottesco e antiquato che lei mi parli come se certe cose dipendessero da me. Mio figlio è maggiorenne e responsabile, e lo è anche sua figlia. Quindi non vedo come le nostre opinioni possano in qualche modo influenzarli in maniera determinante... Mi sconcerta che lei mi chieda così, a cuor leggero, senza alcun tatto, di sottoporre mio figlio a test clinici, come se Luca fosse uno scherzo di natura...»

«Ma no, guardi, la discussione ha preso una piega spiacevole. So bene che a questo punto i giochi sono fatti. Che i nostri ragazzi si sposeranno. Me ne sono fatto una ragione e credo anche lei. Ma sono un padre apprensivo. Ho diritto di essere un padre apprensivo. Solo per questo ho chiesto delle assicurazioni.»

«Si può sapere cosa vuole, oltre a voler sottoporre mio figlio a una simile umiliazione?»

«Beh, se devo essere diretto, vorrei che il matrimonio si tenesse in chiesa. D'altronde Fiamma mi ha detto che Luca non è religioso. Mentre lei è molto devota. Mi sono già informato. Il nostro parroco sarebbe disposto a sposarli, anche se Luca, s'intende, deve impegnarsi a battezzare i suoi figli...»

«Questo mi sembra davvero troppo. Scusi, almeno dia loro il diritto di scegliere.»

«A chi?»

«Ai nipoti.»

«E perché? I miei genitori scelsero per me. E i suoi scelsero per lei, evidentemente. Perché dovremmo comportarci in modo diverso? E per sposarsi in chiesa è essenziale che lui prometta di battezzare i figli.»

«Capisco, ma non è essenziale sposarsi in chiesa. Parla del matrimonio in chiesa come fosse un piacere che ci state elargendo.»

«Beh, in un certo senso è un piacere che il parroco ci fa...»

«Un piacere che fa a lei, non certo a me, a mia moglie, né a Luca...»

«Ma insomma, credevo...»

«Che cosa credeva? Che l'avremmo ringraziata perché il suo generosissimo parroco ci ha concesso l'onore di sposare nostro figlio? Crede che ai nonni di Luca possa far piacere?»

«Beh, credevo sareste stati contenti di questa possibilità...»

«Quale possibilità?»

«Il matrimonio in chiesa.»

«Guardi, Alfio, per quanto la cosa a lei possa apparire straordinaria e sconvolgente, se a noi non facesse piacere essere ebrei non saremmo ebrei. Non c'è mica un'*ineluttabilità* che ci lega all'ebraismo. Se ci fosse interessato diven-

113

tare cristiani avremmo scelto di credere in Gesù Cristo duemila anni fa.»

Fine primo round!

Con questa dichiarazione di orgoglio ebraico si chiude la prima conversazione. E tutto il resto, tutto quello che segue, appare, a questo punto, irrimediabile.

«Si vede ch'eri stanco! Avrai dormito due ore» mi disse mio padre. Eravamo al casello di Napoli. Stava per schiudersi ai nostri sguardi l'orizzonte di alluminio e di cemento armato, l'estesa landa vesuviana deturpata da abusi secolari, inevitabile purgatorio prima del paradiso della costiera amalfitana. Che presto, molto presto, forse alla prossima curva, sarebbe apparsa, nei suoi scorci strabilianti. Ero teso. Sapevo che lì non ci sarebbe stata mia madre, che mio fratello – l'adorabile riparo delle mie timidezze – era lontano. Ma entrai in una vera agitazione quando papà mi disse:

«Domani, o forse dopodomani, dovrebbe arrivare da Capri la nipote di Nanni. Mi sa che il prossimo anno te la ritrovi in classe... Mi ha detto Nanni che è insofferente alle scuole femminili.»

«Quindi c'è solo Nanni» constatai con un filo di voce.

«Credo ci sia Giacomo, il fratello di Gaia... Lo hai mai visto?»

«Non credo» mentii. Il ricordo del funerale di Bepy era ancora vivo in me grazie alla presenza di quei due angeli. Avevo dimenticato quasi tutto di quel disastroso funerale, ma quei due ragazzini non ero riuscito a dimenticarli.

«Un ragazzo strano, difficile, temo addirittura caratteriale... Ha reagito malissimo alla morte del padre. Che cazzo! Per Nanni è stata una botta tremenda. Insomma, perdere un figlio di quarantadue anni, in quel modo poi.»

E allora facciamo che questo viaggio continui fino alla fine del mondo, fino alla punta estrema del Sud Africa pur di non gestire una situazione che sembra insidiosa da ogni punto di vista. Non provo alcuna simpatia per Nanni. Lui è uno di quei sessantenni damerini dell'entourage di Bepy, che parlano con affettazione: un tipo che indossa gilè beige e scamosciate scarpe color miele, rigorosamente commissionate a Vogel. Uno con capelli candidi dagli argentei riflessi e signorili rughe sugli zigomi. Insomma, quel tipo di uomo che mi mette in un disagio increscioso, che mi si rivolge come se fossi adulto, simulando intimità che non dovrebbe consentirsi. Dover entrare da ospite – peggio. da intruso – in quella casa magnifica che ho visto solo di lontano, dover intrattenere quei due ragazzi che, chissà perché?, immagino molto più esperti, molto più spigliati di quanto io riuscirò a essere nel corso d'un'intera esistenza, acuisce il mio rancore contro i miei genitori. Ma non potevamo andare in albergo? Ma non siamo sempre andati in albergo? Giacomo, dopo gli accenni di mio padre, lo immagino come un vanesio che mi disprezzerà a prima vista: romantico esteta del cupio dissolvi come tanti ne ho conosciuti. Ma sono soprattutto gli occhi della piccola a tormentarmi. Dove troverò il coraggio per incrociarli? Come potrò sostenere lo sguardo di quella deliziosa bambina che ha assistito al composito assortimento di gaffe da noi collezionate al funerale di Bepy? Che sa tutto di mio nonno e della mia famiglia? Che ha avuto modo di constatare la nostra penosa inferiorità? Come potrà un essere così poco rispettabile come il sottoscritto guadagnare la fiducia d'una ragazzina con cui è impossibile mentire? Fin qui la menzogna mi ha protetto. Ma ora? Come farò ora, senza le mie adorate bugie? Mi vedrò piombare in classe questa fanciulla, che, in un istante, distruggerà tutto quello per cui ho faticosamente lavorato, vedrò crollare di fronte ai miei poveri occhi l'incerta torre delle mie infinite mistificazioni.

Di lei, di Gaia, mi colpisce in modo misterioso la provenienza caprese. Che fa a Capri? Con chi sta? Inoltre trovo a dir poco allarmante che desideri tanto passare da una scuola femminile a una mista. Intraprendenza? Voglia di divertirsi o di conoscere il mondo? Di scaturire spumeggiante dall'alveo infiocchettato d'un istituto femminile per altoborghesi e versarsi nel mondo dei maschiacci straripanti testosterone? Tutto questo mi sembra terribilmente in contrasto con l'immagine luttuosa che conservo di lei. Mio padre l'ha chiamata "insofferenza". E sebbene io abbia una pratica modesta e di seconda mano dell'infinito universo femminile così fascinosamente inconcepibile, come posso non constatare – se non altro tenendo conto delle mie ultime disavventure – che l'"insofferenza" è il difetto precipuo delle ragazzine? Ciò che rende la loro umana avventura molesta e imperscrutabile?

Ma soprattutto, che senso aveva quel viaggio? Dopo tutto ero appena rientrato. Avevo così tante cose a cui pensare. Così tante cose da tenere dentro da sentirmi esplodere. Ero un ragazzino debordante di novità emotive. Ecco il destino di quella lunga estate dell'Ottantaquattro: debordare di novità emotive. Mamma, papà, a cosa serve tutta questa nuova adrenalina in circolo? È tempo di decantare, piuttosto: starmene per conto mio, a decantare. Chiudermi in casa per due settimane almeno per *decantare tutto quello che è accaduto*. Ero ancora pieno dell'esperienza vissuta la notte prima, quella brevissima notte insonne nell'albergo londinese... Quella notte in cui ognuno ha cercato di esprimere quello che aveva dentro: espandersi oltre il limite consentito: sparare, come si suol dire, le ultime cartucce, prima che il lungo inverno fatto di divieti superegoici allungasse le sue mani minacciose sulla nostra vita.

Incombeva su di me ancora l'istante in cui, durante i bagordi con i quali avevamo devastato un alberghetto nel quartiere arabo di Londra, mio fratello era rientrato in camera alle due e mezzo del mattino, ansioso di rifarsi la valigia. Completamente sudato, i capelli in disordine e un vago sorriso inebetito che si sforzava di dissimulare ma che ogni tanto gli si scioglieva sul volto come avesse perso il controllo sui muscoli e sui nervi facciali, un lezzo di birra scadente che sembrava provenire dalla sua bocca e dai suoi vestiti e tanta concitazione. Sapevo, perché la cosa andava avanti da settimane, che flirtava con Syria, quella *chiusa* dagli occhi nocciola.

«Hai scopato?» gli avevo chiesto, fingendo che la cosa fosse normale e non mi provocasse alcun moto di stupefazione.

«No... o almeno, non credo.»

«Che vuol dire "non credo"?»

«Che se quello non era scopare ci siamo andati parecchio vicino.»

«Hai *paccato*, allora?» (Chissà perché gli adolescenti, nemici della vaghezza, sono così ossessionati dalla smania di catalogare qualsiasi cosa li riguardi, e soprattutto ciò che concerne il sesso.)

«Di più!»

«Cioè?...»

«Non so, Dani. Sono stravolto, e neanche mi è piaciuto troppo. All'inizio sì, poi però...»

E a quel punto aveva allungato la mano invitandomi a odorargli l'indice e il medio. Solo allora mi ero accorto che le sue dita erano tese, probabilmente sin da quando era entrato in stanza, come se fossero anchilosate o addirittura paralizzate. Intuendo qualcosa avevo avvicinato il naso a quelle dita con circospezione per ritrarmene istantaneamente disgustato.

«È quello che penso che sia?» gli avevo chiesto.

«Sì.»

«Le hai fatto un ditalino?»

Di nuovo un'ostentazione di proprietà terminologica: per questo mi era uscito quel "ditalino" che nel resto della vita sarei stato riluttante a utilizzare ancora in analoghe circostanze? D'altronde ero sconcertato, se non addirittura sconvolto, da quell'afrore che ricordava l'ammoniaca o gli attracchi al porticciolo di Ponza. Mi sembrava l'inizio di una nuova epoca. Una porta era stata sfondata. Il muro invalicabile era stato scalato. E tutto in una volta, con un'unica intensa inspirazione, il mio organismo era stato invaso da quel miasma che non l'avrebbe più abbandonato.

Questo un primo ricordo cui riflettere, cui abbandonarsi: qualcosa per cui ansimare convulsamente.

Ma non solo: tante piccole schegge emotive avevano dato alla mia vita di ragazzino una prospettiva più ampia. Solo poche sere prima in una discoteca per ragazzi in quel paesetto della Cornovaglia dai tramonti gelidi avevo ballato – proprio io avevo ballato: mi vedete a ballare? – con una ragazza più grande, una tedesca che ricordava vagamente Eva Braun, talmente alta che la mia testa era affondata nel suo teutonico e freschissimo décolleté. Eppoi l'aver visto mio fratello alla conquista di quella preda difficile, quella Syria, che aveva l'aria così elfica da far pensare a certe angeliche crocerossine della gioventù hitleriana. Sì, in una stessa sera i due fratelli Sonnino, appena pubescenti, marchiati dalla loro genealogia di oculati pezzivendoli ebrei, sottoposti sin dalla nascita a una serrata propaganda antinazista (tanto che la loro correttissima madre si era rifiutata a più riprese di comprare i soldatini tedeschi, costringendoli a storiche perversioni come quella di schierare le armate americane contro quelle inglesi), se l'erano spassata rispettivamente con la sosia di Eva Braun e con una transfuga della gioventù hitleriana. Ecco, tutto questo mi aveva fatto sognare un'alternativa, mi aveva fatto cogliere il significato di molte cose. Avevo bisogno di giorni per riprendermi. Avevo bisogno di perdermi nella nostalgia. Era questa la ricetta per tornare a vivere nella normalità. Era sempre stata questa. Non avevo bisogno di Positano, di Nanni Cittadini e di tutta la sua famiglia. Non avevo bisogno di rilanci emozionali, di perniciose code nevrotiche.

Avevo già tutto quello che potevo desiderare.

Parlo della miscela confusa ed esplosiva di pulsione erotica, amore per il nuovo, smania di riconoscimento sociale e affettivo e azione senza precisa finalità, che in uno strano meccanismo si trasforma in languore: palpito lungo una vita intera: La Più Grande Mistificazione Del Mondo, quella in cui tutti i quattordicenni incorrono: l'impressione che non esista altro di più urgente e di più essenziale di quel languore: quel ventre indolenzito, quell'inappetenza, torturante smania di dissimulare (nessuno deve sapere!), serafica vocazione all'Incorporeo... Di questo sto parlando. Nient'altro che di questo: quella perdita di có. Quello smarrimento del mondo che talvolta conduce il più grazioso e introverso degli adolescenti all'omicidio passionale solo perché non gli è stato insegnato ad accettare il rifiuto ingiusto e terribile oppostogli da una coetanea. No, non parlo di amore. Non quello vero. Parlo dell'atmosfera che lo favorisce: il liquido amniotico da cui presto o tardi sorgerà.   *presente*

Disorientato e nostalgico. Consapevole di trovarti nel posto sbagliato. L'unica cosa di cui hai bisogno è chiuderti in una stanza. Chiuderti là dentro. Accendere la musica ad alto volume. Ancora meglio se metti su i Grandi Successi della tua epoca, quelli che hanno scandito le tue ore di libertà e di emancipazione. Quel cocktail britannico di Rod Stewart, Police, Phil Collins, Dire Straits, Eric Clapton: le isole che compongono il variegato arcipelago della tua immaginazione: il tuo pantheon generazionale... E trasvolare lontano. In Cornovaglia, e poi a Londra. Rimbalzare dalla Cornovaglia a Londra. E viceversa. Soffermarti a lungo su alcuni individui o anche su semplici espressioni facciali. Esumare il ricordo di quella strepitosa rovesciata che è valsa a tuo fratello l'applauso d'una platea di ragazze internazionali e che ti ha riempito il cuore di orgoglio. O il seno della tua Eva Braun. Fai rivivere quelle emozioni. Cullale dentro. Lascia che si dilatino al punto da prenderti tutto. Ecco quello che dovresti fare. Quel che senti di dover fare. Sei pronto? Sei pronto ad accogliere tutto? Sei spalancato, e amorfo? Pronto alla tempesta? Pronto al fragoroso terremoto?... E mentre all'orizzonte si delineano i sinuosi tornanti della costiera, lussuosi manti di solaria e bougainville che tappezzano le pareti rocciose, mentre il fastoso presepe positanese appare improvvisamente alla tua sinistra, e sulla destra, grigio in tutto quell'azzurro, il profilo oblungo dell'isola di Nureyev promette mondanità o solitudine, ripeti a te stesso che qualcosa sta cambiando: irreparabilmente.

5.
Un'euforizzante favola caravaggesca

È così difficile fare quattrini? Esiste la ricetta per accumularne così tanti da averne la nausea? Qual è la strada che conduce un grossista di tessuti oculato e benestante a una ricchezza tale da essere al servizio di più generazioni?

Non si tratta delle farneticazioni d'un giovane broker di Wall Street interpretato da un novello Michael J. Fox nello scolorito revival di qualche pellicola anni Ottanta. Sono, semmai, le ossessive curiosità d'un tredicenne stregato dai fumetti dalla letteratura e dall'ipercompetitiva epoca in cui è capitato, che tende a collocare il proprio futuro di uomo nell'inebriante contesto d'un'America tutta cinematografica, e che, invece di destinare le proprie risorse fantastiche a sogni di gloria canonici, si fissa sui soldi, su tutto quello che significano e su tutto quello che possono comprare.

La storia dei soldi di Nanni Cittadini mi sembrava la cosa più avventurosa e sconvolgente che fosse mai accaduta a un individuo da me conosciuto. Temo di dover aggiungere che essa mi coinvolgeva morbosamente, in modo addirittura sinistro, proprio perché mi sembrava la contro-storia della mia famiglia: l'altra metà del cielo. Rappresentava l'alternativa dialettica al destino inglorioso di Bepy e di tutti noi. E il pregio di quella storia era tutto nella sua fumettistica inverosimiglianza: quei ragazzi che da un giorno all'altro si trovano depositari d'insperate fortune. No, a Nanni non era morta alcuna

121

zia miliardaria, tanto meno aveva fatto la corsa all'oro nel Klondike. La sua storia era avvincente, ma aveva il pregio di non scantonare nel fantastico, sempre rientrando negli ambiti dell'inesauribile macchina narrativa che è il capitalismo novecentesco. Una di quelle storie capaci di trasformare un moccioso patito di computer nell'uomo più ricco del pianeta, o un giovane ebreo russo scampato allo stalinismo nel più importante produttore cinematografico di Hollywood. Una storia in fondo non troppo eroica, pur nella sua incredibilità, che colmava i miei sogni fino al più sofferto delirio. Raccontavo e riraccontavo a me stesso la storia dell'ascesa sociale di Nanni Cittadini con il visionario entusiasmo con cui un mio coetaneo avrebbe naturalmente identificato la propria esistenza con quella d'un supereroe dei fumetti che corre a salvare la sua innamoratina dai capelli dorati. Ecco il mio segreto trastullo di tredicenne. Ma anche il mio calvario.

Tutto, per Nanni, era iniziato dall'ennesima sfida con Bepy: entrambi convinti di essere straordinari connaisseur di cose artistiche, avevano nutrito sin dagli anni della giovinezza un'agguerrita competizione attraverso un collezionismo dilettantesco e onnivoro. Mobili, quadri, sculture riempivano sia la grande casa di Nanni (tanto da conferirle un'aria frigida da sfigato museo di provincia), sia la luminosa dimora di Bepy, assai più culturalmente organica nelle scelte.

Un giorno, grazie a una conoscenza della moglie Sofia, principessa napoletana, Nanni mette le mani su due oscuri quadri fin lì attribuiti a un allievo di Luca Giordano. Li sottopone al suo ex socio (ormai lui e Bepy hanno già diviso da qualche tempo i loro destini), che quasi gli ride in faccia. Sono anni che fanno affari insieme, anni che comprano pezzi d'arte ad aste pubbliche e private. Ma Bepy non condivide quello che definisce lo "spirito da rigattiere" di Nanni, quel gusto dell'accumulazione senza qualità. Lui punta al pezzo pregiato. Eppoi ormai si è specializzato in quadri moderni. Insomma, alla fine Nanni acquista quelle due croste da solo perché Bepy non ha voluto metterci un soldo.

Nessun errore, tra i mille che d'ora in poi Bepy commetterà, fino alla rovina, avrà l'entità e il sapore beffardo di questo mancato acquisto.

E lo si capisce allorché Nanni, insospettito da una data dietro la tela non corrispondente al periodo in cui i due quadri devono essere stati eseguiti, li fa valutare, sottoponendoli a un esame radiologico dettagliato che dà risposte sorprendenti: dietro a quella monotona patina di vernice dormono da secoli stupendi contrasti cromatici attribuibili a una sola inconfondibile mano. È emozionante restaurarli: e addirittura sconvolgente vedere pian piano emergere dalle tenebre dell'oblio due meraviglie barocche. Se a Nanni basta l'impareggiabile luce dissotterrata dai restauratori per sentire l'esigenza di contattare il venerabile sir Denis Mahon, a questi basta trovarsi di fronte a quell'esplosione di energia violenta per emettere il suo entusiasmante responso: Michelangelo Merisi meglio noto come il Caravaggio, non c'è alcun dubbio! La successiva expertise di sir Denis Mahon fornisce dati più precisi: i dipinti sono databili approssimativamente tra il Milleseicentootto e il Milleseicentodieci, mister Cittadini, probabilmente eseguiti dal Merisi durante la sua ultima fuga, di ritorno dall'isola di Malta, prima di salpare per Civitavecchia, a pochi giorni dalla sua prematura morte. Il più grande e impegnativo è un'altra versione della *Decapitazione di Oloferne*, nella quale appare un autoritratto dell'artista: figura bieca e barbuta sullo sfondo, il cui ghigno truce sembra tagliato in due da un abbacinante bagliore. L'altro è un'*Annunciazione* piena di ripensamenti con una Madonna dall'aspetto torvo d'una Anna Magnani ante litteram e l'arcangelo simile a uno sgherro pasoliniano.

Così Nanni fa chiudere quei due vincenti biglietti della lotteria sotto forma di tele seicentesche nel caveau d'una banca e su di esse – sul loro valore e sul loro prestigio – costruisce (come quel personaggio di Mark Twain possessore d'una banconota da un milione di sterline) la sua fortuna. Sì, grazie ai due dormienti Caravaggio – le cui copie d'autore ornano i due lati più visibili del salotto della sua nuova dimora – Nanni può finalmente intraprendere la professione sempre sognata. Così si getta sulle opere d'arte, diventando in pochi anni il padreterno del mercato offshore di compravendite artistiche. Gestisce i propri affari attraverso conti disseminati in esotici paradisi fiscali, come l'Isola Margherita, le Cayman Islands, contemplando la leggiadra e miracolosa lievitazione del proprio patrimonio con uno stupore infantile. Tutto il resto – dall'acquisto del casino sulla discesa di via Aldrovandi alla collezione di fuoriserie – non è che il logico effetto di quell'arricchimento repentino e inarrestabile. Arricchimento che – pur non inducendolo a disfarsi dell'ingrosso che in fondo gli ha garantito, sin lì, benessere e agiatezza, oltre alla possibilità di acquistare quelle due pitture fortunate – gli fa radicalmente mutare la sua opinione di sé e, in parte, il suo tenore di vita. Diciamo che non si sbarazza dell'ingrosso con lo spirito apotropaico d'uno Zio Paperone che conserva il primo dollaro guadagnato.

E il paragone non è affatto incongruo, né sacrilego: se non vi fidate chiedetelo a mio padre, che rievocava la saga di Nanni Cittadini con la verve e gli occhi scintillanti di chi narra un fumettone dallo strepitoso happyending. Amava mostrare i ritagli di giornali dell'epoca che magnificavano la fortuna di quell'improvvisato collezionista. Quel suo entusiasmo mi sembrava tanto più folle considerando che l'estemporanea buona sorte di Nanni aveva coinciso con il fallimento non meno estemporaneo di Bepy e che se solo quest'ultimo avesse accettato di partecipare all'affare dell'amico la sua intera esistenza (e la nostra!) sarebbe stata completamente diversa. Ma mi sembrava ancora più incredibile che il destino di molte persone potesse essere stato deciso da un po' di vernice dispiegata con un pennello su una tela da un assassino straccione morto in circostanze misteriose quattrocento anni prima.

Ogni Natale mio padre comperava due bottiglie di whisky al malto torbatissimo – il solito Lagavulin invecchiato sedici anni, niente di che in fondo – da regalare a Nanni.

Era come la visita annuale a un santuario della Madonna: abitudine a metà tra la scaramanzia e il debito per grazia ricevuta. A quel tempo Nanni Cittadini era già per mio padre un mito incarnato. Non so come il meccanismo dell'idolatria si fosse innescato in un uomo che amava orgogliosamente professare il proprio laicismo illuminista. Bastava sentirlo parlare di Nanni per capire che quel compendio di aneddoti – troppo di sovente evocati con euforiche intonazioni – equivalesse a un amore illimitato. Come se Luca Sonnino avesse reagito – non tanto alla morte di Bepy quanto agli ultimi infamanti anni della sua vita – piuttosto che con un legittimo scetticismo suffragato dall'esperienza e dalla delusione con la costituzione di un nuovo idolo inalterabile. Sì, proprio perché Bepy era stato per lui quel che pochi padri sanno essere per i figli – un modello ineguagliabile – ora sentiva il desiderio di trovarsene un altro.

Quando i miei si erano incontrati, mio padre era ancora completamente assorto nel sortilegio della filiale dedizione. Al punto che dopo il matrimonio l'incantesimo si era riversato sulle loro consuetudini coniugali. Nulla di quello che la giovane sposa facesse era in grado di rispondere a quel sacro modello di vita che Bepy aveva saputo fin lì tacitamente impersonare agli occhi del figlio. Ecco perché persino le prime avvisaglie del disastro finanziario di Bepy erano state accolte dal suo primogenito con indulgenza e ottimismo. Un passo falso. Solo un passo falso, in una vita esemplare. Ci voleva ben altro per decostruire quel sacrario di libertà e spregiudicatezza... Serviva tutto il resto, tutto quello che seguì il disastro – il pianto di

Bepy, le sue bugie, la sua lagnosa e ricattatoria richiesta d'aiuto, l'incapacità di accettare la sopravvenuta indigenza, i piccoli inganni patetici, le truffe di basso cabotaggio, la fuga e il ritorno senza dignità – per disilludere il figlio in un modo drastico e definitivo. Solo allora, appena trentasettenne, con quella grande storia d'amore e delusione alle spalle, mio padre aveva sentito l'esigenza irresistibile d'inventarsi un altro eroe: meno pirotecnico forse, ma certo più stabile e promettente. Solo allora la smania di sostituire un'utopia con un'altra aveva preso forma nella figura snella e dinoccolata di Nanni Cittadini.

Ogni anno, dopo aver acquistato quelle due bottiglie, ci recavamo al consueto rendez-vous col vecchio Cittadini come due elegantissimi questuanti.

L'ingrosso di Nanni era un succedersi di tavolacci ingombri di rotoli e stoffa, ogni sbuffo d'aria proveniente dalla porta d'ingresso sollevava nubi di pulviscolo. Era un luogo squallido, da romanzo russo (ho conosciuto diversi miliardari nella vita, e una cosa l'ho appresa: hanno un'inclinazione alla pudicizia e alla sobrietà, non per stile, come danno a intendere, ma per suprema alterigia. Come a dire: *Sono troppo ricco per avere la preoccupazione d'ostentare il mio denaro!*). Le pareti minacciate da bigie isole d'umidità, poltrone sfondate, sedie mal foderate, un alberello di Natale stinto-grigiastro. I commessi indossavano lunghe palandrane marroni e avevano l'aria sfatta di chi è scontento della paga e del lavoro massacrante.

Ma ecco Nanni emergere da una nebbia di cobalto e concedersi temporaneamente a noi: anche i capelli dai riflessi turchini e gli occhi, persino l'epidermide, se ben si guarda, fanno pensare al cielo: il tutto condito dal cardigan d'un mélange azzurrato che preme un po' troppo sullo stomaco sporgente. Mistica visione. L'arcangelo Gabriele in corpore vivi:

«Mi dispiace avervi fatto aspettare... Oh, ma ecco il mio globetrotter e il suo piccolo scudiero!»

A Nanni piaceva alludere al nomadismo di mio padre. Era una cosa che lo divertiva. O forse un modo per ricordarci che quel lavoro, esteso e incrementato dagli anni e dall'indubbio talento di mio padre fino a garantirci una nuova, insperata agiatezza, era stata una sua idea, che senza il suo apporto logistico ed economico non si sarebbe mai potuta realizzare. Ci teneva a sottolineare che era stato lui, Nanni Cittadini, stimando le capacità e la cultura di mio padre, la sua attitudine al cosmopolitismo, a promuoverlo presso quei clienti di Manchester e quella signora di Pechino. Era stato lui ad aver trasformato il viziato figlio d'un ex grossista con l'acqua alla gola in uno dei più rispettati manager del settore.

A Nanni, inoltre, piaceva servirsi di espressioni teatrali e fintamente simpatiche. Doveva trovare irresistibile il contrasto tra la mestizia di quell'ambiente e un modo parodisticamente forbito di parlare.

A Nanni piaceva tributarci onori che non meritavamo così come gli sarebbe spiaciuto tributarceli se solo ce li fossimo meritati.

Nanni mostrava un affetto per mio padre così esibito che la gente arrivava a commuoversi.

Ciononostante il vecchio Cittadini, coi pullover di cachemire a collo alto, l'affettazione d'austerità, la collezione di fuoriserie celebrata da una grande foto sulla parete, mi sta sulle palle. E il fatto curioso è che i motivi della mia precoce ostilità coincidono con le opposte ragioni paterne. Luca Sonnino è ben contento che un uomo ci sovrasti: più ricco, felice, raffinato di noi. Anzi è lusingato che un individuo simile ci si conceda con affettuoso trasporto. Non gli fa orrore entrare in quell'ingrosso che un tempo gli apparteneva. Non è diventato pazzo all'idea che se solo quello sfigato di Bepy avesse versato il suo piccolo obolo per l'acquisto di quelle due tele tutto sarebbe stato diverso. Non gli fa quasi effetto il pensiero – così ossessionante per me – che non c'è niente di più terribile che

lambire la fortuna, sfiorarla con le dita in un modo vertiginoso, per vedersela svaporare di fronte agli occhi. So di
sbagliare: dovrei essere grato a Nanni. Non è forse lui la
Grigia Eminenza del nostro riscatto? Ma a otto anni – così
come a nove e a dieci e via di seguito... – si avrà pure diritto all'ingratitudine. Non posso impedirmi di detestarlo
con la cordialità cui mi vincolano la condizione di figlio
d'un beneficato e la buona educazione. Così come non so
liberarmi dall'impressione – certo incongrua – che a Nanni basti premere un tasto rosso, come a Goldfinger nel famoso film con Sean Connery, per distruggere la mia famiglia. Non solo odio l'aria paternalista di Nanni, ma non
sopporto che mio padre non sappia condividere la mia
acredine. Dentro una voce sussurra che Nanni ci ha aiutato – ma lo ha fatto realmente? – solo per concedersi una
simile, offensiva condiscendenza. Nessuno dà niente per
niente. Esattamente quello che mio padre non comprende. Perché, papà, ti fai trattare così da quest'insopportabile arrogante? Possibile che tu non veda ciò che a me sembra così palese?
   La verità, follemente elusa da mio padre, è che Nanni
non ha mai smesso di odiare Bepy. E che quell'odio è sopravvissuto perfino all'indecorosa morte del rivale.
   La storia è nota a tutti: Bepy è ancora un entusiasta, ai-
tante balilla, quando incontra per la prima volta Giovanni, un delicato biondino. Tra loro non c'è gran simpatia.
Non almeno quella che ci s'aspetterebbe valutando il
prosieguo della loro amicizia. I contrasti caratteriali, gli
stessi che in seguito decideranno della loro sorte in modo
così crudele, si manifestano nell'irritazione prodotta in
Nanni dalle spacconerie del futuro socio. E Bepy, d'altronde, è troppo preso dalle sue cose per dare importanza
a quel ragazzino silenzioso e in disparte. E tuttavia è come se entrambi intravvedessero nell'amico l'altra metà
del cielo.
   Così dopo la guerra aprono il primo ingrosso di tessuti,
la Solemex, il più grande, il più celebre. Noti nell'ambien-

te come "Ugo e Raimondo" per la somiglianza con Tognazzi e Vianello. Stessa miscela dirompente. Da una parte Nanni, spilungone mieloso e magrolino, tutto colli inamidati e humour britannico (quello che non fa ridere i britannici da un paio di secoli); dall'altra Bepy: bassetto, virile, galante, erotomane, abbronzatissimo, d'appetiti pantagruelici.

Ne fanno di quattrini, in quegli anni. Coppia diabolica. Oliata macchina commerciale. Bepy è un compratore talentuoso e un venditore Irresistibile, sembra il gagliardo interprete di certi film sul boom economico. Nanni, con la sua laurea in Ingegneria, è un contabile di solerzia e rigore esemplari. Ormai la Solemex è considerata a buon diritto l'ingrosso più importante dell'Italia centrale.

Alla fine degli anni Sessanta, Nanni capisce che qualcosa non funziona più. Intuisce che il periodo eroico-pionieristico dei due giovani soci è finito. Sente odore di recessione. E poi teme il delirio d'onnipotenza del socio: Bepy ha perso il senso della realtà, come avesse dimenticato che il fine d'un esercizio commerciale è fare soldi, non impartire lezioni di bravura o di stile. Inoltre Bepy, per finanziare i lussi sfrenati della sua famiglia (feste, automobili, servitù, villeggiature, abiti e gioielli) attinge alla cassa senza ritegno. Compra, compra, senza verificare la propria solvibilità, incurante della propria situazione bancaria, come avesse un fido illimitato. Nanni è impaurito e irritato. Lui, al contrario di Bepy, ha il culto dell'accumulazione: negli anni ha capitalizzato in modo eccellente, investendo e diversificando le proprie attività: edilizia, buoni del tesoro, collezioni d'arte, prestiti di danaro: soldi veri, mica cartapesta. Oculatezza e speculazione: ecco i Santi Protettori che assistono quell'avveduto gagà. Così inizia a elaborare l'idea d'una divisione, con un insinuante retropensiero: Bepy non gli serve più. Anzi lo danneggia, è sempre più chiacchierato. Nanni è scaltro: non avrà il sublime talento del socio, il naso infallibile nel comprare e nel vendere, ma ormai ha imparato, attinto, sa muoversi. Bepy inopinatamente si mostra tutt'altro che riluttante, ben venga il divorzio. Anche lui negli ultimi anni ha patito la codardia del socio, è esasperato dalle sue prediche apocalittiche. Una zavorra: ecco cosa pensa Bepy di Nanni. Una zavorra al suo tentativo di spiccare il volo, per il miracolo definitivo: una ricchezza piena e inestinguibile, come quella di certi industriali del Nord che ormai lo trattano da pari a pari, fino a invitarlo tutte le estati nei loro rigogliosi declinanti boschetti di Stresa e Bellagio, nei quali Ada Sonnino si presenta come una corvina statua scolpita da Capucci.

Poi, un giorno, tutto precipita, grazie a un incidente che non ha alcuna attinenza con l'ingrosso. Quel giorno Bepy chiede a Nanni un aiuto: dovrebbe telefonare a Ada, dirle che stasera il marito farà tardi in ufficio con lui, devono lavorare: spesso i due soci si sostengono in queste cose, ognuno chiamando la moglie dell'altro. Bepy però stavolta è stato evasivo. Alle domande del socio ha risposto d'aver trovato una donna splendida, un osso duro, ma nessun dettaglio. Abitualmente è più generoso di particolari, proprio perché in lui il divertimento adulterino non è mai disgiunto dalla teatralità baldanzosa nell'esprimerlo, e nel trasformarlo in pubblica vanteria.

Nanni se ne scorda quasi, finché, rincasando, è sorpreso dall'anomala assenza della moglie. La sorpresa si trasforma in ansia, e l'ansia in sospetto terribile: che quella donna splendida, l'osso duro cui Bepy ha accennato, possa essere sua moglie Sofia. Perché stupirsi? Sarebbe tipico di Bepy. Adora queste bravate. Sì, tipico. Quante volte ha commesso simili soverchierie, per poi riderne in compagnia? In cosa consiste il godimento? Semplice: Bepy fa telefonare il socio a sua moglie per essere libero da ogni impaccio, e nel frattempo prepara il suo piccolo pied-à-terre-zebrato-con-luci-suadenti per accogliere Sofia, e scoparsela in un tripudio di sapori diversi. «Dov'è la signora?» chiede Nanni con voce angosciata alla cameriera. «La principessa ha telefonato, andava a cena con un'amica... Mi ha detto di prepararle il passato di verdure, ingegne-

130

re...» Nanni è fuori di sé. Che fare? Che pensare? È una condizione inedita e fastidiosa. Di solito non solo lui sa cosa pensare, ha il pieno controllo della situazione, ma difficilmente si lascia traversare da sfibranti inquietudini. Vorrebbe rintracciare la moglie. Ma dove? «La signora non ha detto con chi cenava?» chiede ancora con finta distrazione da dietro il giornale. «No, ingegnere. Ha detto solo di non aspettarla per cena...» Andare là, nel pieno della notte? Appostarsi sotto l'alcova del socio? Mai Bepy gli è parso così disgustoso. Ai suoi occhi in questo preciso istante Bepy è un monumento dedicato alla doppiezza. Aspettarli all'addiaccio, come qualsiasi oleografico cornuto che si rispetti? No, Nanni è un freddo, ama esibire lucidità e compassatezza. Non farà nulla. Soffrirà in silenzio. Attenderà il ritorno a casa di Sofia. E proverà a capire, senza estorcerle niente.

Suvvia Nanni, stai tranquillo: Sofia non è quel tipo di donna, poi ha sempre disprezzato Bepy. Dimentichi? Il tuo fiorellino adorato è un'antisemita convinta e inamovibile, lo è per cultura e tradizione familiare. I suoi porporati trisavoli avrebbero avuto potere di vita o di morte sui trisavoli con zucchetto di Bepy. E allora? Puoi stare tranquillo. Ma tu, allo stesso tempo, hai imparato che una cosa è quel che Sofia dice ufficialmente di pensare, un'altra è il fascino per l'esotico che troppo spesso, con scatti improvvisi e insospettabili, sembra affiorare dalle fibre della tua languida gattina, come il trip d'una segreta perversione che ti lascia sempre esterrefatto. Chi ti garantisce che nell'inaccessibile, muliebre immaginario di Sofia, nel chiuso della sua coscienza di femmina, Bepy non rappresenti proprio la quintessenza del maschio? Sofia a letto è una fuoriclasse, una furia: calda e disinibita. Tu non l'hai mai soddisfatta pienamente. Non raccontarti cazzate, Nanni. È così. È il tuo castigo inconfessabile. Sembra che il corpo di lei, abitualmente irrigidito dall'aplomb aristocratico, nell'intimità sessuale si sciolga voluttuosamente. La temperatura si alza e lei si squaglia come fosse argilla.

131

Questo non puoi scordarlo, né sottovalutarlo. La cosa che invidi a Bepy è l'inarrestabile, famigerato appetito sessuale. Il suo priapismo convulso e compulsivo. È uno dei pochi uomini che non conoscono il sollievo postorgasmico. E, d'altronde, è dai tempi del liceo che Bepy prova un illecito piacere nel rubarti le ragazze: deve essere una recrudescenza di revanscismo ebraico. («Mi sono scopato l'ennesima *chiusa* con la puzza sotto al naso! E per di più rubandola a quell'incapace!» È così che si esprime Bepy, con questa volgarità, con questo razzismo esplicito.) Almeno così l'hai sempre pensata. Da ragazzo eri tu il bello, l'efebico conquistatore, ma quanta selvaggina fresca o stagionata, da allora, è transitata, per fugaci o lunghi periodi, nel letto di Bepy, a sovvertire quella tendenza! Bepy, ormai, può arrivare ovunque. Non teme niente. Non ha dignità da difendere. Anche di recente ti ha soffiato Giorgia, la giovanissima modista dell'ingrosso. Tu l'hai corteggiata allo spasmo e lui se l'è scopata! Tu ne eri quasi innamorato e lui se l'è scopata.

Nanni non vuole precipitare le cose. Né fare scenate. Ama troppo sua moglie. Come ha potuto quel bastardo, anche con sua moglie? "Un osso duro", così l'ha definita. Sofia un osso duro, come fosse una troietta d'alto bordo.

Quando Sofia rientra in un ritardo sospetto, soavemente avvolta nel suo collo di visone, Nanni l'attende a letto. La sente muoversi con circospezione, vede la luce accendersi nell'anticamera, eppoi il riflesso incandescente delle perle, o dei denti forse. *Mi basterà uno sguardo per capire.* Quando Sofia entra, lo bacia con troppa foga. Nanni ha l'impressione che i gesti della moglie tradiscano un morbido languore, che lei nasconda il sorriso. D'un tratto una fitta a trafiggergli lo sterno. Sofia è bella e colorita come certe donne che hanno fatto l'amore. Non potrai mai avere la controprova. Non troverai mai il coraggio di sottoporla alla trivialità d'un serrato interrogatorio. Lei impiega un attimo ad addormentarsi, mentre il marito cuoce nel suo calderone stracolmo di domande insolubilmente strazianti.

Alla fine degli anni Settanta la divisione è inevitabile. Nanni è scostante, non sopporta neppure la vista del socio. Non gliel'ha perdonata. Ogni gesto di Bepy gli suscita irritazione. Gli ripugna anche la bizantina vezzosità nel vestire e nel parlare. Talvolta si perde nel piccolo baratro nero che si apre tra un incisivo e l'altro di Bepy. Sente montare l'odio al pensiero che la sua Sofia possa aver incontrato con tremore la bocca di quello pseudo-Clark Gable da strapazzo (Bepy è lusingato da tale aleatoria somiglianza). Nanni si rende conto d'averlo sempre detestato, sin dai tempi del liceo. Comprende d'averlo seguito fin lì proprio in ragione di quell'odio. Sì, ha sempre odiato (o invidiato?) la sua sfrontatezza, l'insolenza, l'amoralità, tante altre cose ancora. Così decide di interrompere quel sodalizio trentennale, chiudendo anche una delle esperienze di commercio tessile più riuscite e floride del dopoguerra romano. L'avventura di "Ugo e Raimondo" è al capolinea. Ognuno sceglierà il proprio destino in piena autonomia.

S'accordano da veri gentiluomini. Nanni è disposto a liquidarlo profumatamente. In cambio si tiene il vecchio locale in via Caetani e soprattutto il nome della ditta. La Solemex è roba sua, oramai. Nonno apre un altro ingrosso. Ha sempre odiato le cose vecchie, le tradizioni: è un tipo moderno. Ha soldi da investire. Al principio gli affari sembrano lievitare con una facilità impressionante, per poi improvvisamente sgonfiarsi, esponendolo alla volubilità di mille speculatori senza scrupoli, proprio quelli da cui per tutta una vita lo aveva protetto il suo assennato socio.

Quando Bepy fallisce, Nanni, che con lui oramai condivide solo qualche piccolo inessenziale negozietto, viene lambito appena dall'alito di quel disastro. Ci rimetterà solo qualche spicciolo, che il tempo e il gossip penseranno a trasfigurare in cifra iperbolica, circonfondendo la sua figura d'un'incongrua aura di generosità. Nanni è pronto alla santità tanto quanto Bepy è impreparato all'inferno.

133

Nanni è solido, non teme niente e nessuno, ormai il grosso è al sicuro, Caravaggio gli ha cambiato la vita e Sofia è al suo fianco.

«Wow, che loden, ragazzi!» esclama Nanni, durante una di quelle visite natalizie, palpando con gesto semiprofessionale la manica del cappotto di mio padre, per poi volgersi a me che sono uno sparuto scricciolo con gli occhiali e chiedermi con un sorriso condiscendente:

«Come ci si sente ad avere il papà più elegante di Roma?»

Ecco cosa intendo!

In questa frase è impressa l'inconfondibile griffe Sonnino – uno dei pezzi migliori del polimorfo repertorio di Bepy – mediata dall'impennacchiata rigidezza di Nanni. Sono abbastanza grande per non lasciarmi abbindolare: è così evidente che Nanni ha filtrato certe affettazioni dal suo ex socio! Così come appare lampante che non possiede lo stesso tocco leggiadro, non è altrettanto credibile. Sconta l'inautenticità dell'apocrifo. Pur fidando in se stesso, Nanni resta sempre l'uomo ingessato da Bepy sfottuto con grazia sprezzante. Adesso, caro Nanni, gioca pure a fare il grand'uomo, migliaia di chilometri distante dal tuo ex socio, che, nel frattempo, espia la sua oltreoceanica condanna. Ma lo sappiamo tutti che sei solo un replicante, un attore da avanspettacolo. Houdini è lontano, e tu te la spassi alle sue spalle, snaturando maldestramente i suoi trucchi.

Ma quel complimentoso interrogativo rivoltomi da Nanni – "Come ci si sente ad avere il papà più elegante di Roma?" – delizia letteralmente mio padre. Vedo quel biondo omone sciogliersi come una verginella. Come fa a non capire che quelle parole nascondono l'ironico dissenso d'un miliardario nei confronti del figlio d'un fallito, che nonostante tutto, appena rialzata la testa, piuttosto che risparmiare persevera nell'acquisto di capi costosi? O la mia è solo infantile paranoia?

Perché mio padre – pur sapendo che il vecchio Cittadini conosce nei dettagli la nostra situazione: l'eredità di Bepy fatta di scoperti bancari, l'orgia di famelici creditori, le corse di mia madre a cambiare assegni a destra e a manca – si presenta a lui indossando quel meraviglioso cappotto di loden e il cappello verde a larghe falde che non sfigurerebbe a Saint Moritz? Non teme le spacconerie? Non vuole che l'aspetto corrisponda al conto in banca? O forse questa è un'idea che solo il figlio di quella nevrotica pauperista di mia madre avrebbe potuto concepire? Forse mi sentirei meno a disagio presentandomi al cospetto di Nanni vestito come un figlio del popolo: striti pantaloni di velluto o sdrucito pullover bordò. Allora forse non avvertirei questo sfasamento angoscioso. Allora forse non avrei difficoltà a riconoscermi in un ruolo prestabilito e a comportarmi di conseguenza. Ma così l'aria è viziata. Tutto è ammantato dall'ipocrisia e dal vuoto oscuro del non-detto. Anche perché c'è una cosa che non riesco a ricordare senza ambascia, per tutte le successive, impensabili implicazioni. È come mettere della carta stagnola su un dente cariato. Da saltare sulla sedia per il dolore. Ogni anno il vecchio Cittadini mi snocciola la solita filastrocca:

«Ehi, Daniel, è vero che adori sciare? Dice tuo padre che sei uno sciatore coi fiocchi! Che ne dici di venire con noi a Cortina? Ci sono i miei nipotini.»

«Perché no, Daniel? Ringrazia Nanni, da bravo...» sorride il più inconsapevole, puro, cieco padre che abbia mai calcato le scene della paternità.

Non c'è altro da fare che sorridere a mia volta. Sia io sia Nanni sappiamo che si tratta d'un convenevole, non c'è niente dietro. Insomma lui m'invita fidando nel mio diniego, così come – dal canto mio – fingo di titubare in studiata meditazione, sapendo di non poter accettare. L'unico che sembra ignorare la mondana squisitezza, nel suo candore, è mio padre. Sembra che lui non comprenda le ragioni per cui non potrò mai accogliere l'invito di Nanni. Inutile spiegarlo. Non capirebbe. Se ci provassi, alzerebbe le spalle, andrebbe su tutte le furie, fino a darmi del visionario o del fissato. E non saprei come replicare perché in effetti il modo di Nanni di tenerci a distanza non è schietto: semmai è rifiuto sotterraneo, inafferrabile, che miscela un po' di spregio antisemita, riprovazione per lo sfoggio volgarotto di lussi traballanti e superiore coscienza di classe.

Forse Nanni apprezza mio padre proprio perché gli sembra che in lui il giudaismo prenda forma in un modo diverso: raffinata nevrastenia, deviazione genetica alla Warburg o alla Rothschild? O forse il soccorso prestato a mio padre boccheggiante è l'obolo versato per i peccati commessi dalla sua coscienza contro il popolo ebraico? Lui è uno di quei *chiusi* che, messi di fronte all'evidenza del proprio pregiudizio, si schermiscono con la solita formula: "Ma su, che ho più amici ebrei che gentili...". Il che è certamente vero, ma denota una forma d'esibizionismo filoebraico, anticamera dell'odio razziale. Si tratta di quegli antisemiti che hanno scelto di vivere in mezzo agli ebrei, con lo spirito d'uno zoologo che studia le belve feroci dell'Africa nera, senza mai dimenticare il fucile. In lui affezione e cautela si confondono in una pasta grigia. Che avesse ragione Himmler quando rimproverava i suoi compatrioti di mancanza di senso della Storia, di bieco personalismo? «Tutti abbiamo un amico ebreo che vorremmo salvare... Bisogna pensare in grande!» diceva ai suoi uomini quel fiero, insaziabile stragista. Per Nanni, forse, mio padre, così elegante e perbene, così leale e limpido, era solo l'ebreo che faceva eccezione, così come lo scaltro e truffaldino Bepy era quello che aveva confermato, almeno ai suoi occhi, la regola. E d'altronde l'indulgenza di mio padre per gli antisemiti aveva qualcosa di anacronisticamente orientale.

È per questo che mio padre non comprende le mie ragioni. Sì, è splendido andare a Cortina. Splendido sciare il giorno di Capodanno. E che sogno incantevole se i "nipotini" di Nanni sono quei due eterei angioletti incorniciati nella foto sopra la scrivania del nonno! Ma quale peso accompagnarsi a questa gente che conosce la penuria donde provengo: mi tratteranno sempre con distacco.

136

Se in certi ambienti gli ebrei ricchi vengono accolti a stento, quelli in miseria non potrebbero neanche figurare tra i domestici. Non so se m'intendete. E Nanni, d'altronde, corrisponde alla precisa fisionomia dell'antisemita represso. Forse ha sposato un'Altavilla, sì, una principessa, efebica e azzurrata come lui, questo topazio napoletano che risplende nella sua dimora sontuosa, solo per difendersi dall'attacco sferrato dalla pletora crespa che frequenta – per lucrosi motivi – sin dai primi anni della sua vita. Nanni usa la principessa consorte come antidoto contro gli ebrei? È questo che fa? Lei è il salvagente in quel mare infestato di pescecani? Il salvacondotto per quell'high society che lo ha sempre ossessionato? Via, passiamo pure la giornata a contrattare con gli Shylock ruvidi e furbastri di piazza Giudia, o con quelli bizantini del mercato artistico londinese, o con quelli spietati dell'alta finanza ginevrina, ma che bello tornare a casa – caldo confetto liberty nel cuore ocra-verdeggiante di Roma – e trovare ad attenderti il sorriso di marmo mille volte celebrato dalle copertine delle riviste vip della tua Fifi (così i suoi amici la chiamano, così a te piace chiamarla, con il labbro inferiore che ti sfiora gli incisivi in un modo sensualmente sincopato): sì, perché la principessa, da quando è tornata a essere sfacciatamente ricca, si compiace di farsi fotografare al fianco del marito, dei nipotini e d'un tediatissimo mastodontico alano... È la sua innocua vanità. Sofia è una vera presenzialista dei rotocalchi patinati, prima donna del gossip mondano. La intervistano sempre a Natale nel salottone stile Impero, dove alcuni pezzi prestigiosissimi superstiti dello scialo delle fortune Altavilla convivono con i nuovi acquisti di Nanni. Qualsiasi sfaccendata signora che vada dal parrucchiere a cercare se stessa può godere dei consigli assennati di Fifi Altavilla (non se l'è sentita di sbarazzarsi del cognome di signorina, semmai è il marito che talvolta ama gratificarsi con quello della moglie) su come apparecchiare la tavola a Capodanno o come accogliere un ospite importante. La principessa sfoggia un raffinato buon senso e illustra, come fosse un pezzo d'antiquariato, l'armonia familiare che lei e il suo ricco sposo hanno saputo così naturalmente instaurare. Lei è una di quelle nobildonne senza garbo che hanno azzerato i debiti di dieci generazioni di sperperi principeschi con un matrimonio che alla fine si è rivelato convenientissimo. Lei ha avuto la lungimiranza di puntare sul cavallo giusto. È stato un incontro miracoloso: Nanni, proveniente da un ambiente medio borghese di tradizione monarchica (nel Quarantasei, nonostante la pessima prova offerta dai Savoia nel ventennio fascista, votò contro la Repubblica), un giorno, durante una caccia al cinghiale nell'anglosassone campagna a nord di Roma organizzata da qualche latifondista morente, s'imbatte nella giovane Sofia, erede d'una fortuna terriera e immobiliare minacciata da un numero cospicuo d'ipoteche. S'innamorano sinceramente. Capita quando ciascuno possiede ciò che l'altro desidera ardentemente. Matrimonio fastoso, ma vita austera, secondo le ferree convinzioni di Nanni. Finché, dopo l'improvviso arricchimento, la vita cambia di sapore e di ritmo. Da allora lei impiega il tempo in svagate beneficenze, anacronistici mecenatismi a favore di ritrattisti squattrinati o promettenti stilisti, o altrimenti impartendo, a pagamento, lezioni di bon ton: ha aperto una scuola che si propone d'insegnare alle domestiche della buona borghesia come apparecchiare e servire in tavola. Nanni adora la moglie, non le fa mancare niente, striscia ai suoi piedi – questa la sua unica fragilità –, per il resto è una vipera con la calcolatrice.

Ma che c'entra con questo edificante ritratto la morte di Riccardo, il loro unico figlio? Come è possibile che se sai così bene organizzare la tua vita, se hai un pieno controllo su di essa al punto da porre le tre forchette sempre a sinistra, il cucchiaio sempre vicino al coltello e, per carità, mai la salvietta sul piatto... Com'è possibile se hai impresso un ordine cartesiano alla tua esistenza, corredandola di tutte le consuetudini amorevoli che alla fine la trasformano in un affare così piacevole, che tuo figlio, per tutta risposta, si ammazzi? E non si sta parlando d'un figlio sbalestrato, d'uno scavezzacollo con la mania di produrre problemi all'ingrosso. Non si allude all'ex adolescente ipercritico o depresso, il solito ragazzo incazzato degli anni Sessanta. Ma del figlio ideale, quello che hai creato A Tua Immagine E Somiglianza, epurandolo della tua asprezza piccolo borghese, il rampollo che ti serve a conferire ulteriore lustro alla tua vita. Un Nanni Cittadini smussato nei suoi spigoli di diffidenza e filisteismo. Parliamo del figlio che non ha dato grattacapi, del figlio brillantemente laureato in Architettura, lo spericolato sciatore, il tennista leggiadro, il fantino impeccabile, due volte campione al torneo "Cortina winter polo", cui hai imposto l'ennesima moglie titolata e indigente, che ha messo al mondo due irresistibili angioletti e che soprattutto non ti ha mai mancato di rispetto. Se c'è qualcosa che non andava – ma è un pensiero retrospettivo, un pensiero di chi sa come le cose sono finite, una riflessione fuori tempo massimo da psicologa di talk show che ti viene in soccorso solo adesso, una perversità ideologica di quest'epoca perversa – era proprio l'*eccessivo* rispetto del tuo Ricky. C'è tanta gente che si ammazza per i più svariati motivi. Tanta gente che s'ammazza perché non ha combinato nulla di buono o perché non potrà mai raggiungere ciò che considera un livello accettabile di vita. Temo che Riccardo Cittadini appartenga al clan di quelli che si sparano perché hanno fatto le cose troppo per bene. Una di quelle concave personalità abilmente manipolate, programmate a dire sempre di sì. Sì a un assurdo matrimonio con un'aristocratica cacciatrice di patrimoni. Sì a due figli che lo hanno definitivamente incastrato. Sì persino alla proposta di lavorare sotto il controllo autoritario del padre, frustrando la vocazione all'architettura. («Vuoi fare il tecnico? Vuoi lavorare per gli altri? Vuoi essere un dipendente? È questo quello che vuoi? Se è questa la tua più alta aspirazione, accomodati» gli ha detto Nanni con sprezzo.)

Allora non era forse naturale che Ricky, senza preavviso, senza dare segni significativi, senza perdere il buon umore, sull'onda d'una frenesia libertaria, scrivesse un cubitale e definitivo NO, sparandosi in bocca in un giorno qualsiasi della settimana?

Eppure c'è un elemento di questa vicenda che Nanni non riesce a dimenticare. Ricky, poco prima di spararsi, aveva avuto una storiella extraconiugale. Nel suo sentimentalismo, l'aveva presa sin troppo seriamente. Al punto da mettere in discussione il suo matrimonio. E pensare che Chiara, quella puttanella, era stato Nanni ad assumerla! E si era reso conto immediatamente che tra lei e suo figlio stava nascendo quella complicità che talvolta si instaura tra le commesse e i figli dei titolari. Aveva lasciato fare. Sapeva come andavano certe cose. Finché un giorno Ricky aveva trovato il coraggio e si era presentato tremante al cospetto del padre per comunicargli le sue intenzioni: divorziare e risposarsi con Chiara. «Non se ne parla neanche!» aveva risposto Nanni, gelido ma non per questo meno preoccupato. Ricky era rimasto a bocca aperta, non era riuscito a replicare, non aveva trovato il coraggio di contraddire il padre, di difendere la propria posizione, il proprio amore: era, come si suol dire, imploso.

Nanni ricordava anche che, prima di licenziare quella ragazza, aveva sentito l'esigenza di consultarsi con Bepy. Sebbene Nanni avesse sempre trovato insopportabile l'ascendente esercitato da Bepy su Riccardo, aveva pensato che stavolta avrebbe potuto utilizzare tale influenza per un alto scopo.

E cosa si era sentito rispondere da Bepy?

«Ma dai, non esagerare. Se tuo figlio non vuole stare più con la moglie perché lo devi costringere? Non forzare la mano con quel ragazzo! È molto più fragile di quanto credi. Non immagini quanto possano essere suscettibili i figli normali. Sono loro quelli davvero imprevedibili. Te lo dico per esperienza personale. Ti sembrerà una stronzata, ma ti assicuro che i figli che nascondono la propria vulnerabilità dietro a una facciata di letizia sono i più determinati: sono loro che, alla fine, compiono gesti inimmaginabili e spettacolari. Guarda Teo! Se qualcuno mi avesse detto che Teo... Sì, insomma, hai capito... Io non c'avrei creduto... Ma allo stesso tempo ti invito a non drammatizzare. In fondo quello di tuo figlio e di tua nuora non mi è mai sembrato un grande amore. Non sarà una tragedia per nessuno, mio caro. E va bene, sì, ci sono dei figli di mezzo, ma non mi pare che la signora sia la mamma ideale. Sono cose che capitano. Vedrai che quando tutto sarà passato starete tutti meglio e non proverete alcun risentimento particolare. Questo è un modo sano e laico di vedere le cose, tesoro mio. Eppoi perché devi sempre pensare male? Può essere che la ragazzina lo ami veramente, che stavolta i soldi non c'entrino...» gli aveva detto Bepy con la faciloneria, la franchezza e il cinismo che metteva solo nei colloqui con i suoi intimi, destinando le famigerate ipocrisie al resto del mondo.

Per Dio, è facile fare il liberale con i figli degli altri. Ma vorrei vedere lui al mio posto, aveva pensato Nanni con odio, pentendosi di aver dato per l'ennesima volta occasione a quel pallone gonfiato di mettere in mostra la sua superiorità. Che ipocrita! *Lui che ha fatto tutto quel casino solo perché Teo è andato a vivere a Tel Aviv, adesso osa farmi la lezione.*

Solo ora gli veniva in mente che il feeling stabilitosi immediatamente (per un'elezione quasi epidermica) tra Bepy e Riccardo poteva dipendere da una contiguità caratteriale: erano due smidollati, che non sapevano cosa volesse dire rispettare un impegno, due egoisti senza scrupoli pronti a mandare tutto a rotoli pur di non rinunciare al proprio benessere contingente. E ora un interrogativo gli bruciava: era stata l'assimilazione interiore che aveva fatto tra Bepy e Ricky a spingerlo a quella esemplare severità? Quindi era come se avesse voluto punire Bepy tramite Ricky, o viceversa: così era andata: solo a quel punto, infatti, e senza esitazioni, aveva offerto i soldi a Chiara,

141

esultando nel constatare che lei non aspettava altro che intascare l'assegno e scomparire. Tutto sembrava essere ormai dimenticato quando quello sparo improvviso aveva cambiato – per sempre – la sua vita. E pur sentendo l'iniquità d'una simile posizione, Nanni non era riuscito a disgiungere la morte del figlio dal plagio caratteriale di cui questi era stato fatto oggetto da parte di quel mefistofelico corruttore di Bepy. Possibile che solo ora – dopo che tutto era concluso – gli tornassero in mente le parole di Bepy? "I figli che nascondono la propria vulnerabilità dietro a una facciata di letizia sono i più determinati: sono loro che, alla fine, compiono gesti inimmaginabili e spettacolari." Possibile che allora le avesse prese sottogamba? Nanni ripensava a quelle parole come il padre di un condannato a morte rievoca ossessivamente le formule burocratiche con cui un giudice ha proclamato la fine di suo figlio. Proprio così: le parole – che Bepy aveva pronunciato col suo tono proverbialmente lieve – risuonavano nella mente di Nanni come una sentenza di morte! Così Nanni aveva sentito l'irresistibile esigenza di persuadersi che il suo ex-socio fosse responsabile della morte di Ricky, sebbene stavolta il povero Bepy non avesse alcuna colpa. Per Nanni era evidente che Bepy aveva avuto la sconsiderata impudenza di predire quel gesto imprevedibile, così come era evidente che Bepy aveva offerto a Ricky il suo esempio di impunito adultero e di campione mondiale dell'irresponsabilità e dell'auto-indulgenza. E, a proposito di divinazioni iettatorie, lo stesso Nanni – pur non potendo immaginare quanto la sua profezia fosse tragicamente fondata (come avrebbe potuto?) – sentiva che un giorno anche Bepy, in qualche modo, si sarebbe suicidato.

Nanni, a differenza di tanti padri condannati a dover sopravvivere ai propri figli, aveva almeno trovato qualcuno da accusare per quell'assurdo scandaloso decesso.

D'altra parte, se questa morte non aveva fatto altro che donare ulteriore lustro alla famiglia Cittadini, conferendole quell'aura lievemente dolente che contraddistingue tutte le grandi dinastie, se questa disgrazia aveva reso la principessa Altavilla una moderna raffigurazione della più signorile Dignità, è pur vero che la morte di Ricky, nella sua oscena imprevedibilità, nella sua palese ingiustizia, aveva distrutto la vita di Nanni, irrancidendo il suo spirito e vanificando tutto quel tumultuoso successo.

Ma c'è un'altra cosa assai più seria da considerare.

Perché, per quanto mi riguarda, sono certo che una volta a casa mio padre andrà da mia madre per dirle: «Sai, tesoro, cosa m'ha detto Nanni? Che sono l'uomo più elegante di Roma!». E allora vedrò affiorare nello sguardo della signora un velo d'irritazione. Vai pure a spiegare alla figlia del palazzinaro marchigiano, che vive nella penitenza dei suoi peccati contro la Famiglia e contro il Patrimonio, la poesia del marito-dandy...

Negli anni mia madre è cambiata, ma il marito si ostina a non capirlo. Non è più la *chiusa* vestita con l'avvitata leziosaggine di Audrey Hepburn, innamorata d'un ricco figlio d'Israele al punto da sposarlo, sfidando il veto di due famiglie e d'un'intera società ostile. È scomparsa la ragazzina che nei pomeriggi di giugno s'affacciava al balcone, la bocca nella rossa polpa d'una fetta d'anguria, sbrodolandosi, con l'animo interamente schiuso al futuro. Di quella creatura sognante resistono certi tratti profondamente radicati: la commozione di quando ascolta l'attacco di *Moon River*, colonna sonora di *Colazione da Tiffany*, o la toccante melodia di *Scandalo al sole* (predilezioni che se solo avessi il ghiribizzo d'interpretare mi sconvolgerebbero, se non altro per l'intrinseca sensualità di cui sono testimoni). Resistono solo piccole vanità di second'ordine che lei asseconda con magistrale discrezione. Ma ufficialmente ha dismesso il sospiroso idealismo di Giulietta. È tornata sulla terra. È rinsavita, come capita agli adulti responsabili. Nessuno crederebbe che questa avveduta quarantenne, letteralmente scaraventata da un impegno all'altro, possa aver avuto una vita diversa, fatta di sogni irrealizzabili e speranze fiabesche, o che possa aver provato tanta commozione di fronte a certi filmetti di Billy Wilder. Né che nel suo petto s'annidi il cuore d'una megalomane. Com'è credibile che questa donna, continuamente in balia dei sacrifici imposti dalla propria maternità, un giorno – ancorché remoto – possa aver pensato a se stessa con la vibrante trasognatezza delle debuttanti? Eppure basterebbe avvicinarla con un po' più d'attenzione, bucando il diaframma del suo cinismo, per scoprire la sorprendente contiguità tra la piccola principessa egoista di allora e questa donna indaffarata. Non ha fatto che spostare i luoghi della sua possibile affermazione: li ha mediati, addolciti, trasformati, nascosti. Ma essi esistono ancora. Sono integri. Lei è per il *differimento* programmatico della felicità. Si nutre d'attese e progetti continuamente rinviati... Se acquista un paio di scarpe o un nuovo cappotto è disposta ad attendere anche un anno prima d'indossarli, pur di non guastare l'inebriante impressione di novità! Il suo comodino è ingombro di ritagli di giornali o di interi inserti che pubblicizzano locali alla moda. Basta sfogliarli per imbattersi con lo sguardo in un numero enorme di cerchi, da lei appena accennati con la matita, per salutare la nascita nella nostra meravigliosa città di un nuovo ristorante messicano o la riapertura d'un museo dimenticato. Naturalmente si guarda bene dal trasformare quei desideri cartacei (libreschi?) in realtà. Anche se c'è da dire che le pochissime volte (di solito per il vigoroso sprone del marito) in cui si risolve a visitare finalmente uno di quei luoghi sognati, la sua delusione viene enfatizzata da una specie di scetticismo préalable.

Ma nonostante tali parossistiche incompatibilità, oggi lei difende il proprio sgangherato matrimonio con le unghie. Per tigna? O per amore? Amore, certo, ma con quali dissimulate fangosità... Nella parte profonda di se stessa resiste l'idea d'una famiglia come quella dei film o delle pubblicità, come quelle che sognava dal suo balcone d'adolescente: dolciastra bomboniera ricolma di "armonie familiari" e "successo personale" da cui è quasi ossessionata. Ogni ostacolo che dilaziona quel sogno vellutato viene vissuto come un dramma epocale, con uno sconforto che può degenerare in disperazione. Ormai è insensibile a certi giochi di prestigio. È vaccinata. Non commissiona più le foto a Luxardo, né gli abiti a Capucci, perché sa che dopo la fatua gioia d'averli goduti verrà il castigo di doverli pagare. Il primo, rosato decennio coniugale di follie e sperperi è in solaio, oramai. Storia vecchia. Fiamma ha affrontato la crisi economica con uno spirito contrario a quello del marito, tutta dalla parte dell'austerità e del karma borghese.

Così si comportano i veri signori? Quest'interrogativo galleggia nella sua mente. Lei risponde con un decoro della sostanza (e non della forma). Esaspera mio padre con le sue trascuratezze nel vestire, pare faccia apposta per indispettirlo. Quando erano ragazzi lui la trattava con arie di superiorità, lui era l'altoborghese ebreo e mondano, e lei la piccola stracciona di *My Fair Lady*, quella che aveva tutto da imparare. Lei a quel tempo si vergognava della volgarità della sua famiglia, della sua nonna semianalfabeta e del dover condividere il suo – pur grande – appartamento con zio e cugini. Come scordare il giorno in cui per la prima volta, invitata a colazione a casa Sonnino, aveva varcato la soglia di quel Tempio inaccessibile? Le ginocchia le tremavano e non riuscì ad articolare una frase compiuta. Il turbamento suscitato in lei dall'eleganza della sala da pranzo, la raffinatezza dell'apparecchiatura, la formalità nel servire, il decoro un po' ingessato dei commensali, la leggerezza nel parlare... Questo era il senso d'inadeguatezza mille volte avvertito da Sabrina, il suo personaggio cinematografico preferito, interpretato ancora una volta dalla sua Audrey Hepburn? La saga dell'appassionata Cenerentola, figlia d'uno chauffeur, che dopo varie peripezie finisce con l'innamorarsi e con lo sposare un rampollo dei Larrabee, milionaria dinastia di Long Island, realizzando così l'incredibile scalata sociale. Certo mio padre non è l'erede delle sconvolgenti fortune finanziarie e minerarie dei Larrabee, né possiede la spensierata avvenenza di William Holden o il fascino scontroso di Humphrey Bogart, ma mia madre, dopo tutto, s'accontenta. È da quel film che ha tratto l'ispirazione per il vestire e per il parlare? È da lì che ha capito che cosa era autorizzata a sognare? E chissà che fine ha fatto Sabrina, quella vera... Chissà se anche i Larrabee sono falliti come i Sonnino... O chissà che Sabrina, nel suo bovarismo, non si sia subito stancata del freddo, inappuntabile marito... Chissà che non l'abbia tradito con il cognato... Chissà che non abbiano divorziato... E che lei non abbia chiesto alimenti miliardari... Chissà se il grande Humphrey era già troppo vecchio per soddisfare sessualmente la moglie... Chissà se l'amore finisce... E chissà quanti altri chissà... So solo che se fosse stato possibile arrestare il corso della vita a certi memorabili apici amorosi, come avviene nelle commedie hollywoodiane, mia madre sarebbe stata la donna più felice che avesse mai calcato le scene di questo mondo! Proprio perché la sua vocazione alla felicità aveva qualcosa d'irreale. D'altronde, a ben pensarci, sono morti tutti: Bogart, Holden, anche la Hepburn oramai; eppure mia madre ogni volta che siede di fronte al teleschermo e infila la cassetta di *Sabrina*, giunta all'epilogo del grande piroscafo diretto verso l'Europa con la sognatrice triste e malinconica ignara che presto sarà colmata di felicità dall'inattesa apparizione del suo tenebroso ereditiere riprova esattamente quella sensazione di pienezza che danno gli "istanti fuori dal tempo" di cui parla Proust: un sentimento di speranza euforica, come se avesse ancora i suoi sedici anni e tutta una vita da spendere!

Ma quando s'è trattato di lottare, di diventare adulti, di ingaggiare un corpo a corpo con la vita, lei, la figlia dimessa di quel costruttore ricco e rozzo, non si è tirata indietro. Mentre i Sonnino intorno a lei si squagliano, cercando conforto in previsioni irragionevolmente ottimistiche, mentre questi (che un tempo l'hanno tanto intimidita) non smettono di chiedersi come il disastro sia potuto accadere, lei si rimbocca le maniche, mostrando un coraggio, una dedizione alla causa, una stupefacente nobiltà nello sfidare le avversità. In quel preciso istante Audrey Hepburn muore, e dalle ceneri di quella felina attricetta americana nasce mia madre, così come la conosco. Il suo nuovo nucleo familiare, nato così bene, su cui lei tante volte ha fantasticato, non può andare in frantumi adesso, non così, non per questo incidente di percorso in cui lei e il marito non c'entrano niente o quasi. Lei farà quello che il novantanove per cento delle giovani mogli di questo pianeta in circostanze analoghe rifiuterebbe di fare: salverà il suo matrimonio. Ecco il nuovo impulso, più bellicoso di quello che le ha imposto di sposare un ebreo: rimanere al fianco del marito, occuparsi di lui e dei suoi affari a tempo pieno, scontando se necessario il biasimo della propria famiglia e di molte altre persone assennate. Così si dimostra il carattere. Questo è coraggio. Il resto è niente.

Ma adesso, dopo il crack, è venuta l'ora della rivincita. Tutto questo in lei assume il rilievo d'una protesta ideologica, moderata da una congenita pietà, dall'incapacità d'alzare la voce e mortificare il prossimo. È anarchica, ma, come tutte le persone che amano mostrarsi disincantate, nel chiuso di se stessa non ha rinunciato a un sogno di felicità e di piacere: l'ha solo socialmente sotterrato. I sedili posteriori della sua auto sembrano quelli d'uno zingaro, strabocchevoli di mercanzia (scarpe da portare al calzolaio, agende piene di fogli, la spesa per i nonni, vecchi registratori da riparare). Quel caos, indigesto per mio padre, rappresenta però tutta la disponibilità al prossimo, l'inestinguibile apertura di credito e allo stesso tempo l'efficienza di mia madre, ma è anche il simulacro d'un'impertinente iconoclastia. Quando parcheggiamo vicino a scuola, lei, che ha fatto di tutto per entrare in centro, eludendo la sorveglianza dei vigili, affida l'auto a un barbone che finge di custodirla, ma in realtà ci si accomoda dentro per difendersi dal freddo, lasciando nell'abitacolo un afrore di alcol e di ascelle. Questa è mia madre. Una creatura delicata che potrebbe scalare una montagna. Una populista anarcoide che si sente una Signora o viceversa. Per troppi anni vittima del Sonnino's style, d'improvviso è passata al contrattacco: s'è venduta al nemico, ma sempre nel suo modo ondivago, barcamenandosi tra dolcezze e improvvisi scatti di astio e insubordinazione.

Se mio padre è riuscito a perdonare Bepy, favorendone il rientro dagli Stati Uniti, prodigandosi per il suo reinserimento, dimenticando tutto, anche il mancato acquisto di quei Caravaggio salvavita, mia madre, invece, non ha condonato niente al suocero. Non è strano che la devotissima cattolica Fiamma Bonanno sia così poco incline alla remissione dei peccati altrui, mentre il suo biblico consorte sembri avere illimitate risorse nel perdonare e nel non serbare rancore? In ogni modo Fiamma non ha perdonato Bepy. Mica per i soldi – quelli per lei hanno ricoperto sempre un ruolo marginale, o, al limite, simbolico: il denaro non è strumento di promozione o letizia, non è fatto per acquistare cose, agi o servizi, ma, se Dio vuole, è solo garanzia di rispettabilità sociale: per questo piuttosto che utilizzarlo andava conservato.

E fu per *ragioni formali* e simboliche – in lei così preponderanti – che considerò sempre il suocero se non un individuo malvagio, certamente un irresponsabile figlio di puttana. Al punto da arrivare talvolta a irritarsi col marito per la sua indulgenza nei confronti di quel genitore cerca-guai. «In fondo è mio padre!» si schermiva lui timidamente. «E io sono tua moglie!» replicava lei, con tono gelido, sottolineando come le sue ragioni fossero sempre trascurate. «E quelli sono i tuoi figli» aggiungeva dando alla scena un sapore melodrammatico, da sceneggiata, che non era nelle sue corde. Così i miei si rivolgevano reciproche punzecchiature, ma sempre in un misto di mugolii e cautele. Mia madre non desiderava che noi sentissimo, né voleva umiliare mio padre di fronte ai figli, ottenendo però l'effetto contrario perché, attraverso il contegno carbonaro di quei sussurrati litigi, non faceva che riempire di mistero e spavento quei loro alterchi, che per me diventavano motivo di

148

angosce continue. Lei, che agli occhi del mondo sembrava la donna della Magnanimità e della Misericordia, in realtà era lacerata da rovelli rancorosi. E per quanto la cosa possa apparire strana, l'accusa che lei non aveva il coraggio di rivolgere al marito – e che emergeva solo talvolta in alcuni incontrollati scatti nervosi – era proprio l'inspiegabile mancanza di rancore di mio padre, la magnanimità, l'infedeltà a ogni sentimento ostile... Il fatto che lui avesse perdonato il padre faceva il paio con quella sua smania di scodinzolare con tanta affettata costernazione attorno a Nanni Cittadini, quel furfante che aveva fatto affogare mio nonno, e con lui noialtri. «Lui è l'unico che c'abbia aiutato! Non sopporto il tuo cinismo!» alzava la voce lui. «Se per te prestare soldi al venti per cento d'interesse è un atto filantropico...» lo inchiodava lei impassibile.

È pur vero che mia madre non aveva mai avuto una grande simpatia per nonno, né per tutto il suo ambiente. Credo che per lei, educata nel pauperismo (per nonno Alfio era più reprobo un uomo che millantava una ricchezza non posseduta che un pluriomicida confesso), il suocero rappresentasse un modello negativo. Ma attese il tracollo per tingere l'insofferenza dei crudi toni dell'ostilità. Da quando quella fatidica mattina dell'Ottantadue Bepy, con l'acqua alla gola, le aveva chiesto un milione e lei aveva firmato un assegno in bianco, per verificare il mese successivo che lui lo aveva riempito con una somma ben più alta per pagarsi il viaggio in Concorde per gli Stati Uniti, a spregio ulteriore della nostra condizione – da quel giorno mia madre gliel'aveva giurata. Ma, torno a ripetere, non per i soldi. No, quelli sono solo un simbolo per mia madre. Per il tradimento della fiducia, semmai. Mia madre tiene a certe cose. La parola data. Onorare l'impegno preso. Una promessa è una promessa. La sacralità del contratto sociale. Date le circostanze era inevitabile il disprezzo per i Sonnino. Mica perché le avevano rovinato la giovinezza, costringendola alla precarietà e al senso di colpa nei confronti della sua onorabilissima famiglia. No, non per questo. La questione è più

149

complessa. E investe anzitutto l'etica (come tutto quello che riguarda quella giansenista in gonnella di mia madre, d'altronde). La sua vita interiore era un impasto di duttilità e ironie solo talvolta degradanti nel gorgo del cattivo umore, ma il suo universo morale tendeva all'assoluto. Era una creatura nevrotica, atta a generare nevrotici. La cosa che lei non perdonava a mio padre non era il Sacrificio da lui impostole, ma che Esso non le fosse riconosciuto. Voleva identificarsi con la vittima. Questo le sarebbe bastato. Mio padre, refrattario a certe morbosità dostoevskiane, non riuscì mai a contentarla, anche se gli sarebbe convenuto.

In cosa consisteva il Sacrificio?

Anteporre – sempre – ai propri gli interessi degli altri. Un delirio oblativo, perché questa era la vita che aveva scelto: occuparsi a tempo pieno dei genitori intemperanti, della suocera ipocondriaca, dei figli disadattati, della nostalgica domestica filippina, dei suoi lagnosi dipendenti, degli inquilini dei suoi appartamenti e di quelli del padre e di tanta altra gente ancora... Tutti alla sua corte. Quella pletora di "umiliati e offesi" che vedevano in lei un punto di riferimento inalienabile – preziosa, insostituibile Teresa di Calcutta – e che telefonavano sempre un minuto prima che ci mettessimo a tavola, forse perché lei era incapace di porre dei paletti. Lei era sempre protesa e disponibile, come un punching-ball o uno scacciapensieri.

Una volta a una lezione di catechismo cui fui sottoposto, nel tentativo di convertirmi alla religione di mia madre o, alla peggio, epurarmi dalle scorie di quella di mio padre, m'imbattei nel mito di Lucifero: la caduta negli inferi dell'angelo prediletto dall'Onnipotente. Immediatamente sentii un'aria di famiglia. Quel mito l'avevo visto rivivere in mia madre, ma ribaltato. Lei era il contrario di Lucifero: una creatura delle tenebre, dai sentimenti foschi e dalla percussiva volitività nevrotica, che aveva scelto d'espiare la propria inclinazione malvagia in un paradiso di sollecitudine. Ma nel fondo resisteva quella che con una certa pompa potremmo chiamare la "nostalgia delle tenebre".

Allo stesso tempo, in un singolare dislivello, nei recessi della psiche di mia madre s'acquattava uno smisurato orgoglio, debordante in ostilità e rancore per chiunque fosse "immeritatamente" più felice di lei, di suo marito o dei suoi figli. L'investimento fatto su questi tre talentuosi individui era assoluto. Essi non potevano deluderla in alcun modo. Non l'avrebbe sopportato. E il motivo per cui talvolta ci trattava in modo sferzante era che doveva sfogare la sua amarezza d'investitrice scontenta. Naturalmente non si sarebbe mai lasciata sfuggire tali pensieri vanagloriosi, né di fronte ai suoi figli, né ad alcun altro forse, sia per la pudicizia che molti scambiavano per indifferenza sia perché – considerandosi un'emancipata ragazza degli anni Sessanta, che aveva orecchiato un po' di psicoanalisi e di pedagogia sperimentale – sapeva che porre i figli d'una buona famiglia borghese di fronte a ostacoli insormontabili equivaleva a un invito indiretto a eluderli, se non addirittura a rifiutarli. Ciò non le impediva di mostrare subdolamente riprovazione per le nostre inadempienze.

Sì, mamma cara, bastava sentirti respirare o guardarti le rughe increspate della fronte per capire quante e quali aspettative tu nutrissi per la vita dei tuoi figli. La solita storia: l'errore formativo per eccellenza: la dolce principessina, maniaca di Audrey Hepburn, divenuta adulta e infelice, versa la sua coppa di frustrazione nell'acerbo recipiente dei figli.

Talvolta mi sembrava di coglierla con lo sguardo perso nel vuoto: forse mi vedeva già in frac, in qualche aula della fondazione Nobel di Stoccolma, pronto a ritirare il premio che mi spettava per la mia indimenticabile opera letteraria. Credeva non capissimo che dentro di sé era certa che Lorenzo – il suo caro Lorenzo – un giorno sarebbe stato il Presidente o l'Amministratore Delegato di qualche grande cosa, altrimenti *niente* avrebbe avuto un senso?

Ma quando i successi per cui tanto mia madre s'era adoperata arrivavano, allora il suo contegno mutava di colpo. Non amava ostentare tripudi. Uno dei suoi figli

151

aveva avuto un piccolo trionfo personale (un esame superato brillantemente, un libro pubblicato, un aumento di stipendio, una conferenza esaltante)? Per lei non c'era altro che dissimulare, svanire dietro le quinte come un'operosa maestranza teatrale. Come a intendere che il merito fosse solo nostro, o al limite dell'indubitabile talento didattico di suo marito. Quando le fu comunicato dal preside che suo figlio Daniel all'esame di maturità aveva preso dieci per un tema tutto incentrato sull'intrinseca stupidità dell'impegno politico – un record che, ancorché modesto, avrebbe potuto ripagare qualsiasi madre ossessionata come lei dal profitto scolastico dei figli – lei rimase imperturbabile. Si rifiutò di comunicarlo ad amiche e conoscenti, pur avendo la sventatezza di dirlo al marito che, da par suo, iniziò a farne pubblico sfoggio, come se quell'innocuo voto per un tema liceale sul disimpegno preludesse a una gloriosa carriera letteraria. Mia madre a quel punto non esisteva più. Doveva provare una gioia masochista nel togliersi di mezzo come certi malinconici eroi dei western che nel momento del trionfo in cui la città, liberata dalle violenze dei banditi, li acclama, s'allontanano solitari nella notte, in compagnia del loro cavallo e del cielo stellato. Era un gioco al massacro. Una disciplina orientale dell'*autodegradazione dell'io*, in favore d'una felicità cosmica. Quella che mio padre, con una certa imprecisione psicologica, chiamava la *sindrome della comparsa cinematografica*. Perciò lei, pur lacerandosi dentro, si guardava bene dal farci domande. Lasciava a mio padre il compito di sottoporci a uno sfibrante terzo grado. *Ma allora che cosa hanno detto?* – c'incalzava lui ingenuamente sorridente – *Su, raccontatemi. Vi hanno invidiato?* Lui voleva decantare quel piacere, ricrearlo, nella speranza che esso non svanisse, rinnovato dalla nitidezza dei nostri racconti. Per questo era avido di dettagli e schiettamente raggiante, mentre lei dissimulava, forse perché sapeva che la felicità – quella vera – non è mai sociale, ma privatissima, da consumarsi in sdegnosa segre-

152

tezza, o forse perché era affetta da quelle sue inibizioni dettate dall'eccessiva discrezione.

Sì, mia madre era disposta al sacrificio. Ma voleva essere ripagata con gli interessi. La serietà per lei era un valore, proprio come per i Sonnino era opzione irrilevante. E il fatto strano, anche se può sembrare un facile paradosso, è che mentre lei viveva il suo impegno con l'incredibile levità del sorriso, la frivolezza dei Sonnino era singolarmente grave e asfittica – e soprattutto, come dimostra la storia di fuga e rancore di mio zio Teo, mostruosamente impediente.

Ecco perché mia madre sentiva un irrespirabile fastidio per tutto quello che l'essere Sonnino comportava. Una banda stonata di sbruffoni, disonesti, faciloni, egotisti, che vivevano al di sopra delle proprie possibilità. E quando uno di questi difetti prendeva forma nell'animo e nel contegno d'uno dei suoi figli, sbiancava come se anch'egli si fosse trasformato in piccolo mostro incontrollabile, nuovo Sonnino da abbattere.

Ricordo ancora quando mio fratello, dopo aver vinto il posto per un dottorato in Giornalismo alla Bocconi, trovandosi in mezzo a quel gineceo di coniglilette in carriera perse il controllo e lasciò la sua ragazza di sempre per inaugurare un rabbioso libertinaggio, causa di fastidiosi sfoghi all'inguine (era forse un subliminale accanimento contro il proprio strumento di piacere?), perdita di capelli e graffianti sensi di colpa, preludio al matrimonio con l'ex ragazza ritrovata. La reazione di mia madre in quei giorni di crisi fu sintomatica. Pantera in gabbia. Belva ferita. Come avesse percepito lo spirito di Bepy Sonnino incarnarsi nelle spoglie del figlio. Iniziò a fare un lavoro oscuro, telefonando tutti i giorni alla mia futura cognata, boicottando le nuove ragazze, mostrando una sotterranea riprovazione per il figlio e lavorando nell'ombra come un fosco Richelieu. La follia è che, all'epoca, mi sembrò naturale schierarmi dalla parte di mia madre (chissà se oggi lo rifarei?), come m'avesse fatto il lavaggio del cervello. Per lei il peccato mortale era far soffrire gli altri, dimenticare chi c'aveva aiutato. Ciò che lei detestava era l'antimemoria del marito, quella sua propensione a trasfigurare un individuo per poi lasciarlo cadere nel catasto dell'oblio e del disincanto. Mai in una disputa tra noi e il mondo avrebbe scelto i suoi figli. Mio fratello aveva preso un impegno con quella ragazza? L'aveva illusa con tipici espedienti Sonnino (salsa di magniloquenza, splendore e galanteria)? Ebbene ora non poteva tirarsi indietro, doveva rispettare l'impegno, anche se poi avesse dovuto pentirsene... E la felicità? Per quella non c'è posto, mamma? Sì, ma non a tutti i costi! Altrimenti la vita che senso avrebbe, ragazzi? E quando mio fratello, avendo distrutto in soli tre mesi la propria serenità coniugale e un bel pezzo della propria vita, si ripresentò a casa per accusarla pubblicamente di averlo costretto a un matrimonio riparatore (senza che nulla ci fosse da riparare), mia madre si schermì con quelle sue arie da santarellina oltraggiata: «Ma io non ti ho detto niente... Hai fatto tutto da solo...». Replica ineccepibile. Mia madre aveva un dominio talmente assoluto sulle nostre coscienze da non avere neanche il bisogno d'imporre scelte e comportamenti. Noi agivamo secondo la sua volontà, senza che lei si preoccupasse di manifestarla. E sottostare ai taciturni, omertosi piani di mia madre equivaleva a vendere l'anima al demonio. Potevi star certo che ti avrebbe reso la vita gustosa, colmandola d'ogni comfort possibile (viaggi esotici, automobili, affetto, comprensione, danaro, organizzazione, interventi tempestivi...), ma il prezzo era sempre troppo alto. E lei, abitualmente così dimessa e sfuggente, al momento di riscuotere era implacabile. Ma come, piccolino, con tutto quello che ho fatto per te ora ti tiri indietro? Non è così che si fa. Gli impegni sono impegni e vanno rispettati. E se tu, in un accesso di enfasi adolescenziale, le avessi detto che non avevi preso nessun cazzo d'impegno, che semmai era stata lei, non richiesta, a metterti al mondo, al solo scopo di sovraccaricarti d'impegni, avresti dovuto scontare l'ironica increspatura delle sue labbra sprezzanti.

154

Ancora una volta non si prendeva la briga di pronunciare parole o affrontare discorsi. (Puah, i discorsi erano roba da chiacchieroni ebrei!) Sottintenderli serviva maggiormente la sua causa. E io e Lorenzo dovevamo sembrare, agli occhi del mondo, due grasse damigiane traboccanti di senso di colpa nei confronti di quella madre troppo buona per essere vera.

Ma un giorno di dicembre, poche ore prima d'una festa di diciotto anni cui ero stato invitato, accadde che mia madre, appena rincasata, entrasse nella mia stanza attratta dalla musica d'un nastro di colonne sonore che zio Teo mi aveva mandato da Israele. La melodia era quella di *Scandalo al sole*, in una vaporosa infiocchettata versione di Henry Mancini. Così ci ritrovammo uno di fronte all'altra. Io col mio smoking a nolo e lei con il suo bagnato impermeabile da battaglia. Allora mi prese e, vincendo le mie infantili seriose ritrosie, mi spronò a ballare. Iniziammo così, senza fiatare: lei aveva il viso acceso, completamente disinteressata del suo goffo inessenziale cavaliere, totalmente immersa in un ricordo, o in un'atmosfera, o in qualcosa del genere. E proprio in quel momento ebbi la sgradevole impressione di avere tra le braccia un essere umano senza più niente di familiare. Una creatura viva, fremente, idealista, fantasiosa, sensuale, spensierata, avventurosa... Avevo tra le mani la volitiva Sabrina affacciata alla sua finestra con le mani e il mento rossi di anguria di cui avevo tanto sentito parlare, ma che non avevo avuto ancora l'onore di poter incontrare. Ero così confuso e smarrito che, se un estemporaneo rinsavimento non me l'avesse impedito, mi sarei presentato: "Io sono Daniel Sonnino", per poi chiederle: "E tu chi sei?". Che domanda sciocca! Avevo tra le braccia soltanto una giovane fanciulla che pensava a se stessa, gaiamente infischiandosene dei figli che il destino un giorno le avrebbe presumibilmente inflitto.

SECONDA PARTE

*Quando l'invidia di classe degradò
in disperato amore*

1.

Corso di mitomania applicata

Nel gennaio del Duemila ricevetti una telefonata dal professor J.R. Leiterman, gloria della comparatistica statunitense nonché entusiasta oppositore delle teorie imperdonabilmente autobiografiche espresse con violenza e furbizia nel mio primo libro *Tutti gli ebrei antisemiti*.

L'ineffabile decano Leiterman era felice d'invitarmi a un seminario organizzato dall'università della Pennsylvania dal titolo profetico:

I DESTINI DELLA LETTERATURA EBRAICA NEI TEMPI
DELLA PIENA ASSIMILAZIONE E DELLA MINACCIA ISLAMICA

Si diceva certo che una mia provocazione avrebbe avuto la forza d'irrigidire i flaccidi papillon dei superciliosi cattedratici d'Oltreoceano.

Accettai con gioia. Viaggio gratis e gente nuova. Quel che ci vuole per un accademico depresso.

Potevo forse prevedere che, mentre io fantasticavo sul tenore della mia concione, qualcuno, dall'altra parte del mondo, potesse meditare su come disintegrare il World Trade Center? Il destino ha deciso che il convegno fosse posticipato dalla primavera del Duemilauno all'autunno dello stesso anno, nel pieno del Planetario Cataclisma, che io avessi promesso a Giorgio Sevi, compagno di liceo che da anni fa soldi in America, un incontro a Manhattan, e che durante il trasferimento notturno da Pittsburgh a

New York (su auto a nolo) fossi raggiunto da una telefonata di mio padre che m'informava, con la voce impastata dalla commozione, della morte di Nanni Cittadini.

Chissà perché la gente è così ansiosa di annunciare la morte d'un proprio simile, come se l'unica *cosa* davvero *inesorabile* fosse avvertita come la più imprevedibile. Al punto che un secondo dopo aver registrato la notizia del decesso ero lì ad arrovellarmi pensando a chi avrei potuto a mia volta comunicarla. Finché non venni bruciato dalla constatazione che le persone cui quella morte sarebbe interessata non erano più in rapporto con me da circa un quindicennio. E che quel lasso di tempo – inframmezzato da un'insoddisfacente razione di soddisfazioni accademiche – si era frapposto tra me e loro senza che mi fossi mai fermato a rimpiangerle.

È così che nel pieno della notte, come Amleto di fronte allo spettro del padre, ma con quanto divertimento in più e quanta minore angoscia, mi è apparso il fantasma di quell'uomo appena morto. Lo vedo risorgere sul cruscotto e sorridermi, nell'immagine decatizzata dal ricordo, immerso nel suo Eden di cachemire e di torbatissimi whisky al malto, nell'improbabile dimora di milionario al numero sette di via Aldrovandi, gialla e liberty come l'ambasciata d'un Paese di seconda fascia. Vedo Nanni Cittadini – proprio lui: il Santo Protettore dei miei odi interclassisti, il nonno dell'allora fanciulla Gaia che mi rovinò semplicemente l'adolescenza – incarnarsi di fronte ai miei occhi increduli, mentre quel brav'uomo di mio padre continua a filosofeggiare al telefono: «È l'ultimo ad andarsene della generazione di Bepy», e io dentro di me lo riprendo: *per Dio, papà, quando ti libererai dall'idolatria per quel ripugnante pagliaccio?* Ed è un capolavoro di filiale dedizione trattenere l'ilarità. Solitamente non trovo commovente la morte d'un ultraottuagenario. Ma date le circostanze la mia canonica indifferenza per la morte d'un ultraottuagenario qualsiasi si tramuta in una specie di euforia suscitata dalla morte di quel particolare ultraottuagenario.

Mi impegno a sbrigare al più presto la pratica-Giorgio-Sevi per rientrare fulmineamente alla base: voglio partecipare alle esequie di Nanni. A tutti i costi!

Che incanto lasciarsi elettrizzare dalla notizia, con il cuore strangolato dai ricordi di Gaia, Gaia, Gaia, preda di quel disincarnato melò che appartiene a noialtri Sonnino! Come se lei non fosse mai esistita, come fosse stato un mito fantasmagorico delle mie estati in Costiera e dei miei inverni dolomitici profumati di sciolina e vin brûlé, come se non mi avesse inflitto alcuna sofferenza, come se in quindici lunghi anni non l'avessi mitizzata e demitizzata almeno una dozzina di volte, come se non avessi patito l'assiduità di quel pensiero così foscamente determinato a perdurare.

Ebbene sì, Nanni è morto! E tu sei il più entusiasta becchino della Storia. Corri verso la città del trionfo della morte, a tua volta trionfante della morte d'uno specifico organismo biologico che hai sempre, sin dall'età di otto anni, detestato e invidiato alla nausea. Odiavi Nanni Cittadini con tutto te stesso. Ecco la sola cosa di cui non ti sei mai vergognato. E sebbene un odio postumo possa apparire inutile e insensato come un amore non corrisposto, forse per una vizza perversità apotropaica non vuoi (o non sai?) sbarazzarti né dell'uno né dell'altro.

E chissà che non sia stata proprio l'euforia generata dalla notizia o da quell'intrico di domande che via via mi s'attorcigliavano dentro – *Chi è Gaia? Dove vive? È sposata? Mi pensa ogni tanto? Perché dovrebbe pensarmi? È entrata nell'età in cui il novanta per cento delle ragazze iniziano a somigliare pericolosamente alle proprie madri e persino alle proprie nonne? Appartiene a quella categoria di trentenni affette da noiose idiosincrasie e ossessionate dagli spettri del fallimento? Come accoglierà la mia presenza alla cerimonia funebre? Ho la cravatta giusta?...* – a preparare l'immersione nella Manhattan più angosciosa dai tempi della sua epica fondazione.

Finché, pesantemente in equilibrio tra lo Hudson e l'East River, immersa nella bolla rosa dell'alba e in un'azzurrata fantasia mattutina, l'isola mi offre il suo profilo: per la prima volta privata dei goffi gemelli d'acciaio.

Constatare l'orizzonte mutilato, cercando di epurarlo dalle simboliche implicazioni emotive, è stato difficile come quando diversi mesi fa in un ristorante ai Parioli m'imbattei in Silvia Toffan, stellare compagna di classe un tempo in cima alle hit parade del nostro mondo di altolocati liceali, privata da un tragico incidente stradale dei suoi splendidi arti inferiori. Ecco perché questo assurdo spettacolo dell'assenza, il capolavoro urbanistico del terzo millennio, mi ha serrato la gola di raccapriccio, ma anche di un certo sinistro gusto alla Sansone: due miti lontani della mia adolescenza (Silvia Toffan e New York) mostruosamente lacerati.

La giornata è fenomenale. I contorni oscillano tra il rosso il viola l'arancio e un radioso azzurro. La mia oblunga auto color miele si specchia nel mosaico d'un grattacielo dai riflessi bluastri. Costeggio adagio un autunnale Central Park da cartolina passando in rassegna lussuosi caseggiati custoditi da regali afroamericani in livrea, eppoi di seguito Guggenheim, Metropolitan, Frick Collection.

Ma è solo addentrandomi nello sferragliante trambusto del downtown – tra l'esercito di tassisti pakistani che per esorcizzare la diffidenza suscitata dai loro turbanti hanno attaccato agli specchietti piccole bandiere a stelle e strisce – che mi accorgo con sollievo, e a dispetto della prima impressione, che Manhattan non ha trovato di meglio che restarsene a Manhattan.

«Anche questo presto verrà fagocitato...» sentenzia un tizio alla radio con un tono apocalittico. Per quanto mi riguarda io *fagocito* la sua voce insieme a un pancake ai mirtilli impregnato di burro e sciroppo d'acero, seduto al bancone d'un non troppo affollato caffè della Cinquantesima. È come se il suono di quella voce, con l'aiuto di quella penosa poltiglia al caramello, mi trascinasse per il bavero del cappotto all'estate Ottantasei, nella mia terza consecutiva

162

nonché ultima vacanza studio a Boston. Gaia esisteva. E molti altri, a ben pensarci, esistevano. Tutti allora avevano il sottostimato pregio di esistere! Dici bene, chiunque tu sia: *anche questo presto verrà fagocitato...*

L'idea di prenotare al Morgan è venuta da mio padre naturalmente. È da tempo che su certe cose ho perso il controllo. «È un delirio postmoderno alla Philippe Starck, tutto poltrone anni Quaranta e linee vertiginose...» mi ha detto l'altra sera al telefono ricorrendo a una delle sue espressioni genialmente fatue, dopo avermi torturato per un quarto d'ora nel tentativo di estorcermi la verità sull'accoglienza ricevuta da suo figlio e dalle sue strampalate idee antisemite in quel fortino ebraico dell'università di Pittsburgh. E io, dopo averlo a mia volta martirizzato raccontandogli la mia perdita di controllo e il biasimo della più intransigente platea con cui mi sia mai cimentato, ho ceduto, accogliendo il suo consiglio, violentando la mia natura reazionaria che chiede agli alberghi un lusso decrepito, liberty, ai limiti della pura magniloquenza... Cristo, duecentosessanta dollari a notte per questa lobby microscopica? Per non parlare del concierge affetto da statunitense paresi al sorriso che inarca appena il sopracciglio nel trovarsi di fronte a un tipo come me che non ha nulla del cliente abituale.

Dopo una doccia in un loculo in questa stanza per lillipuziani e una dormita fino al pomeriggio, mi alzo e scendo, con il mio trentennale fardello d'inadeguatezze, al bar dell'albergo, per il rendez-vous con il passato che persino durante il sonno mi ha tormentato gli intestini. Pagherei in diamanti per eludere quest'incontro.

Eppure solo quando la porta del velocissimo ascensore lentamente si schiude su una sala tutta decibel e morbide luci lillà che carezzano le dentature di cristoni griffati Calvin Klein e le curve di barbie internazionali che infondono un'ebbrezza panteista – solo allora mi sento realmente spacciato.

Come credere che il preppy dal sorriso stellare, simile a un commesso di Brooks Brothers, che si slancia verso di me in questo chiassoso bar del Middle East side sia Giorgio, il nostro emigrante di successo? Un individuo così irrilevante che quando pochi mesi fa mi ha telefonato nel piccolo studio all'università: «Ehi Daniel, sono Giorgio...», ho avvertito il bisogno di tergiversare: «Giorgio?», ottenendo in cambio un'incoraggiante conferma da quella voce: «Giorgio Sevi! Ho trovato il tuo numero sul sito dell'università. Spero di non disturbarti». «Ma per carità! ... Giorgio. Dove diavolo sei? Da dove chiami? ... Ma pensa te, Giorgio...», implorando le meningi d'un ultimo sforzo per associare a quel nome l'esile figura d'un ragazzino la cui sola prerogativa ai tempi della scuola era un'appetitosa avvenenza e un appena insufficiente intelletto. A quei tempi tutti sapevano che Giorgio e io eravamo gli estremi di un segmento affettivo al centro del quale brillava in tutto il suo fulgore e la sua bonomia il nostro eroe liceale: DAVID RUBEN detto DAV.

Ma quell'equidistanza dall'oggetto di tanta ammirazione piuttosto che sedimentare un'amicizia rese me e Giorgio – per un misto d'incompatibilità e competizione – nemici fervidi. Per capirlo basterebbe guardarci quindici anni dopo mentre ci stringiamo la mano diffidenti, non solo con la reciproca impressione che vedersi serva a poco, ma soprattutto con la coscienza che tra noi manca qualcuno o qualcosa di essenziale: erano millenni che non percepivamo così acutamente l'assenza di Dav.

Proprio di colui che, sebbene odiasse sentirselo ripetere, era la smagliante controfigura di Tom Cruise. Proprio del quattordicenne che sin dall'esordio nella nostra scuola aveva incendiato la fantasia di centinaia di ragazzine, contendendo il primato alla star hollywoodiana in giacchetta da *Top Gun*, la cui patinata effigie corredava i diari delle mie fanatiche compagne di classe.

Pur essendo il solo altro ebreo della mia scuola, Dav era la mia antitesi rilucente, come se il giudaismo, che su di me aveva agito in modo drasticamente caricaturale, lo avesse risparmiato: e lo scandalo consisteva proprio in quel genere di avvenenza, così civilmente rasserenante, di solito appannaggio dei *chiusi* altolocati ma nel suo caso marchiata da un nome e un cognome, non solo esotici, ma così inequivocabilmente ebraici: David Ruben: *dei Ruben dei gioielli* avrebbe precisato mia madre con un po' d'orgoglio e un po' d'invidia e nel tono medesimo con cui avrebbe detto *i Piperno delle case* o *i Savelli dell'acciaio.*

D'altro canto era evidente come il nostro biondo Tom Cruise, venti centimetri più alto dell'originale, avesse pagato pegno all'iconografia semita con il naso dalla punta lievemente all'ingiù: ma lo era altrettanto che lui dovesse il suo irresistibile democratico ascendente proprio a quella somatica imperfezione.

Quanto fosse stato arduo per Dav accreditarsi in una scuola di piazza di Spagna in cui la maggioranza degli allievi utilizzava la parola "rabbino" come sinonimo di "taccagno", non saprei dire: ma suppongo dietro ci fosse la stessa logica che aveva condotto Silvia Toffan – ineffabile zaffira dalle splendide ancorché provvisorie gambe da pinup – a sostenere durante una memorabile interrogazione in geografia che il Kashmir era una pidocchiosa regione indiana che aveva preso il nome dai twin set di Burberry's.

Le nostre difformità fisio-caratteriali non avevano impedito a Dav di mettersi alle mie calcagna come una sanguisuga, così come non avevano attenuato la mia impressione che lui fosse ciò che, se avessi potuto ricominciare, io avrei scelto di essere. Senza che, tuttavia, la mia devozione, impastata con l'invidia, riuscisse a rivelarsi schiettamente: per niente avrei rinunciato a mostrarmi sdegnosamente insensibile agli entusiasmi davidiani del mondo, intuendo che, al di là della correligionarietà, fosse questo il nodo della nostra unione: la ragione per cui i Dean Martin scelgono di frequentare i Jerry Lewis è nella capacità di questi ultimi di sbeffeggiarli là dove tutti li esaltano.

Ma, d'altro canto, non saresti il prediletto dell'idolo delle folle se lui, a sua volta, non sapesse di essere la tua segreta aspirazione. E a cosa serve agitare le mani o parlare a voce alta per guadagnare la scena se a lui basta un sorriso per rapire gli sguardi da te solo temporaneamente attratti? La gente (soprattutto intorno ai sedici anni) mostra una naturale indulgenza per la bellezza e una cronica irritazione per lo sforzo intellettuale. Non restava che professare una monoteistica religione, fissando il feticcio delle nostre bionde urlacchianti ragazze con l'ammirazione di chi non avrebbe mai imparato a competere.

Quando un giorno Dav, per una leggerissima miopia, fu costretto a inforcare la sua prima montatura di occhiali – non troppo dissimili, in fondo, da quelli che avevano avvelenato la vita di tanti ragazzini come il sottoscritto assimilandoli a quella sottomarca di adolescenti comunemente noti come "quattrocchi" –, sul suo naso essi sembrarono un elemento di consacrazione. La sua bellezza assumeva agli occhi del mondo una legittimità morale, diventando allo stesso tempo seria e svagata. E come posso scordare che girando per i corridoi della nostra scuola seicentesca al fianco del neo-occhialuto David Ruben l'atmosfera si riempiva di un inconfondibile cicaleccio di ninfette? Come posso dimenticare che proprio in quei giorni il comitato del "David Ruben fan club", fondato un anno prima da un gruppo di ragazze del Linguistico, indisse una riunione straordinaria per deliberare che l'Idolo con quella travolgente idea di mettere gli occhiali venisse definito – coram populo e senza tema di smentita – "il ragazzo più bello di tutti i tempi"?

La creatura cui "il ragazzo più bello di tutti i tempi" doveva il bronzeo fulgore e la smaniosa irrequietezza di quei contenti che non si risolvono alla felicità, era Karen, la madre.

Consideravo l'incontro con quella signora un'autentica "sbronza a prima vista". D'altra parte non mi sarei mai

166

più totalmente disintossicato dal cocktail afrodisiaco i cui ingredienti non smettevo di enumerare interiormente: quarantaduenne bionda poliglotta svampita indifferente griffata snob minata da umorali intermittenze, e assolutamente bella.

Temo la signora ripagasse la mia venerazione con distacco: quegli anni sono distinti nella memoria dalla mia vocazione a frequentare persone capaci di esaltare la mia futilità, ma nessuno riuscì a regalarmi un'impressione così vivida della mia umana irrilevanza come Karen Ruben. Eufemistico dire che non mi prendeva in considerazione come possibile interlocutore: semplicemente non esistevo. Non appartenevo a questo pianeta. Diceva di aver conosciuto Bepy, tanti anni prima, a una festa su una terrazza di Positano. Diceva di averne sopportato il corteggiamento. E di non essere riuscita a dimenticarlo. E lo diceva come se mi stesse elargendo un premio, o per meglio dire, un importante attestato. Ecco perché, quando m'incontrava (poteva capitare dieci volte nell'arco della stessa giornata), mi diceva, in preda a un riflesso condizionato: «Sai che tuo nonno era proprio un bell'uomo, così chic e perbene...». Tale giudizio – che molti degli incazzati creditori di Bepy avrebbero ritenuto parzialmente incongruo – veniva da lei sospirato con la stupefazione di chi constata un fenomeno paranormale: la corruzione genetica capace di degradare il discendente d'un uomo très charmant in uno sfigatello cronico.

Karen era allergica al passato. Si sarebbe detto che il suo modo di essere ancorata al presente avesse un che di malsano.

E chi – guardandola – avrebbe detto che lei fosse uscita dall'inferno?

Era come se la tragica avventura della sua famiglia non avesse lasciato tracce. Allo stesso tempo però, a controbilanciare l'impressione d'un passato inesistente, la macchia che il tempo aveva impresso su di lei era percepibile nell'anacronismo del suo stile di vita. Forse sotto l'influenza della mia condizione di neo-lettore di romanzi ottocenteschi, mi veniva facile identificare in Karen l'incarnazione vivente di tante rarefatte eroine fin de siècle. Questo se non altro rendeva le seghe che le dedicavo, durante i pomeriggi in casa Ruben, un tributo al mio amore per la letteratura decadente: avere tra le mani e sul naso un collant di Karen equivaleva, nella mia fantasia, a possedere le lastre dei malandati polmoni di Claudia Chauchat. Come non accorgersi, d'altronde, che la voluttuosa erre blesa di Karen – glamour franco-prussiano che aveva inciso anche la lingua e il palato di David – durante le mie fulminee maratone nel cesso dei Ruben serviva egregiamente la causa della mia eccitazione? "Ehi piccolo, qui c'è tanta saliva per te!" sussurrava al suo Fanatico Onanista la Signora della mia fantasia, la cui versione in carne e ossa avrei trovato pochi istanti dopo in salotto in piscina in serra od ovunque avesse scelto di essere.

L'inferno di Karen aveva il nome d'una località, così trito da risultare impronunciabile.
Buchenwald.
In quel sito adiacente all'olimpica Weimar, i suoi genitori – due distinti signori alsaziani – erano stati annientati quando lei era ancora troppo piccina per soffrirne e per serbarne memoria. Karen era stata cresciuta a Parigi da una prozia scampata alle stragi hitleriane (in quanto moglie di un diplomatico cattolico), che Karen aveva preso pomposamente a chiamare "maman". Eppoi c'erano stati gli anni a Le Rosey, collegio ginevrino, come conviene a una fanciulla della buona borghesia francese. Le Rosey perché entrasse in contatto con quella macedonia di aristocrazie industriali e nobiltà di sangue che le forgiassero gusti e aspirazioni. Karen s'era trovata a frequentare il jet set che alla fine degli anni Cinquanta celebrava i suoi riti tra Saint Moritz e la Costa Azzurra. Sebbene fosse bella in modo originalissimo, dotata di maniere impeccabili e in fondo abbastanza ricca da sostenere quel fiabesco tenore di vita,

168

non era mai riuscita a liberarsi da una specie di sindrome dell'esclusa: ciò che invidiava ai suoi amici e alle sue amiche erano le loro famiglie. Famiglie numerose, fintamente o autenticamente unite: invidiava le riunioni, le chiassose festività (il Natale soprattutto), i patriarchi canuto-baffuti e le grandi foto di gruppo. D'altra parte la vergogna ispiratale dal nulla dietro di sé la induceva a mentire, a inventare parenti che non aveva, a inscenare viaggi durante le vacanze estive nelle dimore di zii che aveva perso ancora prima di venire al mondo. Così – nella diuturna e ostinata invenzione della propria famiglia – Karen aveva cresciuto in sé un'insana mitomania. In effetti non era chiara la ragione per cui si vergognasse tanto di essere orfana. Tanto più che, a quel tempo, c'erano molti disgraziati (un cugino di Bepy per esempio) che, colpiti dalla stessa sciagura di Karen per mano dei medesimi assassini, avevano sentito l'esigenza di costruire intorno a quei parenti sterminati una specie di mausoleo della Memoria. Tutto il contrario di Karen che, per sbarazzarsi dei suoi morti, aveva edificato un tempio invisibile dedicato all'Oblio e al Depistaggio. Ma perché provare tanto imbarazzo per una cosa della quale non aveva responsabilità? Possibile che lei arrivasse a considerare inelegante il modo in cui i suoi genitori e i suoi nonni e tutti gli altri s'erano fatti ammazzare?

Mistero! Una delle poche cose che ho imparato nella vita è che la gente trova i pretesti più disparati e insulsi per vergognarsi: colpe inventate, presunte, che vengono follemente trasfigurate da chi se le sente addosso come un morbo fatale. In fondo, se è sbagliato dire che la sventura di Karen fosse di per sé rispettabile, lo è altrettanto liquidare una simile tragedia come un'onta da cancellare.

Tanto più che questo cancro le rovinò la vita.

Molte volte, infatti, fu vicina a sposarsi con uomini da sogno. Ma poi?... Poi desisteva. E per la solita dissennata ragione: non sopportava le famiglie dei suoi promessi sposi. Arrivava a odiare ciò di cui in realtà era innamorata: quelle famiglie strutturate che la facevano sentire infe-

169

riore, instillandole il velenoso fiele dell'invidia. E, inoltre, dopo un po' il fidanzato di turno reclamava il diritto di conoscere i genitori di Karen, di cui lei parlava continuamente. A quel punto lei preferiva gettare alle ortiche la propria felicità pur di non confessare che aveva mentito, che non esisteva alcun genitore. Ecco perché non deve affatto stupire che alla fine lei abbia scelto Amos Ruben. Si tratta dell'uomo nei confronti del quale esercitare la propria indubbia superiorità. Lui non ha niente che lei possa invidiare e allo stesso tempo ha tutto quello che le serve per orchestrare la sua rivincita. Amos è semplicemente il primo uomo cui Karen non senta l'esigenza di ammannire un'inquinante sequela di frottole colossali, e quindi l'uomo con cui costruire una famiglia senza il rischio di impazzire. Sì, perché Amos le appare come il classico ebreo déraciné imbarazzantemente ricco che potrà condurla in una città nuova di zecca, ove lei possa inventarsi una vita nuova e praticare impunemente la propria mitomania schizoide.

Tripoli, la città da cui Amos proviene, sembra aver tinto di giallo il suo incarnato: la pelle di lui brilla come i gioielli che la famiglia Ruben smercia da secoli o come l'alba nel deserto africano. Ma ormai anche Amos è un apolide. Quando incontra Karen non è altri che l'ennesimo transfuga delle purghe di Gheddafi, che ha trasferito i propri interessi a Ginevra, il classico mercante d'alto bordo marchiato dalla semplicità spirituale che caratterizza gli uomini che hanno fiuto per gli affari. Dalle pietre preziose agli orologi di lusso, nulla sfugge al calibratissimo olfatto di quel Creso libico. La sua vita è sobria, niente affatto lussuosa, divisa tra l'atelier che ha allestito in un appartamento in rue du Rhône (scintillante grotta di Alì Babà tradotta nel cuore dell'Europa, ove i futuri coniugi s'incontrano) e la sinagoga di Ginevra.

David – quando per puro caso ci ritroviamo vicini di banco in prima media – è perfettamente al corrente delle

170

frottole della madre: e non solo non prova alcuna pena per esse, ma è abbastanza sicuro di sé da non farne mistero con i suoi amici. La sua strategia, in tutto simile a quella del padre, consiste nel provare, nei limiti del possibile, a secondarle. Così, quando Karen gli chiede: «As tu téléphoné à tes grand-parents à Genève?», il grande Dav non ci mette niente a giurarle che lo ha già fatto. E bisogna dargli atto che non è da tutti assicurare alla propria madre di aver telefonato a due distinti vecchietti morti una trentina d'anni prima e che – per la cronaca – non hanno mai abitato a Ginevra.

Karen si è imposta due missioni tra loro collegate: da un lato degiudaizzare Amos, dall'altro creare dal nulla un rispettabile pedigree per Dav. E se la realizzazione di questo secondo proposito si è rivelata nient'affatto difficile, il primo ha creato problemi. Perché, sebbene Amos sia in balia della moglie, ciò non di meno mostra una certa orientale resistenza a stravolgere le proprie abitudini. Karen sta esagerando: che faccia pure di suo figlio un gentile, che lo mandi a scuola dai preti, che gli faccia osservare il Natale, la Pasqua, il mercoledì delle Ceneri, che gli faccia frequentare tutte quelle insipide biondine, che riempia la casa di tutti quei *chiusi* snob, ma perché la sua tracotanza deve estendersi al punto di impedire a lui, Amos Ruben, di vivere a suo modo, così come gli hanno insegnato? Sì, non vede proprio perché anche lui deve aderire alle sciocche sceneggiate della moglie. Lui è ebreo. È fuggito da un Paese e da un'epoca nei quali tale peculiarità era considerata un problema. Proprio per questo ora non permetterà a nessuno (neppure a quella sublime signora di fronte alla cui potestà erotica è assai più che vulnerabile) di impedirgli di vivere come tale. Sente l'esigenza di onorare le feste comandate e di sostenere economicamente i suoi parenti sparsi per l'Europa. D'altronde Amos è troppo scaltro per non sapere che quei congiunti sono, allo stesso tempo, il dolore e la vergogna della moglie. Sicché per quieto vivere ha deciso che quanto più la moglie lo molesterà con racconti dei suoi parenti inventati tanto più lui dovrà risparmiarle le disavventure dei propri familiari in carne e ossa. Dal canto suo Karen, come tutte le persone instabili e insoddisfatte, non conosce la stessa indulgenza del marito. E spesso arriva a battezzare i familiari di lui con ingiuriosi epiteti come "beduini" o "berberi". Sicché quando Amos, dopo aver finito gli spaghetti, si esibisce in una delle sue famigerate scarpette, Karen lo sgrida: «Mio caro, controllati, non stai in mezzo ai tuoi beduini!». Lei ha vietato al marito sia d'invitarli in casa – quei beduini! – sia di farli incontrare con Dav. Se Amos rispetta il primo di questi divieti, gli accade spesso di violare deliberatamente il secondo, tanto più che il figlio – scevro dagli snobismi materni – ha palesato un'imprevedibile curiosità per quella parte di sé che affonda le radici in posti tanto lontani ed esotici. Sì, il ragazzo, con grande stupefazione di Amos, ostenta un'attrazione per quei parenti veri: chissà, forse proprio perché la madre per tanto tempo lo ha costretto a vivere in mezzo a quei ridicoli fantasmi.

La villa dei Ruben declinava sul verde pendio occidentale dell'Isola 1 dell'Olgiata, la più vecchia e signorile, sorta intorno al Golf a metà degli anni Sessanta, dopo la prima lottizzazione.

Per gli anni del liceo quel pretenzioso castellotto gonfio di edera immerso nel fiabesco isolamento di pini e cerri nel più britannico lotto di Roma nord fece da sfondo a un novero imprecisato di feste, nella memoria confluenti nel megaparty di dicembre circonfuso di siepi rosse e di edere violacee: quello che Karen pomposamente chiamava, e dietro a lei tutti gli altri, "la festa del tacchino": ma che la consuetudine aveva contribuito a contrarre nell'espressione "il tacchino".

Appuntamento cult del nostro ambiente, e per ragioni che avevano poco a che fare con la mondanità, niente col misticismo cattolico e molto con un'estenuata forma di tradizionalismo giudaico-hollywoodiano. E va bene, questi eccentrici Ruben pretendono da te smoking e abito lungo (Cristo, siamo solo adolescenti e distiamo appena quindici anni dal Duemila), t'immergono in quest'atmosfera che sa troppo di vischio, eppure la sensazione è superbamente rétro: il breve tragitto dalla propria casa a villa Ruben viene fatto su una macchina del tempo: come un eccitante viaggio dall'euforica Italia craxiana alla patinata America di Eisenhower.

Essere invitati al *tacchino* non costituisce privilegio, ma solo un diversivo piacevolissimo. Sia per gli invitati che vengono scaraventati in quello spazio inconsueto, sia per gli organizzatori così ansiosi di rispettare l'iconografia natalizia da non lesinare leziosaggini nell'addobbo della casa fino a farla assomigliare al set d'uno spot di pandoro.

C'è una smania nel collezionare finezze che potrebbero dire della nevrosi dell'organizzatrice più di qualsiasi altro indizio. Forse sulle liste di palissandro che compongono il parquet della sala da pranzo non c'è tutto il calore auspicato, ma solo retorica del calore, sapientemente orchestrata da Madame Ruben. Né può sfuggire agli invitati che tale esibizione – sebbene si tenda a esasperarne il risvolto pagano-consumistico – viene messa in scena da una famiglia ebraica. Né che la signora Ruben, per millenaria tradizione ostile all'idea che Gesù fosse il Messia tanto atteso, ama festeggiare il compleanno di quel crocifisso ebreo di successo in un modo che nessun cattolico saprebbe eguagliare (via, Karen, cosa penserebbero tuo nonno o tuo padre della sincera commozione che ti assale ascoltando *Tu scendi dalle stelle*...?). Né si può sottovalutare il fatto che i soli adulti presenti alla pirotecnica kermesse dicembrina (oltre ai camerieri) sono Amos e Karen (Dio, che nomi improbabili!). Come non va trascurato il sapore americano impresso all'evento. Che c'entra il tacchino di quindici chili ripieno di mele e castagne? O quell'illuminazione del giardino con faretti di luce viola e arancione nascosti sotto il glicine? Che c'entrano gli

173

swing di Sinatra o di Bobby Darin? O il truck e la station wagon parcheggiati sotto la tettoia?... Via, ragazzi, siamo a Roma, mica nel Connecticut!

Ma come sospettare che dietro le quinte della lieta consuetudine mondana si nasconda un nucleo doloroso così palpitante? Il dolore d'una donna che ha investito emotivamente su un evento che dovrebbe tutt'al più svagarla. Come immaginare che una signora così impenetrabile possa lasciarsi andare a una giostra di apprensioni irragionevoli? Come possiamo accettare l'idea che noi rappresentiamo per lei molto più di quello che lei rappresenta per noi? Che Karen sarebbe disposta a pagare qualsiasi cifra per entrare nei nostri cervelli e capire finalmente che cosa noi pensiamo realmente di lei, di Amos, di Dav, di villa Ruben e soprattutto del suo insostituibile *dindon ripieno di castagne*?

Il calvario iniziava alla fine di ogni novembre, quando veniva stilata la lista dei partecipanti. I Ruben finivano con l'invitare un numero esorbitante di persone, per poter assorbire qualsiasi eventuale defezione e per esorcizzare l'horror vacui che atterriva Karen durante tutto il mese di dicembre: e se nessuno si fosse presentato? Sono cose che accadono. Cose che lasciano un segno indelebile. Possibile che la nostra felicità sia completamente affidata alla benevolenza del prossimo?

Un istante dopo aver spedito gli inviti Karen iniziava a chiedersi se essi sarebbero giunti a destinazione, e se i destinatari avrebbero avuto l'accortezza di rispondere tempestivamente. Dopo un paio di giorni andava al contrattacco, sottoponendo Dav a continui interrogatori: «Certo che i tuoi amici sono davvero maleducati». «Perché?» «Beh, non ti hanno ancora risposto!» «Ma dai, mamma, mancano ancora tre settimane!» «Ah, perché tu credi che sia una cosa facile? Credi che dare da mangiare a quella truppa sia uno scherzo? Ho bisogno di sapere – con preci-sio-ne – quanti sarete!» «Va bene, domani li sollecito.»

«Nooo, non sta bene sollecitare, sembra quasi che... Mica siamo esattori delle tasse.» «E allora che devo fare?» «Fai in modo che te lo dicano, mon petit.» «Va bene, ci proverò, ma stai tranquilla.» «Uff, sono tranquillissima! Lo faccio solo per te. Sai quanto me ne può importare, della tua festicciola... Ma i miei genitori mi hanno insegnato a fare le cose per bene. Ecco tutto.» Naturalmente Karen concludeva sempre con una frase che alludeva all'educazione che le era stata impartita da quella famiglia inesistente. E David taceva.

Negli anni Karen aveva capito che il giorno migliore per il *tacchino* era il secondo o il terzo venerdì di dicembre. Per una serie di circostanze che sarebbe stato difficile razionalizzare, il venerdì sera garantiva un cospicuo numero di adesioni prestigiose, laddove il sabato sembrava invece escluderle.

Ma bisognava tenere conto dell'ostacolo-Amos. Che sua moglie organizzasse una festa di Natale in casa loro gli sembrava già un'ironica stravaganza della sorte, ma che addirittura gliela imponesse, per ragioni tanto sciocche, proprio la sera dello *Shabbath*, beh, questo era davvero intollerabile! Naturalmente lei non sentiva ragioni e lui alla fine cedeva, non senza rancori. E diciamo che l'ostilità di Amos contribuiva a rendere l'aria ancora più irrespirabile. D'altra parte questo non era il solo caso di sovrapposizione religiosa. Non era raro, per esempio, che, entrando nel salone di casa Ruben, un giorno qualsiasi di dicembre, ci si trovasse di fronte allo spettacolo imprevedibile offerto da un panciuto, luminescente e pluridecorato albero di Natale al fianco del quale ardeva una *hanukkia*[*] accesa da Amos. Tale vista – che avrebbe deliziato qualsiasi fautore degli scambi interculturali tra le grandi religioni monoteiste – mandava letteralmente in collera Karen.

---

[*] Candelabro a nove bracci, le cui fiammelle vengono accese progressivamente durante i giorni della festa di *Hanukkà*.

Così i giorni precedenti la festa, quando lei metteva in moto la sua ormai collaudata macchina organizzativa, la potevi incontrare in giro per casa con la lista degli invitati in mano. Non smettendo ossessivamente di contarli, associava ogni telefonata ricevuta da Dav a una possibile defezione. Era come se ogni squillo del telefono equivalesse, per lei, a una scudisciata sul timpano. Per questo l'odio che provava per coloro che davano la disdetta all'ultimo minuto aveva proporzioni bibliche. Giurava a Dio che sarebbe andata a tutte le feste a cui l'avrebbero invitata. Sì, Karen, in quei giorni pieni di sospensione, in un accesso improvviso di religiosità, pregava: pregava che nessuno morisse. O che almeno avesse il buon gusto di spirare a festa finita. Che nessuna calamità colpisse la nostra città. Che nessuna guerra planetaria rendesse la sola idea di quella festa una grave offesa al decoro.

È agli annali il giorno in cui accade un fatto che fa vacillare pericolosamente la fede di Karen: tutto avviene quando, a poche ore dal *tacchino*, un aguzzo calcolo, acquattatosi per mesi nei reni di Amos, ha la sciagurata idea di destarsi, per ricominciare la faticosa corsa verso l'abisso, infognandosi all'altezza della strettoia dell'uretere. Amos, storicamente soggetto a coliche renali, ci mette un istante a riconoscere quella vampata di dolore paralizzante che s'irradia su tutta la schiena.

Il *tacchino* è in pericolo?

David, richiamato d'urgenza a casa, trova ad attenderlo uno spettacolo incredibile: Karen – i cui lineamenti sono stati ridisegnati dal nervosismo e dalla rabbia – è rannicchiata a fianco del marito che giace, come Marat, nella grande vasca del bagno. Amos è nudo, sofferente, la testa reclinata all'indietro, circondato da una dozzina di bottiglie di acqua di Fiuggi: il vapore acqueo gli ha imperlato la fronte e il caratteristico giallo del suo incarnato sembra tendere a un cupo verde foresta. È come se il dolore, e la paura che il dolore ritorni sotto forma di quelle fitte spaventose, lo avessero messo in uno stato di permanente allerta che gli tende i muscoli facciali e quelli delle braccia che hanno qualcosa di michelangiolesco. Se, da un lato, Karen lo accudisce, dall'altro non sa impedirsi di torturarlo con astiose recriminazioni: «Quante volte ti ho detto che dopo cena non devi bere tutta quella Coca-Cola ghiacciata? Sai che ti dico? Non la compro più!». «Dai, mamma, lascialo stare, non vedi come soffre?» «Lo dico per lui!» «Mamma, se vuoi rimandiamo il *tacchino*!» «Che c'entra il *tacchino*? Stiamo parlando di una cosa molto più seria: la salute di tuo padre! Eppoi chi l'ha detto che bisogna spostarlo? Tuo padre sta bene, ha bisogno solo di un po' di riposo. Non facciamo tragedie. Certi malanni vanno solo sdrammatizzati. Non lo dico mica per me. Sai quanto me ne importa. Ma non è carino mandare tutto a monte proprio adesso. Non sta bene. Pensa ai tuoi amici di Firenze! Avranno già comprato il biglietto del treno. Pensa a tutta la roba che ho ordinato. Pensa a quel povero tacchino di quindici chili. Andrebbe sprecato...»

Insomma, lo spettacolo deve continuare. Né bisogna vanificare il sacrificio mortale del tacchino.

Sicché Amos solleva una mano con gesto mosaico per dare il suo assenso. Lui sta bene, non devono preoccuparsi per lui: «Tua madre ha ragione, non è successo niente, è impossibile disdire tutto proprio ora». Con che gravità emette queste parole! È quasi commosso dal proprio stesso coraggio finché una fitta tremenda non gli squassa nuovamente i reni e le sue guance vengono ulteriormente bagnate da piccole lacrime incontrollabili.

D'altronde Karen non avrebbe mai confessato che non le dispiaceva affatto che il marito, durante il *tacchino*, rimanesse immerso nella vasca. Eh sì, perché la sola cosa su cui, negli anni, non era riuscita a esercitare adeguato controllo, era il contegno di Amos durante il *tacchino*. Quante volte lo aveva visto servirsi al buffet indecorose quantità di cibo, e mettersi in un angolo con la testa affondata nel piatto come un carcerato. O alzare troppo la voce, o accendere improvvisamente la TV, o fare rumore con la bocca mangiando la zuppa (da quel giorno Karen aveva abolito dal menu ogni cibo liquido). Per non parlare delle volte in cui il buon Amos attaccava discorso con figli di sue clienti, nei confronti dei quali assumeva la posa lievemente servile che taluni bottegai ostentano con i più prestigiosi tra i loro avventori abituali, che fa da contraltare al tono sbrigativo riservato a quelli occasionali. «Mi saluti la sua mamma» diceva Amos, con un tono mellifluo da far sfigurare Shylock, esibendosi in un inchino impercettibile la cui vista faceva quasi svenire la moglie dalla vergogna.

«Perché, mon cher, non te ne vai un po' di là? Non vorrai annoiarti con questi ragazzi. Ti porto io un bel piatto... Sembri così stanco» gli diceva lei affettando un calore che non provava. Ma lui, sempre commosso dalle attenzioni della moglie, la rassicurava: stava benissimo. Gli piaceva la compagnia dei ragazzi: «Tesoro mio, tranquilla, non essere nervosa, è tutto delizioso».

No, stavolta, grazie a quella colica benedetta, si sarebbe risparmiata il calvario di vedere all'opera quel molesto cafone di suo marito!

Il contegno di Dav, durante il *tacchino*, risulta non meno sorprendente di quello dei suoi genitori. Forse, sotto l'influsso dell'ansiogenia materna e dell'iconoclastia di Amos, tradisce segni, se non proprio di nervosismo, di palese scorbutichezza, come se desiderasse essere altrove. Di solito ha fatto impazzire la madre rientrando dal golf nel pomeriggio inoltrato. Appena in tempo per una doccia e per indossare lo smoking e riducendo la sua stanza da letto a un campo di battaglia. Non che si trovi a disagio nei panni di padrone di casa in alta uniforme. Piuttosto sembra mancare nei più elementari doveri imposti dall'ospitalità: per esempio è il primo a servirsi. Mangia come un disperato, soprattutto la carne, evidentemente per riprendersi le proteine consumate durante i suoi atletici tour de force.

Sembra quasi che, come ogni figlio che si rispetti, stia attento a non partecipare alle dissennate euforie della madre.

O forse sta ancora pensando a una partita che non è andata bene. Tutti sappiamo che la sua nevrosi è lo sport, o per meglio dire la competizione sportiva. Tutti sappiamo che lui non accetta di perdere. Tutti sappiamo che non c'è niente che influisca più negativamente sul suo umore d'una sconfitta. Tutti sappiamo che anche nella partita più amichevole e insignificante Dav impegna la sua aggressività arrivando a offendersi con il compagno di squadra incapace di comprendere quanto vincere quel match sia una questione d'importanza capitale.

Forse per questo nelle altre cose della vita è d'una mitezza olimpica, che sconfina nell'abulia. Possibile che il desiderio di umiliare il prossimo – quel vizio che allieta e avvelena le vite di tutti noi – in lui si esaurisca in un leale desiderio di battere gli avversari sul campo? Che origine ha tale magnanimità? Si può dire che Dav appartenga a quel novero di ragazzi così soddisfatti del proprio presente da non sentire l'esigenza di sporgere il viso nell'avvenire, attraverso l'immaginazione, per essere felici? Dav ha la fortuna di desiderare quello che possiede e di possedere quello che desidera. Non conosce la speranza ma solo l'ordinaria prassi della propria letizia. Ama se stesso, senza dolore senza idolatria, ma con calore e indulgenza. Ama dormire nudo la notte e ritrovarsi al mattino scarmigliato di fronte allo specchio. Così come gli piace nuotare, fare la doccia, trangugiare enormi bistecche e quantità equine di verdura, trascorrere le estati in America a pescare trote o a surfare. Non fa niente in modo professionale. Si annoia presto di tutto. Alla lunga ama dimostrare la propria infedeltà a se stesso. Il dilettantismo in lui diviene categoria morale. Ogni passione viene decantata da quell'organismo che nasconde il proprio mistero in una profondità che nessuno potrebbe attribuirgli.

Se è vero che il Tempo è il vero nemico dei Ruben e che, per questo, Karen ha ripudiato il passato, allora forse

179

è lecito ipotizzare che Dav abbia semplicemente abolito il futuro.

Insomma, a che ti serve il futuro se hai avuto – all'età giusta e senza sopportare alcun sacrificio – il meglio che la vita sa offrire? Che te ne fai della speranza se tua madre, al di là dei sogni di gloria, ha avuto il buon gusto di non proiettare su di te alcuna ambizione scolastica o professionale, e se tuo padre è troppo apolide per pretendere da te l'orgoglio dinastico che ci si aspetterebbe dal rampollo d'una famiglia dal patrimonio consolidato?

David è libero, più libero di tutti noi, e soprattutto ha le idee chiare su come spendere la sua libertà. Non disdegna il lusso ma non lo idoleggia. Per lui è del tutto funzionale. Lo hanno precocemente munito d'una carta di credito illimitata con la quale togliersi sfizi estemporanei, ma difficilmente indulge in quel consumismo compulsivo che intossica la vita della maggior parte delle nostre fanciulle.

Insomma, il segreto di David può riassumersi in una formula piuttosto grossolana: non avere un passato da rispettare né un futuro da desiderare.

Una volta mi disse con voce seria e angosciata: «Senza sport sarei un disadattato sociale». Questi barlumi di consapevolezza autocritica erano forse i soli microbi che attentassero alla salute di quel tripudiante ragazzo. Ecco perché talvolta il suo animo sembrava tendere a una specie di sospensione catatonica che lambiva il disturbo depressivo. Ecco forse perché durante il *tacchino*, sebbene circondato da tanti ospiti che avrebbe dovuto accudire, Dav se ne restava in disparte intontito a ingozzarsi di leccornie, mentre il suo amico-valletto Giorgio Sevi, pluridecorato veterano di quella festa, accoglieva e intratteneva gli ospiti in uno stato di esaltazione, come se fosse il padrone di casa.

La noia era il termometro della vita di David Ruben: appena quel morbo spirituale lo sfiorava, ecco intervenire un esercito di anticorpi a sospingerlo verso nuovi allettanti diversivi. Se si annoiava evidentemente era tempo di cambiare qualcosa. D'accantonare vecchie passioni e sceglierne di nuove: cambiare era il modo per non lasciarsi adescare dalla morte.

L'equitazione ha fatto il suo tempo? È ora di diventare pescatori.

E allora, proprio come quei bambini che si divertono più ad allestire battaglie immaginarie che a combatterle, David preparava il proprio futuro di pescatore, acquistando l'attrezzatura, cerchiando con il pennarello su carte topografiche i laghi e i torrenti che avrebbe violato con i suoi stivaloni di gomma verde, pregustando il piacere di levatacce mattutine e di partenze nel cuore della notte. Il miracolo è che quelle passioni private in un baleno diventavano collettive, finendo con il contagiarci tutti. Così le nostre vite erano scandite dall'ultima follia di Dav che in poche settimane diventava anche nostra, almeno fin quando quel capriccioso maître à penser non avesse deciso che eravamo maturi per un altro cambiamento di rotta, per un nuovo sfizioso trip.

Eppure Dav se ne infischiava degli altri: come se gli sparissero davanti. Era troppo superiore per prenderli in considerazione.

Perché perdere tempo, come faceva sua madre, a ipotizzare cosa gli altri pensavano di lui? Piuttosto che rincorrere, non era più sano e divertente lasciarsi inseguire?

Non che Dav fosse privo di vanità: la somiglianza con Tom Cruise, per esempio, lo lusingava assai più di quanto non fosse disposto ad ammettere. Prova ne sia il fatto che spesso arrivava a schermirsi anche senza ragioni apparenti con frasi tipo: "Oh, basta con Tom Cruise!", che non servivano ad altro che a ribadire di fronte a tutti l'incredibilità di quella somiglianza. E in fondo la corrispondenza rivendicata con quel divo del grande schermo non era di carattere fisionomico, ma addirittura ideologico. A Dav piacevano i figli belli della middle class americana, quelli che avevano conquistato ruoli da protagonisti nei film di allora: era stregato dalle loro scarpe da ginnastica, dalle camicie a scacchi, dagli occhiali da sole, dai piumini senza maniche, ma soprattutto dalla normale straordinarietà del loro tenore di vita. Spesso rimproverava i genitori – chissà quanto scherzosamente – di non essere emigrati in America. Dio, se solo lo avessero fatto! Si vedeva impettito come un galletto solcare i campi da football salutato dagli urli acuti di ragazze pon pon. Quello era il suo destino. Altro che l'insulso piccolo Paese in cui l'avevano confinato. Avrebbe barattato l'invito a qualsiasi rendez-vous mondano organizzato dall'ennesima contessina (corteggiata in sua vece da Karen) con un Big Mac o con una *pepperoni pizza*, all'epoca, almeno dalle nostre parti, autentiche rarità. La cosa strana – e che denotava ancora la gustosa eccentricità del suo punto di vista – è che Dav all'America delle coste (quella più fascinosa) preferiva l'entroterra: la peggiore, la più meschina, quella che nessuno ama. Gli piaceva giocare a essere il tipico teenager cresciuto in una casupola del Mid West sperduta in mezzo a ettari pianeggianti di granturco: baseball, biliardo, Bud ghiacciate, prime colazioni sostanziose, barbecue, country music e sesso in motel con slavate biondine dall'apparecchio per i denti. Indignato che in Italia non fosse permesso prendere la patente a sedici anni, aveva costretto la madre ad acquistare un pick-up con il quale lui, appena quindicenne, si divertiva illegalmente a saltare sui dossi dell'Olgiata di fronte agli sguardi di quei borghesi indulgenti (così felici, in fondo, di vedere all'opera quello che considerano il proprio figlio mancato, sì, il figlio che ogni signorina spera un giorno di avere e che qualsiasi signora rimpiange di non avere avuto).

Sebbene Dav facesse parte, suo malgrado, di quella lista selezionata di nomi che le discoteche del tempo si disputavano – arrivando a offrire quattrini (come oggi si fa con la starlettina di stagione) per accaparrarsi l'esclusiva e assicurarsene la presenza il sabato sera – lui, senza particolare snobismo ma in preda agli abituali soprassalti di stizza, preferiva raccogliere la sua piccola corte in casa e

182

allestire, nella sala cinema, l'ennesima sfiancante visione di *C'era una volta in America*. Si trattava del suo film. Della quintessenza di quello che il cinema e la vita avrebbero dovuto riservare a un uomo come lui: eroismo, anarchia, violenza, lealtà, sentimentalismo, sangue, amore romantico, amore carnale... Ed è strano che all'epoca mi sfuggisse come quel colossal suggestivo e stilizzato mettesse in scena una vicenda di violenta assimilazione ebraica: *C'era una volta in America* non è che la storia di due gangster da strada, figli di émigré ebrei, che avevano voluto, a ogni costo, conquistare il Nuovo Mondo. È strano che non mi ponessi neppure la questione e che non comprendessi come la commozione che Dav cercava testardamente di dominare e di nascondere, alla fine delle snervanti proiezioni di *C'era una volta in America*, derivasse da una specie di empatia profonda, quasi inconsapevole, nei confronti dei due protagonisti mirabilmente interpretati da Robert De Niro e James Woods. È evidente che quel film funzionava così bene per Dav perché era pieno di ebrei, è evidente che se fosse stato zeppo di italoamericani esso non avrebbe avuto su di lui quell'impatto così dirompente.

Questo era David Ruben, il nostro Dav: un concentrato di adrenalina, di deliranti iniziative e di remote svenevolezze, una versione borghese dell'*americano a Roma* così trascinante da contagiare un'intera comunità di ragazzi al punto di indurli, senza alcuna costrizione, a rivedere per un anno consecutivo quasi ogni sabato lo stesso film. Era davvero bello lasciarsi guidare da quel figlio di puttana che, rispetto a tutti gli altri, aveva saputo elaborare una visione del mondo completamente autonoma, capace di agire sulle nostre interiorità in un modo che non avremmo saputo spiegare a chi non avesse avuto il privilegio di essere amico di David Ruben, detto Dav.

Ebbene, la coscienza su cui più tenacemente il mondo di Dav sembrava aver inciso – con una violenza tale da ipotizzare il reato di plagio – era quella di Giorgio Sevi.

A quel tempo Giorgio era funestato da una bellezza noiosa, certo sovradimensionata da maniacali cure inflitte al proprio corpo. L'intervento chirurgico cui si era (clandestinamente) sottoposto per sistemare le orecchie da lui giudicate troppo sporgenti aveva sortito l'effetto di rendere la sua avvenenza ancora più insipida. La natura di tale fisionomica piacevolezza sembrava fatta in modo da impressionarti al primo incontro, quando il tuo cervello, quasi distrattamente, collocava Giorgio nella casella dei "bei ragazzi". Ma era increscioso come tale giudizio fosse incapace di resistere all'assiduità d'un'amicizia e persino a una saltuaria frequentazione. Già alla seconda o alla terza volta che lo vedevi, ti veniva spontaneo deplorare il nasino cesellato, le orecchie artificiali e gli occhi che sembravano affogare nella propria fissità. Il nostro povero ragazzo sembrava essere l'incolpevole vittima dell'incantesimo d'una strega beffarda che s'era divertita a trasformare la sua bellezza in qualcosa di misteriosamente fastidioso. Il viso di Giorgio ricordava quei rumori di fondo del cui disturbo ti rendi conto allorché improvvisamente cessano di molestarti. Proprio così: solo quando gli occhi di Giorgio scomparivano dal tuo orizzonte potevi comprendere quanto la loro inespressività ti avesse infastidito. Ciò aveva fatto di Giorgio uno di quegli aitanti manichini che nei licei di tutto il mondo incontrano consensi tra le ragazze più piccole, lasciando indifferenti (se non addirittura nauseate) le coetanee.

Vorrei che tale estetica disfunzione fosse messa agli atti come "dramma n. 1".

Di più Giorgio non avrebbe potuto fare: impossibile avere un corpo più scolpito: sì, forse al paio di lampade settimanali avrebbe potuto aggiungerne una terza, o cospargere la pelle d'una dose ulteriore di crema idratante e i capelli di magici elisir atti a prevenirne la caduta. Ma a che pro se, come sa bene ogni chef, l'accumulazione di buoni ingredienti – lungi dal garantire un effettivo beneficio – serve solo l'insulso dio della stucchevolezza? Giorgio aveva un luccicante Rolex d'acciaio rigorosamente portato a destra, Ray-Ban inforcati ventiquattro ore su ventiquattro, un piumino, una moto Enduro, capelli ingelatinati e una manierata propensione alla celia e al contatto interpersonale. Nel suo ambiente, tra vecchi amici e parenti, nel nucleo dei suoi supporter istituzionali, era bastato questo per fare di lui un predestinato. Ma tra noi, come lui aveva capito con sgomento, le cose funzionavano in modo diverso. Quel che aveva lui lo avevano in molti – e quest'inflazione bastava a squalificare anche i suoi doni migliori. Ci voleva l'Ineffabile (quel non so che...) che Giorgio non riusciva ad afferrare, limitandosi dolorosamente a intuirlo. Tutto quello per cui aveva lavorato sin dalla nascita, tutto quello che aveva faticosamente costruito, qui sembrava irrilevante. Cos'altro inventarsi allora? E come reagire di fronte al successo insensato di alcuni giovani pieni di verve, ma totalmente sprovvisti dei suoi muscoli e refrattari alla sua quotidiana, frocesca toilette? Giorgio era come una di quelle macchine fotografiche il cui obiettivo non riesce a mettere a fuoco la scena. Le sue letture della realtà erano sempre pateticamente sfocate. Per questo rideva di battute non divertenti per rimanere imperturbato di fronte a scene assolutamente comiche? Per questo riusciva sempre così inopportuno? Forse la sua sciagura consisteva nell'essere abbastanza intelligente da capire l'irritazione da lui suscitata nel prossimo, ma non abbastanza da porvi tempestivo riparo.

E questo è decisamente il "dramma n. 2".

Una volta a una sua festa di compleanno a sorpresa – organizzata dal fratello con grande dispetto del festeggiato – ebbi modo d'imbattermi nei signori Sevi, che con la loro aria, tutt'altro che dimessa, erano lì a spiegarmi parecchie cose sul conto del figlio. Notai soprattutto il padre: indossava una giacca Armani color vinaccia che malconteneva il massiccio corpo benedetto da un viso che recava inequivocabili segni dell'origine contadina: occhi spillati, pelle coriacea, capelli dipinti da Mantegna e un polso sfavillante di bracciali. La cosa realmente caratteristica della sua persona era il modo di parlare: il signor Sevi ce la metteva tutta per ricacciare nelle profondità del diaframma le intonazioni che denunciavano la sua umile nascita. Era uno di quegli individui che, avendo appreso il dialetto prima dell'italiano, per liberarsi dall'influsso soverchiante del primo e gettarsi a corpo morto nelle braccia del secondo compiono spaventosi sforzi autopunitivi. Era come se questo signore, quando parlava – soprattutto con gli amici del figlio o con i suoi munifici clienti – si sentisse costantemente sull'orlo d'un precipizio. Un passo in più della lingua, una consonante dimenticata o inopinatamente raddoppiata sarebbero bastate a scagliarlo nel baratro della sua estrazione sociale. Ma nonostante questa piccola impasse, il signor Sevi aveva un'aria spigliatamente compiaciuta, segno che la vita, date le premesse, lo aveva risarcito d'ogni sacrificio. Da figlio di famiglia umilissima a rispettato commercialista che aveva coronato il proprio miracolo ascendente con il matrimonio con la bella del quartiere. Quel trionfo, incarnato, ai suoi occhi almeno, da due figli d'un'avvenenza promettente, era ulteriormente celebrato dalla villa a Casalpalocco il cui giardino ingombro di palme, cicas e lantane faceva il verso al parco d'un'isola caraibica. Al centro del luminosissimo salotto a giorno splendeva immacolato e oblungo un pianoforte a mezza coda su cui Manuel, il fratello minore di Giorgio, intratteneva gli ospiti con una versione imbarazzantemente sgrammaticata di *Per Elisa* che riempiva il cuore dei suoi genitori d'un orgoglio corroborante.

Durante quella sciagurata festa a casa Sevi, in cui più volte vidi Giorgio avvampare trafitto dagli strafalcioni del padre e dal vizio della madre di apostrofare tutti con rude colloquialità romanesca "A ni'", compresi come lui, in poco tempo, si fosse trasformato in uno di quei ragazzi che, pur avendo ricevuto ogni beneficio materiale e affettivo dai propri genitori, non sa impedirsi di vergognarsene mostruosamente. Era come se, dopo aver adorato, per tutti gli anni della sua infanzia incantata, quei dolci benefattori con la condiscendenza dei suoi occhi innocenti, oggi non potesse impedirsi di vederli e giudicarli attraverso i diaframmi di snobismo che noi eravamo stati ben lieti di regalargli per il suo sedicesimo compleanno ("dramma n. 3").

Ma per il "dramma n. 4" (il più clamoroso e circostanziato) dobbiamo spostarci a una "classica" in piscina a casa di Dav, il penultimo anno di liceo. Di solito andiamo lì d'estate il sabato, nel primo pomeriggio. Karen è meravigliosa nel farci trovare sul tavolo sotto il gazebo vassoi pieni di fette d'anguria e di melone immerse in un bluastro mare di ghiaccio. E mentre noi giochiamo a pallanuoto e le ragazze prendono il sole in smaglianti bikini colorati, refrattarie a bagnarsi perché il cloro è nemico della melanina, Giorgio, abbronzatissimo, seduto sul bordo della piscina, sfoggia un fisico tonico e un allusivo costumino a righe: ha lottato contro di sé tutto l'inverno affinché il dolce promontorio disegnato dai dorsali emergesse con nettezza. Sta piegando il braccio e stringe il pugno per mostrarci la tornitura del tricipite. Il giardino è invaso da una musica euforica e sincopata. Un mix dei successi dei Kool & the Gang, semplicemente adorati da Dav e da tutti noi. A un tratto Giorgio, vedendo Diamante Arcieri in disparte che guarda a bocca aperta alcune sedicenni ballare tra loro come lesbiche, la chiama a sé.

Diamante è una moretta dagli occhi smeraldo apparentemente privi di qualsiasi astuzia seduttiva. Una delle rare starlettine a non darsi arie in una scuola che produce industrialmente vamp da strapazzo e in cui la discriminazione pecuniaria ed estetica non è considerata affatto una distorsione sociale ma un segno di profonda civiltà. Non che sia alla mano, ma la sua inafferrabilità sembra dipendere più dalla timidezza che dall'alterigia. È una che in classe incespica spesso, che alle interrogazioni non risponde mai, a cui le cose cadono dalle mani, la cui faccia s'imporpora per niente, il cui fascino sembra consistere proprio nell'allusività espressa da quell'apparente svagatezza. Si favoleggia che il padre, azionista di riferimento d'un'industria farmaceutica, possegga un jet. Si maligna che sia l'unica ragazza del nostro entourage ad aver opposto un risoluto rifiuto a Dav. Tale voce l'ha circonfusa d'un'aura d'inaccessibilità metafisica, che, in una prevedibile osmosi, ha fatto di lei, così minuta e malcerta, l'incarnazione della Ragazza Impossibile.

È per questo, Giorgio, che fai lo stupido con lei? È per questo che la corteggi continuamente? Sai che, alimentando ambiguità su un inesistente rapporto, un giorno potrai raccontare che tra voi c'è stato qualcosa, certo di non essere smentito? Che tu, Giorgio Sevi, sei riuscito laddove David Ruben ha fallito? Per questo alzi tanto la voce quando la chiami? Possibile che ogni tuo atto sia subordinato a un calcolo autopromozionale? E possibile che tale calcolo sia sempre drammaticamente errato?

Ora Giorgio la sta chiamando:

«Su, Diamante, sali sopra di me con tutti e due i piedi. Senti che addominali.»

«Sei matto?»

«Su, ops, senza paura, è come salire su una lastra di marmo» insiste il nostro smargiasso.

Lei cede e, prima con un piede poi con l'altro, gli sale sulla pancia conquistando l'attenzione degli astanti. Proprio allora avviene la cosa più imprevedibilmente imbarazzante che sarebbe mai potuta accadere. (Siamo nel pieno climax del "dramma n. 4".) Giorgio per lo sforzo emette una scoreggia lunga e rumorosa, e lei dalla costernazione cade in acqua. E mentre tutti ridono convulsamente, Giorgio si tuffa in piscina fingendo di correre in soccorso di quella fanciulla che non avrà più il coraggio di guardare in faccia per il resto della sua vita.

È ragionevole, quindi, ritenere che il motivo per cui sono stato convocato in questo pacchiano bar di Manhattan quindici anni dopo i fatti sopra esposti è che il nostro

Giorgio voglia vendicare quella lontana flatulenza. Che il nostro nuovo impeccabile Giorgio possa spassarsela a spese del vecchio Giorgio scureggione. Perché di certe umiliazioni non ci si libera facilmente. Perché certe adolescenziali figure di merda non cadono in prescrizione. Ti rimangono attaccate per sempre. Giorgio vuole cancellare l'effetto di quella risata, quella risata irrefrenabile che tutti ci contagiò irresistibilmente, che lo sommerse fino a liquefarlo nell'azzurro della piscina dei Ruben.

Al telefono, quando è arrivato addirittura a invitarmi, offrendo ospitalità nel flat nell'Upper West Side («Anche per una settimana se vuoi, Daniel, ho tanto di quello spazio!»), ho capito dall'ansimante insistenza che evidentemente le cose straordinarie che avevo inteso sulla sua riuscita professionale erano vere: ma così incombenti e insostenibili da spingerlo a rintracciare una vecchia conoscenza dei tempi del liceo – tanto meglio se si trattava del pessimo, irritabile Daniel Sonnino, a costo di sotterrare la nostra ufficiosa inimicizia di liceali – per potergliele almeno spiattellare in faccia. Ho finito col convincermi che volesse usarmi da ambasciatore presso i vecchi compagni nei confronti dei quali ha conservato un irrisolto risentimento.

Sembra quasi che per Giorgio sia venuto il momento di chiedere il conto. D'incassare crediti pluriennali. D'altronde, se hai fatto tanti soldi, come goderteli fino in fondo senza che i tuoi vecchi amici ne siano informati nel dettaglio? Senza che la tua Diamante – allora indifferente e oggi distrattamente coniugata – sappia che tu, proprio tu, lo scureggione, ce l'hai fatta? E come può sfuggirmi che il vero interlocutore – l'interlocutore fantasma – di Giorgio sia Dav, quell'ombra di platino che si muove sugli sfocati sfondi delle nostre esistenze? È per lui, in suo nome e contro di lui, che Giorgio ha costruito la sua vita. Non a caso è venuto a cercare fortuna in America, il Paese che Dav gli ha insegnato a idolatrare. Non a caso si è rivolto a me, il migliore amico di Dav.

189

Giorgio desidera che io, rientrato a Roma, riunisca il gruppo del liceo per celebrare il suo trionfo? Che mi faccia promotore di questo ennesimo *Big Chill* tradotto sulle putride rive tiberine ove, in vece del morto, venga glorificato il più vivo tra noi?

Amen. Sono qui per servirlo.

Dacci dentro, cucciolo. Siamo nel posto giusto, nelle viscere della città delle colossali fortune e dei disastri epici. Sfogati, piccolo mio, ora che ce l'hai fatta. Ora che sei uno schianto con questo gessato blu, con la regimental che va così bene con i gemelli di corda colorata e con gli argentei riccetti alla George Clooney. Ora sì che hai raggiunto quello che nessuno di noi potrà mai raggiungere. Ora sì che sei diventato quel che desideravi ardentemente essere. Ora sì che la famigerata scoreggia ha smesso di vibrare. Ora sì che, in un sol colpo magistrale, hai cancellato i quattro drammi della tua quasi perfetta adolescenza.

Ma mentre una cameriera dal sorriso augurale e dalla gonna inesistente torna a servirci, leggo negli occhi di Giorgio l'espressione di desolata sorpresa che anch'io tenterei di dissimulare se dopo quindici anni di straordinari successi ritrovassi un compagno – un irritabile rompipalle passato alla Storia per la lettera minatoria più folle che sia mai stata scritta e consegnata a una diciottenne dei quartieri alti – trasformato, dal tempo, in una palletta di grasso inoffensiva. Così mi sono presentato a lui: sopraffatto da un cumulo di ben ventisette chili in più e alleggerito di centomila capelli rispetto alla nostra ultima volta insieme. Sono qui: gli occhi bagnati di chi mangia, fuma e beve continuamente, per colmare i vuoti esistenziali, l'impotenza erotica e una certa rabbia strisciante. Temo che l'effetto che ho prodotto nel suo animo non si scosti troppo da quello in me suscitato da Silvia Toffan e dalla mutila Manhattan.

Com'è potuto accadere?
Come ci si riduce così?

Da dove esce questo sgorbio invecchiato?
Dove li ha messi i capelli?
Quanti quintali di cibo ha ingurgitato per mettere su quella
pancia, quel collo, quelle guance massicce?...

Ecco il frullato di enigmi espressi dall'intelligibile sguardo di Giorgio Sevi, cui il mio cervello sembra rispondere con una specie di interrogatorio autoinflitto:

Perché sei qui?
Che senso ha stare qui?
Perché hai accettato di incontrarlo?
Perché ti sei assoggettato?
Perché non riesci a controllarti?

Finché la furia interrogativa non si generalizza, estendendosi al mondo intero, come un coro greco:

Che qualcuno ci spieghi per quale motivo un individuo che ha
superato mille traumi, che potrebbe parlare dell'ultimo splendi-
do libro di Saul Bellow di fronte a centomila persone appollaiate
sulle tribune d'uno stadio, un tipo che – pur non essendo don-
naiolo, né filantropo, né particolarmente piacente o simpatico –
ha avuto i suoi incontri eccitanti e le sue esperienze formative,
un individuo dopo tutto strutturato... al solo contatto con uno
dei suoi vecchi amici del liceo sbianchi, ridiventi il bambino che
se la faceva sotto, il balbuziente che in presenza d'un'ariana
evangelica fanciulla non sapeva dove mettere le mani? Ecco, che
qualcuno ci sveli questo mistero. Perché è così terrorizzato, co-
me fosse di fronte a una giuria o a un plotone d'esecuzione?
Perché continua a versare per terra il suo aperitivo? Cos'ha que-
sto Giorgio di diverso da tutte le altre migliaia di persone incon-
trate quotidianamente che mettono il nostro Daniel straordina-
riamente a suo agio? Cosa deve risolvere ancora? Quale prova
di valore dovrà fornire alla comunità per non sentirsi soverchia-
to da quest'indecente spettro di puerilità?

«Su, dimmi di te» mi dice Giorgio a un certo punto, per scacciare da sé quella montante impressione di disagio: «è vero che ti sei sposato?»

«A dire il vero, no.»

«Mi sto confondendo, allora.»

«Temo di sì.»

«Allora ti stavi per sposare?»

«Mai avuto questa intenzione. Dimmi tu, piuttosto!»

«Beh non posso lamentarmi...»

Pausa. Riprende:

«Che ne dici d'una bistecca da Smith and Wollensky?...»

Faccio un gesto lieve di assenso. Uno dei posti di mio padre. Molto borghese, un po' antiquato, ma niente male.

«Ma forse bisogna prenotare» dice lui allora, deluso dalla mia preparazione. «Se non trovi i tavoli in fondo alla sala, quelli riparati e tranquilli, è uno strazio.»

«Guarda, Giò, che per me una cosa vale l'altra...» (*Una cosa vale l'altra? Ma ti senti? Sei impazzito? Perché parli così? Perché vuoi dare l'idea di non essere un tipo esigente? Tu sei un tipo esigente! Perché dissimularti? Che diavolo ti succede?*) «E Cipriani?» dico allora per far vedere che me ne intendo «sai, il proprietario, il figlio del vecchio Arrigo, è amico dei miei.»

Nulla è cambiato da allora: ostentazioni: imperterrite ostentazioni temperate da fasulla nonchalance.

«Le lasagne più strepitose di Manhattan» aggiungo trionfalmente per conformarmi al suo registro. Il superlativo assoluto è un'eredità di quegli anni. Affidavamo a quell'euforia grammaticale i nostri continui rilanci.

«Beh, se vuoi incontrare la crema dei rampolli italiani da esportazione con i loro palmari del cazzo e i Daytona in bella mostra... accomodati» mi brucia lui affettando sdegno.

«E insomma, come vanno le cose?» torna a chiedermi, dopo l'ennesimo sorso di Bloody Mary e l'ennesima pausa. «Non dirmi che Daniel Sonnino ha perso la parola? Dimmi di tua moglie almeno!»

Temo che questa ostinata curiosità su una mia presunta consorte non sia altro che una manovra diversiva propedeutica alle informazioni che sta per elargirmi su di sé. In realtà desidera ardentemente che io sia sposato, perché non vede l'ora di contrapporre la mia sinistra e melanconica monogamia di borghese insoddisfatto alle sue poligamiche sfrenatezze di uomo di successo.

Non siamo qui per questo?

E allora lasciamoci investire da un torrenziale seminario sulla felicità.

Manager d'una multinazionale alimentare americana. Dirige il settore surgelati. Ha, come si dice, bruciato le tappe e sgominato la concorrenza dei colleghi più anziani grazie ad alcune sorprendenti intuizioni di marketing. Lui, per tutta l'adolescenza assetato di approvazione, non poteva fare altro che studiare professionalmente i misteriosi ingranaggi del consenso. È pagato per sedurre, e da quel che vedo è davvero in gamba.

Evidentemente ci tiene a farmi sapere che vive tra Milano e New York in due sontuosi appartamenti pagati dalla società. Ha la stravaganza di lamentarsi per l'esiguità del suo stipendio: 700.000 dollari l'anno, senza tenere conto di premi di produzione e stock option e sorvolando su molti altri benefit. Eppoi è insediato in un siderale ufficio al sessantesimo piano dell'ITT Building, una carovana di segretarie, un istruttore di fitness che lo segue in capo al mondo, una calibratissima dieta ipocalorica, una coppia di domestici messicani e un'intera nidiata di Labrador, una BMW X5, una collezione di Harley, una casa a Southampton il cui scantinato ospita una piscinetta piena di aragoste vive, e tante altre inimmaginabili cose che avrebbero fatto la gioia di qualsiasi ragazzo cresciuto nella gloria angosciosa e fittizia del nostro pretenzioso liceo anni Ottanta.

E come può una così deprimente ostentazione di benessere non scatenare in me la metamorfosi? Inevitabile. Era lì in agguato. Non posso reprimerla. Mi afferra il polpaccio come uno squalo. Sono in balia della metamorfosi come certi personaggi dei fumetti, come l'Incredibile Hulk. L'atavico adolescente ha preso il sopravvento sul sedicente adulto in un bar di Manhattan. Non è mica uno scherzo incarnare – anche se a tempo determinato, anche se una sera soltanto – l'idea stessa del Fallimento! È un'urtante sensazione che, dopo cinque aperitivi alcolici, s'approfondisce. È come se un altro me stesso, molto più potente e al contempo molto più fragile, fosse emerso, esumato dal terrore che l'incontro con un conoscente all'apice dell'ascesa ha saputo infondermi: un terrore che credevo di non poter più provare, un terrore superato, ascrivibile a una stagione passata della mia vita, una reliquia consegnata alla Storia. Ma che – è evidente – era lì. Il terrore di non farcela. Di non bastare. Un terrore d'inadeguatezza. È Lui – quel Dio Vendicatore – a parlare per me. Giorgio l'ha resuscitato. E ora lo zombie è qui, di nuovo tra noi.

Così mi trovo a raccontar fandonie, proprio come allora, con la stessa dolorosa intensità, con gli stessi occhi bassi, con la voce che tenta di non tremare, con un tono euforico e disperato. Quel che ho perduto forse è la spudoratezza del contaballe di professione: la forza di credere forsennatamente nella frottola che sto dicendo: quello che mi manca è un po' di sano allenamento! Forse per questo le menzogne appaiono così diverse da quelle che ammannivo da ragazzo. Oggi trasfiguro la realtà, allora inventavo di sana pianta. A quel tempo dai miei torrenziali discorsi zampillavano fichette scopate sulla spiaggia, viaggi intrapresi in capo al mondo, peripli dell'Africa su panfili favolosi. Nel mio mentire di allora c'era qualcosa di eroicamente titanico.

«Ti ho detto che ho vinto il concorso di Ordinario? Ma certo, lo sai, non è così che m'hai trovato?...»

«Credevo fossi un professore a contratto. Almeno così c'è scritto sul sito dell'università, se non sbaglio.»

«Ah sì, sai, probabilmente avendo appena vinto il concorso non lo hanno ancora aggiornato, il sito intendo...»

«Ah, ecco...»

«Nel frattempo ho scritto un libro. Molto apprezzato. Avrà venduto quasi... quasi... diecimila copie. Sai, non troppe forse in assoluto, ma per un saggio di sociologia letteraria è come dire un best-seller. Tanto che ha avuto una sua eco qui negli States. Pensa che solo tre mesi fa ho tenuto una conferenza a Harvard. Dovevi vedere quanta gente e di che livello. Un centinaio di accademici. Cenacolo di prim'ordine. Lì, ad ascoltarmi. Sai, una soddisfazione... Tutti con il mio libro tra le mani.»

«Allora è stato tradotto?»

«Non proprio... Cioè sì... insomma, solo alcune dispense per l'università...»

«A proposito, dove hai tenuto la conferenza?»

«Cosa intendi?»

«Beh, in quale aula? In quale struttura? Conosco bene Harvard, ho vissuto a Cambridge per tre anni, ho fatto lì l'MBA: gli anni più belli della mia vita...»

«Beh, sai che non me lo ricordo? Sai, ero fuori di me... emozionatissimo... mi sono lasciato scortare... pioveva... poi è passato un po' di tempo...»

E intanto bevo, bevo, mando giù il sesto Bloody Mary.

E ora il colpo di grazia.

«Stai scrivendo qualcosa?» mi spara a bruciapelo.

Se fossi onesto risponderei: "No, non sto scrivendo niente". È da quando ho scritto quel cazzo di saggio (se contro o a favore degli ebrei nessuno lo ha mai capito) che non riesco a scrivere più niente. È triste che un trattatello abbia prosciugato tutte le mie riserve creative. È patetico che il più grande muscolare sforzo letterario che il dottor Daniel Sonnino – professore a contratto in una delle tante università di Roma – abbia saputo profondere nel primo trentennio della sua inutile esistenza sia bruciato così rapidamente nel rogo da lui volgarmente allestito per distruggere l'immagine ebraica dei suoi scrittori preferiti. È sconcertante che la *sola* occasione concessagli sia marcita nell'invidia per grandi e prolifici scrittori che gli hanno salvato e distrutto la vita. È avvilente che, volendo scrivere un saggio, lui abbia edificato un mausoleo dedicato all'Invidia.

E invece rispondo: «Sì, un romanzo. Quasi finito ora-

195

mai. È nelle mani d'un agente...». (Pronunciando queste parole sento la testa traversata da un'improvvisa vertigine. È da diciassette anni – diciassette anni! – da quando ero uno sbarbatello martirizzato da cocenti sogni di gloria, che non faccio che ripetere a tutti, ma soprattutto a me stesso, che *ho quasi finito un romanzo*. Credo che la maggior parte dei miei conoscenti abbia capito da almeno un decennio che quel romanzo non lo finirò mai, che quel romanzo è esistito solo nella fantasia d'un moccioso megalomane. Io, invece, lo capisco ora, mentre per l'ennesima volta rispondo a un mio interlocutore che il romanzo è *quasi finito oramai*... Sono quei meccanismi di malafede che ci aiutano a vivere: come quando con gravità e tristezza dico ai miei allievi: «Sapete, ragazzi, il romanzo è morto!» oppure: «È così difficile scrivere un capolavoro prima dei cinquant'anni. Guardate Proust», espressioni canoniche che se solo uno di loro avesse voglia di decodificare potrebbe intendere così: "Non è il romanzo che è morto, ma semmai sono morto io come romanziere ancor prima di nascere. In ogni modo non c'è da preoccuparsi perché ho ancora una quindicina d'anni per scrivere la *Recherche*". «Ma professore» m'inchiodò una volta una maliziosa studentessa – che Iddio se ne sbarazzi al più presto!–, «Proust non ha iniziato a scrivere la *Recherche* a trentatré anni?» «Beh, di questo non siamo certi...» rettificai cattedraticamente.)

«Perché torni a Roma così presto?» mi chiede dopo una lunga pausa, e il suo tono si è fatto (almeno mi sembra) secco, quasi inquisitorio. «Non mi avevi promesso di restare almeno una settimana?»

«Non ci crederai!»

«Cioè?»

«Vado a un funerale.»

«Mi dispiace. Ti è morto qualcuno?»

«Non proprio.»

«Allora?»

«Il funerale di Nanni Cittadini.»

«Il nonno di Gaia?»

«Precisamente.»

«Oddio, ti sei bevuto il cervello?»

«È così!»

«Cazzo, non ti basta mai?»

«Beh, mi sembrava una cosa carina... Un gesto riconciliatorio...»

Da questo punto in poi non rispondo di me. Non so se quello che sto per dire sia il resoconto di un fatto o un'allucinazione. Non so se sia realmente accaduto o sia semplicemente un postumo dell'ebbrezza. Un banale vaneggiamento etilico. O addirittura la parossistica eco del mio Catto-Ebraico Senso Di Colpa.

D'un tratto Giorgio si fa serio e mi dice:

«Sei l'essere più spregevole che abbia mai conosciuto.»

«Come scusa?»

«Hai sentito benissimo, risparmiami la parte dell'ubriaco.»

«No, è solo che...»

«Lo sei sempre stato, d'altronde. Credevo fossi conciato meglio. E invece guardati, fai schifo.»

«Non ti sembra di esagerare?»

«Ne conosco di tipi come te. Questa città è piena di tipi come te. Ti somigliano persino fisicamente. Hanno tutti il tuo profilo da formichiere e le lenti degli occhiali rigate. Sempre pronti a mandare in avanscoperta i vostri libri, la vostra sensibilità, e gli ebrei e l'Olocausto e tutte queste altre puttanate...»

«Che c'entra l'Olocausto?»

«... E pretendete pure che gli altri vi rispettino. Perché poi? Hai più diritti di noi? Perché se Diamante mi dà buca è normale, ha le sue ragioni e tutto il diritto di scegliere... Mentre se Gaia rifiuta lui, il Signor Sensibilità, il Signor So Tutto Io, Mister Olocausto 1989, lo fa per motivi oscuri, reconditi, perché è una mignotta, una pompinara antisemita. Me lo sai spiegare questo? Cosa ti diceva la testa quando l'hai minacciata di morte?»

«Ma dai, facevo così per dire. Non avevo nessuna seria intenzione di... Bluffavo. Era una provocazione dialettica. Un proposito surrealista.»

«... E la cosa più incredibile e divertente è che dopo aver combinato tutto quel casino, piuttosto che scomparire, di non farti più vedere, ti sei presentato alla sua festa, ti sei ubriacato, mortificando tutto e tutti. Arriva lui, l'inconsolabile, e manda tutto a puttane. Dico solo che avresti potuto svanire. Toglierti definitivamente dalle palle. Sarebbe stato più degno. E invece hai iniziato a fare la campagna elettorale.»

«Campagna elettorale?»

«Sì, la più incredibile campagna autopromozionale che abbia mai visto. Tu volevi arraffare solidarietà. Volevi dimostrarci che Lei era cattiva, che Lei ti aveva ingannato, che ti aveva portato all'esasperazione, che Lei era il male assoluto... Te lo ricordi quando hai osato paragonarla ad Adolf Hitler? Sì, di questo tenore era la tua propaganda. E sai qual è l'ironia?»

«Sono certo che stai per dirmelo.»

«Che molti di noi hanno finito col crederti. Non io, intendiamoci, ma un sacco di gente sì. Li hai plagiati. Ecco cosa penso. E ora dopo tutti questi anni ti ripresenti e mi racconti queste fregnacce! E mi dici che vai al funerale del nonno di Gaia. Come se non fosse successo niente. Come se non fossero passati così tanti anni. Come se tu in quella grottesca lettera non l'avessi minacciata di morte. Via, Daniel, conosci parole quali "vergogna", "dignità", "decoro"?»

«Te l'ho detto: non avevo intenzione di ammazzarla veramente... Era uno scherzo... Una boutade... Uff, ma perché provo a spiegartelo? In fondo non hai mai avuto il senso dell'umorismo... Prendi quella scureggia, per esempio. Ne hai fatto una malattia...»

«Di cosa stai parlando?»

«Su, non fare la sceneggiata, sai bene a quale scureggia alludo... Non fare il modesto! C'è una sola grande scureggia passata alla Storia. E tu hai il merito di averla emessa.»

«Sei una merda, Daniel!»

«Pensa che recentemente ho incontrato Diamante e lei mi ha chiesto di te: "Hai più visto il petomane?"... E io mi sono messo a ridere, perché io ho senso dell'umorismo...»

«Che stronzo...»

«E va bene, hai ragione, non era il caso di tirare fuori questa storia. Ma sei tu che hai iniziato, dopo tutto. Sei tu che hai evocato i fantasmi. *Sei tu che hai aperto i cassetti.* Sai, dopo una certa età, è meglio tenerli chiusi, questi cazzo di cassetti! E se vuoi sapere cosa penso, ti dirò che Gaia non aveva il diritto...»

«Non aveva il diritto a cosa? Me lo sai dire? Non aveva il diritto a scopare, a fare i pompini?...»

«Beh, sarebbe stata più carina se li avesse elargiti a un uomo alla volta. In fondo aveva solo quattordici anni.»

«Volevi ammazzare una ragazzina che faceva pompini a quattordici anni? È questo che stai cercando di dirmi? Vuoi dirmi che se avesse aspettato un altro paio d'anni, allora avresti compreso? Vuoi dire che se fosse stata maggiorenne avresti approvato?»

«Ma no, su, messa così non ha senso... Eppoi piantala co' 'sta storia: non volevo ammazzare nessuno!»

«La verità è che certe ragazze precoci bisognerebbe glorificarle. Su, Daniel, mica è un reato fare i pompini a qualcuno. È un piacere farli, e, se ci tieni a saperlo, è ancora più bello riceverli. Mica siamo in Iran. La nostra costituzione consente a chi voglia di elargire o ricevere pompini... E invece tu hai montato tutto quel casino, tirando in ballo cose che non c'entravano niente, sviando la nostra attenzione dai fatti... Hai sempre sviato i nostri sguardi dai fatti. Non eri mica così in gamba come ti sentivi, eri solo un volgare depistatore, ecco cos'eri, se ci tieni a saperlo... Non ho mai capito perché un tipo a posto come Dav ti desse tanto credito. È davvero un mistero! Dovrebbe vederti oggi. Sei una vignetta del perfetto fallito. Tu e i tuoi futuri best-seller! Tu e le tue strainventatissime conferenze harvardiane... Sai che ti dico? Cosco meglio io la Patagonia di quanto tu conosca Harvard...»

«Sei stato in Patagonia?»

Mentre Giorgio si accalora in quella che non so ancora precisamente se collocare nella casella delle allucinazioni etiliche o in quella dei fatti storicamente verificabili, sento montare improvvisamente il buon umore. E allora – penso tra me e me, accendendo il fidatissimo toscanello, sfidando il divieto del locale e l'indignazione degli astanti – se è vero che in quegli anni ho fatto tanto rumore, se è vero che sono stato il Moralizzatore ipocrita, quest'incrocio tra Cromwell, Savonarola e Tartuffe, se ho rotto le palle a tutti in questo modo indegno... sì, se tutto questo è vero e non il frutto di un livido ex amico o d'un mio alcolico miraggio, allora, a dispetto della sensazione di vacuità trascolorante che da trent'anni m'affligge, io sono esistito davvero.

2.

Un po' di pace sulle nuvole

Solo ora, dopo aver lasciato Giorgio simulando indignazione per le sue sferzanti parole (ultima bugia in un peno-
so incontro dedicato alla mistificazione), ora che un taxi
mi ha condotto all'aeroporto di Newark, avendo pervicacemente riflettuto per tutto il tragitto, saturo della monca
Manhattan sbiadente dietro e dentro di me negli specchi
rosa-dorati del tramonto, ora che mi preparo a salire in
aereo per questo viaggio di ritorno a Roma verso le esequie del vecchio Nanni e tante altre cose ancora... Solo a
questo punto, dopo essere stato letteralmente scaraventa-
to nel mio passato, vedo affacciarsi nella sua rivoltante
densità la storia di Gaia, di Nanni, di Dav, di tutti gli altri.
E, mentre consegno il biglietto a una hostess e mi guardo
attorno per sincerarmi che nessuno dei miei compagni di
viaggio abbia il truce aspetto d'un attentatore islamico,
sento il fremente desiderio di riattraversare quella storia:
riappropriarmene per un'ultima volta. Ripartire da zero,
a costo di lavorare tutta la notte, nel mio ambulante empireo sospeso a novemila metri d'altezza sull'oceano
Atlantico verso quella magnifica soleggiata città ove tutto
ebbe inizio.

3.

Inventario delle mie estive svenevolezze

Vorrei poter dire che Gaia non mi piacque all'istante, che la vista di quella ragazzina bionda con la vena diafana sul collo e sui polsi, quel topino in T-shirt a strisce blu e bianche, quella teenager con in testa un foulard di seta verde acqua che la faceva simile a Jacqueline Kennedy o a una Madonna pontormesca, sbarcata al molo di Positano dal ligneo motoscafo Riva un pomeriggio estivo dell'Ottantaquattro, mi lasciò indifferente. Preferirei addirittura buttarla sullo psicologico, celarmi dietro a qualche suggestiva definizione: sostenere che i giorni di vita inconsueta nella villa dei Cittadini, la perdurante, ingiustificata assenza di mia madre, e la presenza insopportabile di Giacomo che proprio in quei giorni aveva inaugurato uno "sciopero del silenzio" contro Nanni e contro i suoi ospiti, avessero fiaccato il mio sistema nervoso al punto da pormi nella prostrata condizione di spirito che antecede ogni miraggio amoroso. Vorrei poter dire che quell'incantesimo, un primo assaggio del mio disastro giovanile, sia scaturito da una debolezza, da un'inesorabile carenza ormonale. O addirittura adottare un registro patetico, asserendo che trovarmi di fronte a una delicata fanciulla che aveva un padre suicida mi sgomentasse al punto da mobilitare in me simultaneamente l'idealismo ebraico e il solidarismo cattolico. Vorrei poter dire che mi invaghii d'un'idea, un'idea che ci sovrastava tutti, una contagiosa utopia collettiva che imponeva alle ragazze di quell'epoca il perseguimento d'una bellezza sfuggente, quasi astratta. Vorrei poter dire che l'impressione ricavata dalla coscienza che lei fosse perfettamente al corrente di chi ero, da dove venivo, delle proporzioni della mia inferiorità rispetto a lei eccitasse il mio organismo in un modo sinistro. Vorrei poter dire che le condizioni storiche, quella sorta di pax augusta instaurata dal presidente Ronald Reagan (siliconato condottiero destinato a vincere la Guerra Fredda) mi avesse reso sentimentale, abbassando le mie difese immunitarie.

Ma non posso fare altro che abbandonarmi alla cruda verità.

Gaia, con il suo sguardo color brezza marina, era uno schianto, e per ragioni diametralmente opposte a quelle che avrei sostenuto negli anni con me stesso e con i miei incantati interlocutori. Non è vero che fu la banalità di privilegiata ad attrarmi (uno snobismo successivamente elaborato). Né che l'aver sperimentato per la prima volta il paradigma masochistico che mi poneva in una posizione di netta sudditanza nei confronti d'una mia coetanea (lei aveva un anno esatto meno di me, ma quale maggior consapevolezza...) mi avesse drammaticamente suggestionato. Perseguirei la falsità dichiarando che lei fosse come tutte le altre, un prodotto del suo ambiente raffinato, con tanto d'arido e ruffiano, uno dei mille cloni di quegli anni, marmorea raffigurazione dell'inconsistenza altoborghese (anzi temo che tali definizioni si attaglino più al sottoscritto in fieri). Con ciò non intendo che quella passione, destinata con gli anni a estenuarsi ben oltre le soglie dell'ossessione, non poggiasse su una valutazione soggettiva, su un mio gusto personalissimo di carni diafane. (È quasi ovvio dirlo: altrimenti tutti si sarebbero innamorati di lei e tutti avrebbero finito per scriverle quell'odiosa lettera...) Vorrei ridimensionare la portata di quel soggettivismo, però. Vorrei chiarire che non mi innamorai di un porcospino né d'una formula matematica e tanto meno d'uno stemma patrizio. Bensì d'una ragazzina all'apice del suo fluorescente splendore, che aveva le carte in regola per far innamorare di sé metà della popolazione adulta di Positano in quel rovente Millenovecentottantaquattro. Ecco cosa sto cercando di dire.

Senza con questo voler negare che io allora mi trovassi nella disposizione giusta per un pieno abbandono. La mela era matura per il raccolto. La sequenza appare perfidamente perfetta, da plot hitchcockiano: prima la vacanza in Inghilterra, che serve a mostrarmi il volto licenzioso dell'altro sesso e quello scabroso della sessualità femminile tout court (impresso nel naso l'afrore esalato dalle dita di mio fratello: quel miasma da mercato palermitano). Poi c'è il lungo (tale mi è parso) viaggio-calvario sulla Porsche di mio padre in un arido pomeriggio di mezza estate nell'alternanza dantesca di perversità ambientali e visioni paradisiache. La casa lussuosa di Nanni, con le sue regole piene di civismo e armonia. L'esposizione ai raggi solari che mi hanno colorito braccia e fronte e caramellato i capelli. Il panorama di ogni mattina a colazione. Il fremito odoroso della moca sul fornello della cucina. Il velo di nutella che spalmo furtivamente sulla lingua per darmi coraggio. Il giallo sgretolato dei muri delimitanti i vicoli che ogni mattina percorriamo, mio padre e io, per andare a comprare i cinque quotidiani, le riviste di auto e la "Settimana Enigmistica". Il profumo delle creme solari. Il bruno della pelle delle mie coetanee autoctone che si rincorrono sull'affusolato lembo di terra sabbiosa che costituisce la spiaggia di Positano. L'inglese biascicato degli americani in ferie. Il fiume variopinto e cosmopolita di uomini dai bianchi capelli e i parei arcobaleno delle loro stagionate signore. I profili di imponenti yacht in rada per giorni di fronte ai miei occhi, ma così irraggiungibili da apparire fantasmatici come navi pirata! Il ricordo di Bepy morto solo un anno fa che sgorga da tè freddi con granita (una versione on the rock della reminiscenza proustiana). Gli ardenti astici del Covo dei Saraceni. Il pergolato di vite sotto al quale la sera ceniamo. Il gusto agro e verdognolo dell'unico sorso di Falanghina concessomi ogni sera. La metodica eco delle onde proveniente dalla caletta privata sotto la mia finestra poco prima di addormentarmi. Date tali premesse, sfido chiunque a non innamorarsi. Possibile che il sinestetico intreccio di queste impressioni abbia alterato il regolare equilibrio del sistema? E allora ecco ogni cosa tendere a un'ineffabile pienezza. Con una sola preoccupazione: per quanto tempo terrò a bada la mia perniciosa vocazione all'infortunio, quella forza indomabile e sanguinaria che mi ha portato sin dai primi anni della vita a rovesciare almeno un paio di volte a pasto la bottiglia dell'acqua sui pantaloni del padrone di casa, o a urtare un oggetto pregiato polverizzandolo? Per quanti giorni terrò a freno la mia natura di gaffeur professionista, se tutto in questa casa sembra alludere a una fragilità metafisica, e se l'eccesso di attenzione ha ridotto i miei movimenti ai brevi scatti sincopati d'un patetico Pinocchio?

Supponiamo che Gerhard Fischer, rubizzo tedesco di mezza età, la fronte protetta da un largo panama color vaniglia – che di mestiere faceva il fotografo per l'oggi defunta rivista inglese "Fashion Press" specializzata in servizi su grandi luoghi di villeggiatura a uso di leziose coppiette angloamericane – si fosse trovato nell'estate dell'Ottantaquattro a dover fare un reportage fotografico su Positano. Supponiamo che il nostro Gerhard fosse uscito in mare con una piccola imbarcazione a nolo alle sei e mezzo di pomeriggio allo scopo di trovarsi a un chilometro dalla costa poco prima delle sette così da poter fotografare Positano e dintorni immersi in un delicato crepuscolo. Supponiamo che per giorni avesse atteso quella luce: quella luce seducente tassativamente vietata all'arte e che solo le cartoline autorizzano: quella luce del tramonto che piace agli americani (così come piaceva ai veneti nel Sedicesimo secolo). Supponiamo che costui si fosse trovato proprio di fronte alla villa di Nanni nel preciso istante in cui mio padre e io parcheggiavamo l'auto e la solita pattuglia di minuti domestici ci veniva incontro per aiutarci a scaricare le valigie e io sentivo mancarmi il fiato come di fronte a qualcosa che m'offendeva personalmente: ecco, sono certo che Gerhard, in tutt'altra condizione emotiva rispetto alla mia, avrebbe iniziato a fotografare rapacemente. Sono certo che non si sarebbe lasciato sfuggire quella casa (anche se, date le dimensioni del complesso, dovrei ricorrere al termine assai ridicolo di "fortezza"), che non avrebbe rinunciato al privilegio d'immortalare quel labirinto di scale, terrazze e strapiombanti costruzioni bianco-arancioni agilmente inerpicate sul costone, dall'ombrosa spiaggia fin quasi alle altezze siderali di Monte Pertuso, immerse nella luce ramata del tardo pomeriggio. Perché, per quanto la cosa potesse apparirti incredibile – fin quasi all'umiliazione –, Nanni possedeva un pezzo di costa in uno dei luoghi più suggestivi del pianeta, esattamente equidistante tra la villa di Zeffirelli e l'Hotel San Pietro. Ecco perché il fotografo tedesco sarebbe rimasto esterrefatto, chiedendosi chi mai avesse potuto meritare di vivere in un simile paradiso verticale.

La zona più interessante della dimora era quella centrale: balconi e pergolati e una panoramica piscina di acqua salata, la cui parete sinistra era rimasta studiatamente grezza. Ogni mattina una pompa succhiava l'acqua dal mare e, dopo averla depurata, la versava nella vasca attraverso un pertugio aperto nella roccia, come una cascata artificiale. L'interno della villa era un succedersi di archi e camini di muratura che esaltavano un restaurato pavimento dei primi del Novecento: sfavillante mosaico di maioliche turchesi con disegni che ricordavano vagamente grottesche rinascimentali. Il mobilio, per lo più coloniale, non di pregio – come Nanni ci spiegò –, era stato assemblato dal vecchio proprietario nel corso d'una vita di viaggi. Ecco perché quell'accozzaglia di bassi tavolini indonesiani, suppellettili aborigene, tappeti berberi, arazzi zebrati e cineserie varie ti faceva sentire immerso nell'anacronistica atmosfera della dimora d'un governatore inglese sulle rive del Gange alla fine del Diciannovesimo se-

colo. Poltrone chesterfield di pelle color panna, poste come sentinelle vicino alle finestre, flirtando con le pareti
bianche dense di luce, spezzavano l'oscurità dell'arredo.
Era una di quelle case-cantiere che i proprietari non finiscono mai di arredare. Non mancavano pezzi pregiati della collezione di Nanni, come lui stesso si affrettò a mostrarci. Avendo solo di recente scoperto l'art déco, nel giro
di poco tempo, e con favolosi esborsi, si era aggiudicato
un vaso di René Buthaud, scatole laccate di Shinobu Tsu-
da, un servizio da tè d'argento di Puiforcat, gingilli che
mandarono in estasi mio padre, che arredavano casual-
mente l'ampio living-room, il cui più prezioso oggetto restava comunque il panorama che si godeva dalla vetrata a
giorno. Era come il ponte più alto e vertiginoso d'un tran-
satlantico. Ed era magnifico sedersi su uno di quei divani
di stoffa pallida e lasciarsi ipnotizzare dalla sterminatezza
del mare.
   Eppure la segreta attrattiva di quella casa da sogno,
che, con il fasto contenuto, gli imprevedibili spiragli e le
improvvise aperture mozzafiato, sembrava fatta apposta
per torturare un ragazzino nato al principio degli anni
Settanta e pasciuto nella convinzione che l'intero mondo
si esaurisse in una gara sfrenata a chi fosse più ricco, non
aveva nessun rapporto con quel succedersi di oggetti pregiati e viste spettacolari... Il capolavoro nascosto e magne-
tico di quella casa, che il nostro Gerhard non avrebbe mai
potuto intuire, era una porta.
   In fondo nient'affatto diversa dalle altre, quella porta,
rigorosamente serrata, sembrava proteggere un segreto
inimmaginabile. La mia mente – forse ancora suggestio-
nata dalle visite ai castelli inglesi – si figurava che la porta
proteggesse una stanza enorme sfarzosa e rinforzata, non
troppo dissimile da quella in cui aveva vissuto Enrico
VIII: la stanza di Gaia.
   Sì, quella porta custodiva un'attesa: e non un'attesa generica, non un'attesa metafisica: non il solito Godot o un
trito *Deserto dei tartari*: parlo d'un'attesa circoscritta e cir-

costanziata che sembrava aver tutti contagiato: l'attesa che Gaia, la cui bellezza sembrava consacrata da questa villa come quella di Afrodite da alcuni templi dell'antichità, si degnasse di tornare dalla sua piccola vacanza caprese. Ora, che esistesse una bimbetta, per di più mia coetanea, capace, con la sua sola assenza e con la promessa d'un imminente ritorno, di mettere in moto il meccanismo di quella dimora, mi sembrava il fenomeno più strano cui mi fossi mai trovato ad assistere.

E come poteva la mia sorpresa non essere acuita dall'incredibile contegno del vecchio?

Era semplicemente fuori di sé. Sembrava il sacerdote officiante un rito pagano. Come se stesse aspettando la visita d'un capo di Stato, non faceva che ammonire i domestici con stucchevoli raccomandazioni: «Consuelo, ricordati che sui fusilli alle zucchine devi mettere tanto basilico e niente parmigiano, come piace a Gaia... Perché non è ancora venuto l'idraulico? Doveva aggiustare l'idromassaggio, altrimenti la mia bambina...».

Sì, questa dea assente, vampira del nostro sangue, cui Nanni sembrava alludere con ogni gesto delle mani e con ogni sintagma emesso dalla bocca, era lo spettrale monarca che incombeva sull'organizzazione domestica da quasi sei giorni. Per Nanni, evidentemente, era più importante fare colpo sulla nipote che su mio padre. Questo per me era assurdo, sacrilego, doloroso, ma soprattutto eccitante. Si aveva l'impressione che l'intero nucleo di quella cittadina di mare fosse stato allertato. E che tutto questo avvenisse per una ragazzina il cui visetto – assai carino, non c'è che dire, ma non esageriamo! – sembrava moltiplicarsi, come in una vaporosa ossessione, in tutte le fotografie disseminate per casa, rendeva la mia attesa ancora più lugubre. E il fatto che quella frenesia di Nanni potesse essere la piccola tessera d'un più ampio mosaico psicologico (all'epoca a me totalmente incomprensibile) che se qualcuno si fosse interessato a ricostruire avrebbe – chissà – mostrato la figura incombente ma, nonostante tutto, nien-

te affatto tragica, del suicida Ricky Cittadini, è un pensiero successivo che nulla toglie e nulla aggiunge al mio
pathos di allora e alla mia angosciosa stupefazione.

Inoltre il mistero di quella porta chiusa richiamava
– per contrasto – l'impudicizia della porta a essa adiacente, quasi sempre aperta. Non chiudere la porta della propria stanza era una delle tante strategie adottate da Giacomo per differenziarsi dalla sorella e per esasperare il
nonno. Il messaggio era esplicito: io non sono un tipo mi
sterioso, io non ho nulla da nascondere, io non aderisco al
grottesco programma autocelebrativo di questa famiglia.
Ecco allora come quel ragazzo esponeva se stesso allo
sguardo strabiliato del prossimo. Non era raro che, passando nei pressi del bagno, lo vedessi pisciare nel lavan-
dino con un'espressione manieratamente estatica. Era addirittura frequente che lui si spogliasse completamente
per sdraiarsi sul letto di fronte alla porta spalancata.
Eppoi c'era quel benedetto "sciopero del silenzio", che
comportava anche altre stranezze intollerabili. Non solo
Giacomo si era imposto di non rivolgere la parola né a
Nanni né a mio padre e tanto meno a me, ma aveva deciso
di disertare anche i raggi solari. Viveva recluso, le persia-
ne abbassate, come desiderasse distinguersi in ogni modo
dalla abbronzata tribù che frequentava la piscina di Nanni. Giacomo parlava solo con i domestici. Questa forma di
vieto pauperismo non mi avrebbe particolarmente sconvolto se una sera non avessi assistito a una scena singola-
rissima. Ero andato in cucina per prendere un bicchiere
per mio padre e rimasi sulla soglia, esterrefatto. Davanti
ai miei occhi c'erano i quattro domestici, per una volta vestiti in borghese, seduti intorno al grande tavolo rettango-
lare imbandito in un modo se possibile ancor più ricercato
di quanto non pretendesse ogni sera Nanni per la sua tavola sotto il pergolato di zagare. Mangiavano silenziosi e
un po' imbarazzati. Finché non vidi, in piedi, con aria im-
pettita e il vassoio in una mano come insegnano alla scuo-

la alberghiera, un cameriere improvvisato vestito d'un rigatino con alamari d'oro e guanti immacolati. Era Giacomo. Sì, Giacomo, che stava servendo la cena ai domestici del nonno. Ebbi la prontezza di sgattaiolare via prima che qualcuno mi vedesse. Ma non riuscii a disintossicarmi da una strana forma di malessere. Mi veniva naturale chiedermi se quella recita si ripetesse tutte le sere, o solo una volta ogni tanto. O se avessi avuto l'onore di assistere a una prima. Eppoi tante altre domande: era lui a costringerli? O erano loro ad averlo plagiato? Nanni sapeva? E se sapeva perché non interveniva con decisione? Perché Nanni, la cui severità sembrava avere qualcosa di emblematico, mostrava tale negligente indulgenza per le stranezze di Giacomo e per l'arroganza dei suoi domestici? Era una strategia educativa o un segno di resa? Forse Nanni non solo sapeva, ma era lui l'ideatore, lo sceneggiatore e il regista di quella pagliacciata? Forse essa rientrava nei suoi famigerati metodi educativi? Cosa provava Nanni per quel ragazzo? Affetto? Vergogna? Pietà? Rabbia?

Cosa penserà Gaia Cittadini di me? (E chissà perché il cognome era indispensabile?)

Questo interrogativo era così conficcato nella mia mente che, talvolta, mi svegliavo nel pieno della notte per guardarmi allo specchio, nel tentativo d'intuire quale potesse essere il preciso effetto che la mia persona – quella screditante pubblicità al popolo ebraico – avrebbe prodotto su di lei.

E allora tornavo a immaginare la porta chiusa a chiave, mi veniva spontaneo alzarmi e improvvisare un furtivo pellegrinaggio di fronte a quel muro del pianto e, infine, tornavo a interrogare le stelle:

Cosa penserà Gaia Cittadini di me?

Questa domanda aveva la stessa disperata intonazione di quella che mi sarei rivolto molti anni dopo sull'effetto che i miei scritti avrebbero potuto produrre su qualche crudele e indifferente editore di massa.

Ma se solo avessi avuto un po' più di lucidità e sangue freddo probabilmente sarei riuscito a formulare entro di me interrogativi assai più stringenti e appropriati, come per esempio: *Cos'avranno provocato tutte queste attenzioni regali nella mente d'una bambina? Quale indelebile segno possono aver impresso sul suo viso o sui suoi comportamenti abituali?* Ma in quello stato di semiprostrazione, acuito da tutto quel clamore abbacinante, non avevo trovato di meglio che rifugiarmi nel solo interrogativo che a quel tempo sapesse angustiarmi:

Cosa penserà Gaia Cittadini di me?

Ecco la madre di tutte le domande: tanto che il successivo quinquennale sodalizio con Gaia, contrassegnato da una serie d'indelebili mortificazioni, si esaurisce in questa domanda (*cosa penserà Gaia Cittadini di me?*), ben più che in tutte le temporanee e volubili risposte che avrei tentato di dare. Non solo: ma se un grammo di quell'ormai estirpato dolore persiste in una regione del mio organismo, sono certo che esso riguarda questo torturante quesito: *cosa penserà Gaia Cittadini di me?* D'altra parte sento oscuramente che se solo avessi cambiato i termini della questione, fin quasi a ribaltarla in: *cosa penso io di Gaia Cittadini?*, ecco, credo che tutto sarebbe stato diverso. Eppure, per quanto possa apparire strano, non una sola volta in quei cinque anni avrei trovato la forza e la dignità di rivolgermi un interrogativo naturale, denotante un certo spirito critico, quale: *cosa penso io di lei?* Di più: temo che se solo avessi avuto la forza di estendere questa domanda a tutto l'ambiente che frequentavo, se solo mi fossi chiesto, tentando di leggermi dentro: *via, Daniel, cosa pensi tu di loro?*, piuttosto che rifugiarmi nel trito e ossessivo adagio: *cosa penseranno loro di me?*, allora forse chissà... D'altronde ciò che distingue l'esemplare esperienza di mio fratello Lorenzo rispetto alla mia così disastrosa può essere il fatto che non solo lui ebbe la forza e l'ironia di chiedersi sin dal principio: *cosa penso io di loro?*, ma addirittura quella di rispondersi nel modo superbamente icastico che gli era proprio: *io penso che loro siano una manica di stronzi paranoici!* Non esiste altra significativa differenza tra me e Lorenzo se non che lui riuscì a stabilire con quel mondo crudele un rapporto sfacciatamente convesso, mentre io mi rinserravo nella mia ottusa concavità. E bastò questo, evidentemente: perché, per il resto, la nostra condizione era pressoché identica: avevamo lo stesso padre e la stessa madre, la stessa cultura, gli stessi soldi a disposizione, la stessa incerta identità religiosa, la stessa capacità introspettiva, la stessa vocazione egotica, gli stessi occhi scuri, la stessa incipiente calvizie, la stessa "esse" difettosa... E allora bisogna concludere che fu solo un difforme atteggiamento mentale a determinare la sua serenità e il mio rumoroso schianto.

Poche settimane fa languivo in soggiorno, abbracciato a un bottiglione di Coca-Cola, con le mani affondate in una vaschetta piena di arachidi. Guardavo la TV, come spesso accade negli ultimi tempi. Appena risorto dal mortificante tedio degli studi mattutini. Da quando ho un posto precario all'università, da quando ho preso coscienza che il mio rapporto con Sharon, la mia ragazza, si è sbrindellato, da quando ho incominciato a ingozzarmi ogni giorno di tanto di quel cibo che mi basterebbe per una settimana, la mia vita ha perso qualsiasi valore e qualsiasi attrattiva, diventando una tana per mille ossessioni e altrettanti vizi. Non ho voglia di studiare, d'incontrare gli altri, di partire, di andare allo stadio, di fare lezione, di visitare musei, di scrivere un rigo su scrittori morti, di tradire Sharon e tanto meno d'immaginare un'alternativa a lei... Guardo la vita correre via sui binari morti di funeste fantasticherie sui miei compagni di scuola. Mi piace vederli morire in strani incidenti: vedo Dav affogare in una piscina piena di Dom Pérignon millesimato. Vedo Diamante Arcieri colpita in fronte da un meteorite di tartufo d'Alba. Vedo Silvia Toffan perdere anche le braccia, mutilate da un enorme tagliacarte di Gucci.

Le sole resistenti passioni, subito dopo la masturbazione [che, d'altronde, ha perso il pioneristico appeal della mia pubertà, per diventare una cara compagna di vita!], sono la Play Station 2 e la TV satellitare. Sì, la mia vera esistenza, ormai, è il brevissimo interludio tra una sega e una massacrante seduta televisiva. Mi piazzo di fronte al teleschermo, da solo: e mentre tutto e tutti lavorano – o perlomeno hanno il decoro di fingere di farlo – intraprendo viaggi attraverso documentari sui vampiri della terra, sofisticatissimo ricotto culinario, coroi di acrobica, capillari esplorazioni della savana o della foresta vergine, lunghe divagazioni sul NASDAQ sull'hi-tech e sul design giapponese.

Ebbene, quel giorno ero sintonizzato su una delle mie emittenti satellitari preferite: Wishline Channel: sì, il pianeta dei desideri irrealizzabili: un canale che trasmette aste di roba per milionari a prezzi inaccessibili: sultaneschi panfili, panoramiche dimore toscane o castelli provenzali, jet supersonici, automobili da collezione... D'un tratto sono letteralmente saltato sulla sedia vedendo apparire in TV, incredibile e impensabile, la villa di Nanni a Positano. D'un tratto sono stato catapultato dall'asetticità d'una telecamera nel pantano confuso del mio passato: mi sono improvvisamente addentrato nella stanza di Gaia [di tale natura è stata la mia violazione!] e in quella di Nanni, persino in quella che mi fu assegnata, proprio mentre la voce del venditore cercava di allettare acquirenti impossibili con espressioni convenzionali:

«La vista strabiliante godibile dal piccolo balcone affacciato sul golfo è un'ottima compagna per chi voglia cenare in compagnia di amici nel più suggestivo scenario della costa amalfitana...» diceva la voce, e io ero esterrefatto.

Se Nanni adorava quella casa, perché voleva sbarazzarsene? Cosa pensava Gaia di tutto questo? E io come dovevo prenderla?...

Non occorre una laurea in Psicologia per capire che si trattava delle solite domande, incapaci ormai di scaldarmi il cuore. Ero dentro a quelle immagini, un po' irritato dalla frigidezza delle descrizioni, un po' deluso dall'incapacità degli ambienti di reggere il confronto con lo sfolgorio del ricordo. La villa di Positano sembrava un luogo morto, un luogo ove era impossibile vivere o aver vissuto, un luogo che doveva essere stato abitato un centinaio d'anni prima da uomini imparruccati, da zombie, un luogo che emanava un odore di polvere e umidità. Anzi no: somigliava al set d'una soap opera: una casa improbabile abitata da creature improbabili: un deludente apocrifo. Non certo lo spazio concreto quale mi sembrava di ricordarlo e quale allora m'apparve.

Ma fu un'ombra lievemente ridondante a ravvivarlo, annientando la prima impressione.

Perché, subito dopo aver infilato una cassetta nel videoregistratore e spinto il tasto REC per registrare il servizio da mostrare a mio padre, vidi sullo schermo un'immagine riflessa da una delle grandi finestre del living-room: una figura di donna. Lasciai che il servizio terminasse mentre entro di me montava una strana angoscia che non aveva niente a che fare con le morse soffocanti di un tempo: era una vertigine, come se il mondo avesse inaspettatamente smesso di girare. Come se la mia vita si fosse raggomitolata nell'angusto cantuccio d'un istante. E poi adagio, con le mani che quasi non rispondevano agli impulsi, peraltro confusi, del cervello, riavvolsi il nastro fino al punto incriminato nella speranza di bloccare quell'ombra con il fermaimmagine.

Gaia!

Non c'erano dubbi. Almeno mi parve. Una Gaia trentenne. Quindi una Gaia priva di senso. Ero quasi furente per non essere riuscito a vedere e registrare l'intero programma. Forse nella prima parte della trasmissione l'avevano inquadrata così come gli anni l'avevano ridotta. Ma perché ci tenevo così tanto? Curiosità, certamente. Ma anche una forma sottile di feticismo. Con quel pizzico di cupio dissolvi cui ogni feticismo s'accompagna.

Stavo soffrendo?

214

Me lo chiesi con lo stesso distacco con cui m'ero rivolto le precedenti domande. No, non stavo soffrendo. Non c'era nulla di travolgente, nulla che alimentasse nostalgie in quell'immagine rubata. Ero nauseato, semmai: un sapore acre in bocca, tanto che non trovai di meglio che attaccarmi alla bottiglia di Coca e immergere le mani nella vaschetta di arachidi quasi a raschiarne il fondo.

Ma se non soffrivo, se non ero atterrito, se non stavo sull'orlo d'un collasso emotivo, se davvero me ne infischiavo, se quella calma ostentata a me stesso non era l'ennesima dimostrazione della mia trentennale malafede – come non stancavo di ripetermi –, perché avevo il viso appiccicato alla televisione? Perché con quella foga da cane randagio che raspa nella spazzatura tentavo di carpire, nel pallido riflesso sulla finestra che il ferma-immagine rendeva ancor più vacuo, la prova inoppugnabile del presunto disfacimento fisico di Gaia?

Forse avevo bisogno della mia congrua razione di attesa. La dose giusta. Niente d'esagerato. Forse ciò che distingueva la casa di allora da quella di oggi era semplicemente l'attesa: togli a una cosa l'attesa e perderai il suo solo tesoro. Nulla ha valore senza attesa. L'attesa è Dio. Non esiste altro Dio al di là dell'attesa. L'attesa spiega tutto: perché andiamo avanti. Perché non anneghiamo. Perché ci lasciamo sedurre da ciò che di per sé non è seducente. L'attesa è l'unica passione della mia vita.

Non so altro. Non c'è altro da sapere. E ora, finita la lezioncina, riprendo da dove ho lasciato. La vedete Gaia che scende sul molo con la grazia e la solennità di Jacqueline Kennedy e d'una Madonna pontormesca? Ebbene, aspettatevi da lei – e dal suo incauto adoratore – qualsiasi cosa.)

Solo in presenza di Dav avevo avvertito un disagio fisico vagamente raffrontabile a quel senso d'opprimente pesantezza da cui mi sentii investito vedendo quella marinaretta che sbarcava dal suo motoscafo. Era bastato un istante perché mi sentissi affetto dalla così detta "sindrome dello struzzo": quel difettoso meccanismo che illude il Soggetto che distogliere lo sguardo dall'Oggetto equivalga a scomparire. E sebbene avessi scelto di non guardare, di sottrarmi a quella visione strabiliante, stavo per esplodere, saturo dell'immagine che già mi scorreva nelle arterie. Come un'azzurra pennellata alle grigie pareti della mia vita. Come una squillante secchiata d'acqua gelida dopo un sonno durato per anni. Ma allo stesso tempo era come se quel vago sentimento d'inadeguatezza avvertito durante i sei giorni trascorsi in casa di Nanni avesse trovato il suo ineluttabile sbocco in quella chiazza di cobalto. Come se avessi inalato un balsamo della conoscenza: solo ora vedevo come la mia vita sin qui si fosse privata di una cosa fondamentale: da domani le cose sarebbero andate in modo differente, tutto quello che mi aveva interessato avrebbe smesso d'interessarmi, così come avrei dovuto riconsiderare tutto quel che mi riguardava.

Che senso ha vedersi dall'alto?, mi sarei chiesto molti anni dopo. Da lontano? E allo stesso tempo da vicinissimo? Perché vedevo ogni brufolo, ogni punto nero, ogni piccola imperfezione del mio naso? Perché il mio naso occupava d'improvviso ogni pensiero presente o possibile? Perché il mio naso riempiva l'orizzonte come uno scoglio gigantesco? Perché la dentatura premeva sulle labbra come a mostrarsi in tutta la sua maldestra imperfezione? Perché un solo molare sembrava grande e pesante come un faraglione?

«Ti presento *Daniel*, il figlio di Luca, nipote di Bepy» disse Nanni a Gaia, perentoriamente biblico, come se stesse leggendo una sentenza di condanna a morte. E mai il mio nome (Daniel) mi sembrò indicare un così insulsamente concreto referente.

«CIAO, DANIEL» disse lei quasi a riabilitarlo...

... Fu allora che sentii che la faccenda era conclusa: fu allora che percepii il mio futuro in una strana retrospettiva alla fine della quale non c'era altro che Gaia: fu allora che compresi (con una nitidezza che forse oggi tendo a trasfigurare) non solo che non mi sarei più liberato, ma che

216

quella forma sorpassata di libertà non mi avrebbe più interessato. Che esisteva una stretta correlazione semantica tra la libertà e la morte. Fu allora che presentii in modo inquietante che l'esistenza di quella ragazza mi disonorava e che il solo modo per uscire dalla mia condizione di annichilente inferiorità fosse di ammazzarla con le mie mani.

Ecco perché il resoconto delle due successive settimane di permanenza a Positano sembra pleonastico e irrilevante. Non ho voglia neppure di narrarlo. Bastano queste parole di Gaia, pronunciate (chissà perché) con un vago accento meridionale (appreso, forse, dalle sue altolocate frequentazioni capresi e filtrato dal diaframma del mio nervosismo), per comprendere l'entità di quel terremoto interiore. Capite dov'è la novità e dove il talento? Non disse un "ciao" sgarbato o indifferente. Non mi salutò come si saluta uno che non ha importanza. Mi chiamò per nome. Si sottrasse allo stereotipo che aveva portato la maggior parte delle belle ragazzine fino a quel momento incontrate non solo a svalutare con insolenza l'importanza del mio nome, ma ad affrontare la questione della mia esistenza storica con tono liquidatorio, sottovalutando la mia suscettibilità. Disse: «Ciao, Daniel» come a decostruire il giudizio che mi ero fatto di lei durante quella breve settimana di passione. Disse: «Ciao, Daniel». Testuale. Non disse: "Ciao, Alessandro", "Ciao, Fabrizio"... No, disse: "Ciao, Daniel", e di questo non smetto di ringraziarla dopo tanto tempo, pur ammettendo che quel promettente inizio fu solo una falsa partenza. Senza, tuttavia, tacere che quel "Ciao, Daniel" pronunciato con naturalezza, che in un solo istante polverizzò tutti i miei ricordi d'infanzia – finanche i recenti ed elettrizzanti della vacanza inglese, della tedeschina simile a Eva Braun così come dell'afrore d'ammoniaca impresso sulle dita di mio fratello –, fu la causa di tutto il resto.

Mi sia concessa un'ultima meschinissima chiosa, prima di passare ad altro.

Avere coscienza del proprio privilegio. Ecco l'indelebile

lezione appresa in quel soggiorno memorabile. Fino a quattordici anni, fino a quella strana vacanza che mi precipitò, con un ragguardevole salto temporale, dallo snello lassismo del Ventesimo secolo alla rigida etichetta del Diciannovesimo, mi era sembrato di avere piena coscienza del mio privilegio... Fino a quattordici anni, prima che la villa positanese di Nanni mi aprisse i battenti in tutto il suo rosato eclettico fulgore, ero stato abituato a considerarmi un ragazzo privilegiato. Non ero stato ancora sottoposto alla sovrumana legge della relatività che rende tutte le nostre convinzioni sul mondo inesauste e precarie. Fin lì avevo frequentato solo famiglie e persone del mio livello o d'un ceto più basso. Avevo sempre creduto che la consuetudine di mio padre di cambiare una Mercedes per una Porsche quasi ogni sei mesi o le nostre lunghe villeggiature all'estero o la coppia di domestici fissi o il nostro appartamento pieno di tappeti e di quadri, e la serena abitudine di toglierci ogni tecnologico sfizio testimoniasse un benessere che se non poteva dirsi ricchezza la lambiva pericolosamente.

Non c'è da stupirsi. Queste considerazioni vengono fatte dai ragazzini di quell'età molto più di quanto si creda, molto più che dagli adulti, specialmente in certi ambienti. Se poi si aggiunge a questo snobismo familiare la congenita tendenza a ingigantire ogni cosa esaltato dall'età infantile e da un precoce talento per la comparazione è facile comprendere il mio dolore, un dolore più cocente e invasivo dell'amore che stava sorgendo. La verità è questa: il raffronto sociale occupava il mio immaginario – e quello dei miei compagni – molto più allora – quando non aveva alcun senso – che oggi, quando forse dovrei affliggermene. E allora non restava – a me e a tutti gli altri – che mentire impunemente sfidando ridicolezza e inverosimiglianza. Era questione di sopravvivenza: mentire sulla consistenza patrimoniale e il conto in banca dei tuoi, su prestazioni sportive, sul parco macchine, sui costosi viaggi intrapresi per il mondo, su ragazze avute e verginità

compromesse, sulla lunghezza del pene e prestazioni erotiche... Per Dio, bluffare su queste cose era il solo modo
per respirare. Chi di noi non annoverava tra i propri familiari un eccentrico zio collezionista di Rolls-Royce? Chi di
noi resisteva alla tentazione di rivelare che il nonno era
prefetto d'una sezione del Rotary Club, se non addirittura
presidente? Perché privare i propri compagni della visione del proprio passaporto affinché potessero compiacersi
dei timbri che attestavano i plurimi viaggi esotici? Chi di
noi non desiderava uniformare la propria vita di modesto
borghese ai sacri vincoli delle pubblicità di liquori e orologi di marca così condizionanti? Quale altra risorsa disponibile per difendersi dalla pressione di quell'ambiente
ipereccitato se non quella d'inventare luoghi, situazioni,
persone mai esistite?

La cosa folle, solo oggi comprensibile, è che quasi tutti
mentivano. Nessuno – a parte il privilegiato o il buddista
inconsapevole che vedeva coincidere aspirazioni e realtà –
si sottraeva all'incantesimo. Unico scudo per schermirsi
dalle aggressioni dei successi altrui. Si era a tal punto spe-
culato sulla menzogna che ormai era come trovarsi in una
sorta di Borsa del prestigio sociale in cui i titoli d'ognuno
fossero stati goffamente sopravvalutati da un branco di
patetici broker. E ora, per me, era come se quel mercato
azionario delle bugie fosse sotto l'incombente minaccia di
un crack epocale. Molto più tardi mi sarei chiesto – con
una dose di moralismo e saggezza retrospettivi, senza peraltro ottenere adeguata risposta – se, smantellando quel-
l'apparato di contraffazioni, la vita avrebbe avuto un sapore diverso. Ma forse è una domanda stupida e insensata.
Sarebbe come chiedersi che cosa cambierebbe nella nostra
vita se ci liberassimo dall'incombenza quotidiana di mangiare e di bere.

Fu proprio l'incontro con i Cittadini di poco successivo
a quello con i Ruben che mi introdusse a questo diverso
modo di concepire la mia esistenza, facendomi sentire per
la prima volta quello che presumibilmente molti miei ami-

ci meno ricchi avevano avvertito al mio cospetto: un senso d'inadeguatezza, una specie di fiato corto. Il dramma d'un corridore che ce la mette tutta e viene superato con apparente lievità da un altro concorrente con le ali ai piedi. L'incontro con i Cittadini e con i Ruben mi mostrò una ricchezza che mortificava in modo imprevedibile il mio amor proprio: che non aveva nulla a che fare con il benessere che la mia famiglia mi garantiva: una ricchezza che incideva in modo significativo – nel bene e nel male – sulle persone che ne potevano disporre. Basti pensare alle nevrastenie di Karen Ruben o a quelle fatali di Ricky Cittadini e di suo figlio Giacomo. Perfino il suicidio del primo e le idiosincrasie del secondo avevano qualcosa di così chic. Bastava questo, ai miei occhi, a cancellare i privilegi di cui avevo sempre goduto. D'ora innanzi, la casa dove avevo sempre vissuto, dove ero nato e che non avevo smesso un solo istante di ritenere splendida mi sarebbe parsa una patetica stamberga. E tuttavia sbagliavo nel ritenere che ciò che a me appariva un traguardo definitivo per i Ruben o per i Cittadini fosse fonte di gioia e soddisfazione. Non c'era limite alle ricchezze desiderabili. Sarebbe sempre esistito qualcuno contro cui rivolgere l'aculeo infuocato dell'umana invidia. Nanni Cittadini non era l'uomo più ricco del mondo. E neppure Amos Ruben. E allora perché non era lecito pensare che entrambi traessero da tale penosa constatazione un motivo di legittimo avvilimento?

4.
Cinque anni in miniatura

Pur avendo amato Gaia con solipsistica determinazione per un lustro intero, godendo anche del lusso di imprevisti piaceri (in fondo non meno egocentrici dei dolori), non posso dire che il tempo mi avesse insegnato a conoscerla. Anzi, sembra quasi che il tempo avesse reso più complicati l'equivoco sulla sua personalità e l'enigma della sua vita. Il solo corteggiamento di cui mi fossi sentito all'altezza era stato quello da me subdolamente intrapreso nei confronti di Giacomo, suo fratello: corteggiamento che può essere annoverato tra quelle manovre diversive che preludono alla battaglia campale.

Per il resto avevo letto alcuni libri (meno di quanti avrei dichiarato negli anni a venire), ascoltato un numero ragguardevolissimo di dischi brutti ma commoventi, abusato senza alcuna continenza di me stesso, visitato a più riprese gli Stati Uniti, ero tornato in Israele con Dav: mi ero spinto persino in Australia e in Nuova Zelanda con i miei genitori e con mio fratello. Per il resto avevo avuto agio di approfondire la mia ipocondria, di serbare inflessibilmente intatta la mia verginità e di preparare, con autentica pedanteria, il mio stesso ostracismo.

5.

Mondanità prima del disastro

Le cose andarono pressappoco così.

Fin dall'inverno dell'Ottantasei non mi ero perso una sola festa dei diciott'anni degli amici e conoscenti più in vista. Una trentina di ricevimenti in tutto, così incredibilmente simili tra loro in ogni sfumatura (un po' come sarebbe avvenuto in seguito per i rinfreschi nuziali pieni di pinguini e di papere) che avevo l'impressione di essere andato a un unico, interminabile party di compleanno, indossando smoking al ritmo d'un piccolo Grande Gatsby, bevendo più sangria di Hemingway e masticando aspirine con la disinvoltura di certi neuropatici anni Sessanta. Diciamo che appartenevo alla prima generazione di adolescenti che avesse la possibilità di vivere la libertà – conquistata dai nostri scalmanati predecessori – senza troppi drammi o vitalismi, in preda, semmai, a un egro disimpegno.

Una cosa è certa: Azzurra Paciotti, Silvestro Pallavicini, Giando Raspelli, David Ruben, molti altri ancora non avevano avuto il coraggio, o l'interesse forse, di imprimere alla propria festa dei diciott'anni il marchio dell'originalità. Come se avessero pedissequamente seguito un format composto di alcuni melensi capisaldi: gli inviti stampati da Pineider, l'affitto d'un locale alla moda (Jackie O', Open Gate, Cabala, Gilda...) o lo sfruttamento del proprio gelido casale di campagna (Cortona, Montepulciano...) o della villa al mare (Fregene, Capalbio, Porto Rotondo...), l'abito lungo per le fanciulle e la cravatta nera per i ragazzi, il catering affidato a Ruschena, il valzer di Strauss a mezzanotte con il festeggiato o la festeggiata impegnati in un ballo col genitore dell'altro sesso, eppoi la musica assordante alle cinque del mattino, e il divieto dei superalcolici quasi sempre violato, con qualche verginità delicatamente o disperatamente compromessa. Per queste irrinunciabili kermesse marchiate a fuoco dalle stigmate del provincialismo romano venivano investiti a cuor leggero decine di milioni. E la cosa migliore che il celebrato potesse aspettarsi dalla celebrazione era di finire con gli abiti indosso gettato in una piscina nel cuor della notte, completamente sbronzo nonché traversato da un ardente desiderio di suicidarsi. Solo grazie alla mia pubblicizzatissima nevrosi e alla mia aura tardoromantica riuscii a impedire a mia madre di organizzare per me una tale dispendiosa sconcezza. Ed è a tutt'oggi uno dei pochi eventi-non-vissuti per cui io non serbi rimpianti, ma solo un perdurante sollievo.

Questa è la storia della festa di Gaia, passata agli annali – con il mio determinante contributo – come la più disastrosa e indimenticabile. Questa è la storia della mia fine. Della mia fallita rivoluzione. Delle mie dimissioni da figlio di papà. Questa è la storia del secondo ebreo giustamente crocifisso da un'oligarchia di romani. Questa è la storia della mia crocifissione, dopo la quale non sarei mai potuto risorgere. Questa è la storia della mia cacciata dall'Eden: la storia che sin dal principio io m'ero proposto di raccontare, prima di perdermi in un labirinto d'inutili dietrologie.

La strana e confortevole esistenza condotta all'interno di quell'istituto snob in cui si veniva promossi per forza d'inerzia e nel quale avevo più o meno quietamente vivacchiato per tredici anni volgeva al termine. Quell'ultimo anno fu, per lo più, dominato da una gamma composita di sgradevoli impressioni che erano confluite nel panico generato da un'angosciosa seppur interlocutoria constatazione.

223

Gaia diciottenne? La mia bambina maggiorenne?
Uno scherzo di pessimo gusto. Assurdità decisamente inammissibile. I diciottenni sono liberi, emancipati, adulti. I diciottenni del Millenovecentottantanove poi, a dispetto di quelli d'appena un secolo prima, rientrano a casa quando vogliono. Sbevazzano e fumano fino all'ebbrezza. I diciottenni hanno l'automobile. Per non parlare dell'incontrollabile attitudine alla promiscuità e alla fornicazione.

È fatale: l'amore è annoverabile tra quelle esperienze emotivamente estreme che ci rendono puritani e reazionari!

Ecco perché la maggiore età di Gaia mi sembrava una conquista intollerabile. Oltretutto con la fine della scuola avrei sofferto il drastico diradarsi dei nostri incontri, perdendo via via la mia capacità di tenerla d'occhio, di procrastinare la sua illegittima emancipazione. Allo stesso tempo però non potevo non essere contagiato dal suo entusiasmo. Come non contentarla quando mi chiedeva d'accompagnarla a ordinare i biglietti d'invito o la torta? Quando esigeva il mio aiuto per l'addobbo, l'orchestra, l'illuminazione...? Come non spalleggiarla quando mostrava tutta la sua indignazione di fronte alla prova dell'abito le cui spalline erano evidentemente troppo gonfie? O quando mi raccontava che avevano sbagliato le cifre sui tovaglioli bianchi di fiandra con la stessa partecipata indignazione con cui una suora missionaria avrebbe potuto narrarmi un genocidio di bambini africani? Ebbene sì, ero il suo consigliere. O per meglio dire, una bifida dama di compagnia. Un pederasta innamorato d'una fanciulla. Un tipo a metà strada tra l'orrido Iago e il patetico Polonio.

Come ci si riduce così? A tutt'oggi è un mistero inesplicabile.

Come si diventa anzitempo una vecchia zitella? Come può un ragazzo brillante mutarsi in ameba asessuata? Annullare con la sola volontà tutta la forza, tutto l'impatto del suo giovanile vigore? Disinnescare la propria ambizione virile? Disintegrare la carica erotica? Come è riuscito ad abolirla? Possibile che allora non te ne rendessi conto? Che come certi neuropatici irrecuperabili fossi talmente sprofondato nella tua ossessione, nel ruolo autoattribuito di Sovrintendente Alle Castità Di Gaia Nonché Guardiano Dei Suoi Santi Orifizi, da giocarti tutte le chance e tutte le cartucce disponibili per la tua felicità? Che fossi così cieco da credere non esistessero alternative a quella vita di sospiri e di meschinerie? Talmente fesso da non capire che un segaiolo della tua stoffa non era nato per fare l'anacoreta? Possibile che non comprendessi la palese discrasia tra la tua aspirazione all'astinenza (la tua come quella da te arbitrariamente attribuita a Gaia) e la rabbiosa, inesausta ricerca di indumenti femminili su cui masturbarti? Così rinunciatario da accontentarti di una situazione nella quale Gaia ti offriva solo le briciole delle sue innumerevoli attrattive?

Eri il suo migliore amico, c'eri riuscito, tutti lo sapevano, avevi usato subdolamente l'assistenza gratuita offerta a quel pazzo furioso di suo fratello pur di accaparrarti la fiducia di lei. Ma come potevi ignorare che tale fiducia fosse la cosa meno avvincente che avrebbe potuto donarti? Che forse avresti avuto più speranze con lei se ti avesse francamente detestato? Come potevi ignorare che l'assistentato sociale non era certo la professione più popolare in quella cazzo di scuola, quella palestra per maggiorate fisiche e minorate mentali?

No, tutto questo allora mi era incomprensibile, tanto quanto oggi mi è nitidamente intelligibile. Non c'è altro da dire: a quattordici anni in quella strana vacanza a Positano avevo deciso di tumulare la mia virilità, rinunciando alla grinta, alla verve reclamate dalla mia età per votarmi totalmente a una causa folle. Sì, folle, se non altro perché non dava speranza, non prometteva premi. Era folle e inutile come il suo promotore. Avevo commesso l'errore più grave che un ragazzo possa commettere: non tanto quello di non credere in se stesso (capita alla maggior parte degli adolescenti), ma di conferire a quella sfiducia un crisma d'inalterabilità metafisica. Non avevo voluto crederci. Avevo peccato di cinismo, assorbendo il messaggio implicito di quell'ambiente: l'invito subdolo e reazionario all'immutabilità.

Eppure vorrei salvare un solo giorno dal mare di quei cinque anni. Per essere più precisi, vorrei salvare un pomeriggio di dicembre del Millenovecentottantasei (un paio d'anni prima della festa di Gaia che sto per narrare) in cui le tiepide rarefazioni del mio appartamento vengono spezzate da uno squillo telefonico:

«Dani, sei tu?»

«Gaia!»

«Precisamente.»

«Dimmi.»

«Hai da fare oggi pomeriggio?»

«Beh...»

«Che ne dici di accompagnarmi a fare shopping?»

«Ma...»

«Se non ti va, non importa...»

«Ma sì, dai...»

«Splendido, ti passo a prendere tra dieci minuti.»

Eppoi eccomi qua – sono proprio io, sebbene stenti ancora a crederlo! –, infreddolito, con le gambe larghe, in sella al motorino di Gaia: le sto dietro e lei ha il piumino rosso e un cardigan di cachemire azzurro e guanti di lana con disegni di orsacchiotti: il suo alcolico odore di Neutro Roberts è acuminato da una punta lieve di sudore. Sguscia in mezzo al traffico incurante di me. Forse non sente le mie proteste a causa del paraorecchi di peluche. O forse, come al solito, se ne infischia. Scivoliamo sinuosamente lungo il Muro Torto distribuendo sgarbi ad automobilisti esasperati dalla vita e dal Natale alle porte, e coroniamo il nostro criminoso percorso con una conversione a U all'altezza di piazza del Popolo e uno slalom tra paletti umani su un falsopiano tassativamente pedonale. E ora siamo a via del Babuino, seriamente intenzionati a raggiungere via Condotti prima che si riempia di stranieri. Sono ancora le quattro, c'è un freddo secco dal quale è facile e bello proteggersi. Un languore postprandiale paralizza i cervelli in quella luce adamantina. Tutto è benedetto dalla penombra di porcellana della sera che va spargendosi sugli intonaci.

Gaia e io ora parliamo fitto.

Di cosa parliamo?

Di niente. Di quanto sia indispensabile il niente. Di quanto il niente è istruttivo. Di come niente ti faccia più felice del niente. Lei spende quattrini con una disinvoltura spaventosa. È la gioia d'increduli commercianti e di commessi nevrotici. L'unità di misura dei suoi acquisti è la dozzina. *Che ne dici di questo? Sai per chi? Per zia Edna... Questo per Dada, la farà morire... Questo qui per la mia tata...* Le buste si moltiplicano a tempo con il vorticoso scialo di sillabe. Tale incontinenza verbo-consumistica non sembra avere alcun rapporto di parentela con l'endemica parsimonia di Nanni, né tanto meno con l'incurante prodigalità di nonna Sofia. Tale sfrenatezza è violenta, a tratti persino tracotante, e tuttavia così irresistibile per me – io, il groopie personale di Gaia: il suo occhialuto adoratore che non la scoperà mai.

Ma ciò che più mi sorprende – e non so se lei lo elargisca consapevolmente o per il puro istinto di piacere a chiunque – è il suo odierno contegno nei miei riguardi. Ho l'impressione che si finga la mia ragazza. Che mi conceda l'inimmaginabile. Oggi è il mio giorno fortunato, il cui ricordo servirà a esasperarmi nella lunga sequela di giorni sfigati. Lei mi sorride, si fa smorfiosa per me, mi chiede consiglio, mi strattona, mi apostrofa con buffi nomignoli, mi tratta come se al mondo esistesse solo Daniel Sonnino, mi ha inserito nella lista di regali da fare e da ricevere, e soprattutto per una volta ha il delicato buongusto di non chiedermi nulla su Dav... Vorrei parlare, replicare, dire la mia, ma non mi ascolta. Percepisco, piuttosto, il tintinnio del suo spirito che si spande sulla scalinata di piazza di Spagna punteggiata dal rosso e dal bianco dei ciclamini.

Gaia è, anzitutto, la mia epoca.

Via Condotti alle sei e mezzo d'un giorno di dicembre del Millenovecentottantasei è imparagonabile a qualsiasi altra via io abbia mai visto. Probabilmente per avere degli uguali bisogna pensare alla Prospettiva Nevskij ai tempi di Gogol', o a Washington Square placidamente battuta dai tacchi di Henry James o a quella Madison Avenue in cui vissero e soffrirono i personaggi di Edith Wharton. Un fiammeggiare di luci scarlatte, un luccicore di tappeti rossi e di rubini sulle vetrine color amaranto, un profumo abbrustolito di castagne, una glassata canzoncina di Bing Crosby diffusa con discrezione su un pezzo di città in festa.

D'un tratto vengo scosso da un inequivocabile gorgheggio del suo stomaco che ricorda il suono attutito del temporale in certi film gotici.

«Ops, che pancia svergognata!», e sorride. «Che ne dici di una torta da Babington's? Sono esausta!»

Ora, lo vedete questo docile e romantico Shylock entrare al fianco di quell'amore di ragazza in una tea-room di piazza di Spagna piena di mogano e paglia e sedersi contegnosamente su una minuscola sedia, accavallare le gambe, prendere il menù con l'affettata disinvoltura d'un cinquantenne, dissimulare l'orrore per i prezzi astronomici, trattenere l'emozione nel vedere la ragazza della sua vita snodare la sciarpa sfilare la giacca e posare i guanti in un angolo con la fluidità d'un unico gesto, eppoi sollevare il dito per chiamare una vecchia megera pseudobritannica e ordinarle un tè al bergamotto e due muffin con burro e marmellata di arancia?

È bene che lo vediate. Perché è esattamente quello che accade.

È dal principio di questa cronaca che sto cercando l'istante propizio per concedermi un piacere che dovrei interdirmi: descrivere Gaia. Forse è giunto il momento, ora che lei non mi guarda, ora che ha il viso affondato nel menù, ora che sembra un po' stanca immersa in quel presepe di buste e di acquisti, ora che non temo nulla, ora che potrei fare quello che in analoghe circostanze il novanta percento dei miei amici farebbe: baciarla confessandole all'orecchio un segreto che sembra enorme ma che in fondo non è un gran che... proprio ora mi permetto il più inebriante e démodé tra i privilegi letterari: l'ecfrasi della donna amata.

Gaia è una Britney Spears ante litteram, qualche centimetro più bassa rispetto a quel modello venturo. Gaia è esasperata da un paio di chili di adipe (che lei ritiene inutili e dannosi) di cui vorrebbe sbarazzarsi, smarrendosi in sveviane promesse di redenzione dietetica e sottoponendosi a inimmaginabili razioni di massaggi. Gaia mangia con un piacere inaudito ma con lentezza da esteta. Il lieve accenno di doppio mento è il motivo per cui amo Gaia. Gaia è piccolina e ben proporzionata. Il biondo ungherese dei capelli di Gaia è ereditario e il suo naso è quello di Brigitte Bardot. Gaia non indossa quasi mai la gonna. Tutti pensano che Gaia sia splendida nonostante i suoi denti un po' in avanti. Nessuno capisce che Gaia deve il suo splendore alla dentatura irregolare e soprattutto a quella piccola imperfezione dell'incisivo, quella macchia impercettibile che, se solo ne avessi la possibilità, prenderei ininterrottamente a leccare, per giorni, settimane. Gaia ha l'alito che sa di albicocca e la pelle che odora di cachemire. Gaia ha una voce che fa pensare alla saliva delle undicenni. Gaia ama gli accessori da uomo: orologi grandi, Clark's, cardigan, camicie oversize a scacchi da boscaiolo canadese rigorosamente portate fuori dai pantaloni. Gaia, quando alle numerose feste a cui partecipa indossa un abito da sera e si trucca copiosamente, non assomiglia più a Gaia. Gaia sta benissimo vestita da equitazione. In quelle occasioni esibisce l'androgina leggiadria d'un ussaro.

Ora, sfinito dalla stanchezza, mi tolgo gli occhiali e con un gesto che mi è consueto sfioro le palpebre coi polpastrelli come se volessi carezzare gli occhi per il magnifico servizio prestatomi nell'ultimo paio d'ore.

«Sai, Dani, che hai degli occhi bellissimi? È strano che

con gli occhiali non si notino... Eppure le lenti te l'ingrandiscono...»

Taccio in estasi.

«Dico davvero... Hai mai pensato di mettere le lenti a contatto? Sai, *così non sei affatto male*...»

Basta avere una pratica modestissima di Gaia per sapere che queste parole non contano: in esse non c'è neppure un'ombra di concupiscenza (a meno che per concupiscenza non s'intenda il desiderio di essere unanimemente amati). Con ciò non voglio dire che se provassi a baciarla lei sicuramente si ritrarrebbe. Potrebbe persino cedere sull'onda di tale complicità emotiva, per questo caldo morboso e avvolgente. O perché fuori – al di là dei vetri smerigliati – ormai fa freddo. Certo che potrebbe cedere. Per spiegarmi subito dopo che forse c'è stato un equivoco, che lei è impegnata, ma che se non fosse impegnata chissà... Che lei comunque è lusingata. Che lei non avrebbe mai creduto che io... Che certo è già nata la ragazza giusta per me e bla, bla, bla... D'altronde i complimenti sono il contrario dei consigli: solitamente (e tanto più in un rapporto segnato da un siderale squilibrio) contano assai per chi li riceve e quasi niente per chi li elargisce. Sono il nipote di Bepy, conosco certe dinamiche. Pur avendo sempre deplorato la retorica dell'"esperienza" come vaccino contro il dolore, devo ammettere che se allora avessi avuto un po' più di esperienza, pur non potendo annullare in me l'effetto di quelle parole che sembravano degnamente conchiudere un pomeriggio fiabesco, certo avrei provato a ridimensionarle, riportandole al livello del vaniloquio con cui le belle donne apostrofano il mondo e abbindolano gli adoratori. Non che sperassi qualcosa. Non ero nelle condizioni di sperare alcunché. Ero francamente un adolescente disperato. Però avevo voglia di credere a quelle parole. Sì, anche la mia voglia era disperata. Avevo la disperata voglia di credere alla sincerità delle sue parole. Avevo l'esigenza d'illudermi che se lei non fosse stata impegnata io sarei stato una possibile alternativa. Che il suo orizzonte emotivo poteva contemplare anche un maschio come me. Sì, un maschio che aveva bisogno di alcuni ritocchi: togliere gli occhiali, mettere le lenti a contatto, ingrossare i bicipiti, ingentilire alcune linee spezzate eccetera, ma comunque un maschio da prendere in seria considerazione. Non si può dire d'altronde che tale illusione smontasse radicalmente l'idea che mi ero fatto di Gaia sin dal principio, e cioè che lei dividesse il mondo tra due generi di persone: quelle *desiderabili* e tutte le *altre*: e che se non appartenevi al primo gruppo tanto sarebbe valso che tu non fossi esistito, anche perché non avresti avuto alcuno strumento psicologico e fisiologico per mutare quella condizione. Gaia era come il Dio calvinista che dà la Grazia o la toglie a seconda del suo insindacabile Volere. Ebbene, per quanto possa sembrare un'aporia, in quel momento riuscivo ad armonizzare l'idea che Gaia mi prendesse in considerazione come maschio della sua specie con l'idea che lei non mi avrebbe mai preso in considerazione come maschio della sua specie. Stavo lì vicino a lei, forse come mai prima d'allora: ansimante e tormentato come un'astrusa formula chimica, sentivo che – sebbene Gaia racchiudesse la ricompensa per ogni desiderio possibile, al punto che il mio nome non aveva alcun valore senza il suo al fianco – il sesso (il sesso famigerato, il sesso della rivoluzione sessuale ma anche quello proibito nei secoli precedenti a essa) non c'entrava un tubo. Che non era il sesso che m'interessava. Che il sesso, semmai, avrebbe distrutto tutto (come infatti da lì a breve sarebbe avvenuto). Che il sesso era una fissazione sciocca di alcuni ingordi pansessualisti (tutto quel nutrito segmento di arrapatissimi ebrei che unisce Sigmund Freud a Philip Roth cui avrei dato una bella sistemata nel mio libro antisemita). Che l'idea d'immergere il cazzo nel cavernoso umidore della gaiesca intimità era un'astrazione assoluta come quella della metempsicosi o del teletrasporto. Che ciò che le chiedevo – o meglio ciò che non avevo il coraggio di chiederle ma che non potevo impedirmi di desiderare con tutto il mio ardore – era che lei mi prendesse in considerazione come maschio della sua specie. Che lei mi

231

elevasse socialmente. Che lei mi fornisse il suo azzurro passe-partout per il Paradiso. Che lei mi garantisse l'upgrade che credevo di meritare.

Ma è già ora di pagare il conto e andarsene. Poggio sul vassoio d'argento screziato di macchie brune portomi dalla megera pseudobritannica l'American Express di recente restituitami da mio padre dopo tre mesi di punizione per avere acquistato, in preda a un'insana euforia durante una vacanza studio a Boston, in un negozietto di Acorn Street, un modellino di galeone dei primi del Novecento pagandolo una cifra iperbolica vicina allo stipendio bimestrale d'un metalmeccanico: galeone che ora giace sul piano della mia scrivania di ragazzino come un mausoleo del mio feticismo fin de siècle e della mia consumistica incontinenza anni Ottanta.

Finché sul motorino che mi riporta a casa, appesantito da una quindicina di pacchi e pacchetti e forse a causa di tutto quel tè ingerito, o per l'emozione o per il freddo che si è fatto penetrante, ho un improvviso attacco di colite. Sono terrorizzato. Corro il rischio di rovinare uno dei più bei giorni della mia vita defecando sul sellino dello scooter della mia amata. Prego Iddio che lei non si accorga di quelle piccole loffe che non riesco a controllare. Prego Iddio che il miasma di zolfo si dissolva nel gelo di dicembre. Sicché, dopo essere smontato velocemente dal motorino, dopo aver preso l'ascensore, dopo essere entrato in casa, dopo essermi accovacciato sulla tazza per lasciare al vulcano la facoltà di eruttare, rivolgo all'Onnipotente la mia ultima preghiera: Dio, fa' che Gaia non interpreti quel mio urgente bisogno di lasciarla – quel mio rifiuto di coronare una giornata da innamorati con le canoniche smancerie di congedo – come conseguenza del mio dissesto intestinale, ma, semmai, come ennesima dimostrazione della mia dignità, come suggello del mio sentimentale disimpegno, come testimonianza tangibile del mio carattere eccentrico!

Buon Dio, cos'altro mi resta?

Ma nonostante questo giorno salvato non voglio nascondere che difficilmente, nei cinque anni che la frequentai, mi capitò di desiderare la sua presenza. No, non mi piaceva stare con lei. Vederla era una crudeltà paragonabile a quella di alcune torture che costringono il condannato a una lenta morte per sete obbligandolo a contemplare notte e giorno meravigliose cascate di acqua gelida. L'unico sentimento che la vicinanza di Gaia m'ispirava era il desiderio di scomparire, di andare lontano, di morire e di essere dimenticato definitivamente. Mi atterrivano i suoi commenti su altri ragazzi. Era tremendo quando sottolineava che il signor x aveva occhi fantastici mentre il signor y la nuca troppo prominente, per non parlare di quella testa di caprone del signor z. Sembrava possedere un inimitabile talento nel cogliere le ridicolezze fisionomiche e nel trovare in qualsiasi viso un correlativo oggettivo nel mondo animale. L'universo maschile, attraverso il suo sguardo, si riduceva al catalogo di una clinica estetica: un campionario di nasi, di orecchie, di mascelle e di stempiature... La spietatezza naturalista che metteva nel registrare una pur piccola imperfezione nel viso d'un suo compagno veniva come riequilibrata dall'autentico entusiasmo che la traversava quando si trovava al cospetto di qualcosa da lei giudicato ineccepibile. Quindi il mio panico di fronte a quella proliferazione di gaiesche chiose sui connotati dei miei coetanei non dipendeva solo da una banale forma di gelosia, ma da una ragione più perversa: il suo commento denotava un'attenzione nei confronti degli uomini che – benché in apparenza potesse essere liquidata come un semplice interesse scientifico, o tutt'al più artistico – il mio romanticismo puritano m'impediva di attribuirle. D'altra parte essendo anch'io un ragazzo, sebbene privo delle qualità necessarie per piacerle, per una proprietà transitiva era assai probabile che lei avesse sottoposto anche me a un'accurata indagine estetica sin dal nostro incontro sul molo di Positano o addirittura dai tempi del funerale di Bepy. Ecco, che il mio naso, che le mie guance, che il mio colorito, che il mio collo fossero stati oggetto di attenzione e di giudizio da parte di Gaia era per me assolutamente insopportabile. In quei momenti la mia immagine – che esisteva malgrado me, che mi si ribellava contro, che mi prendeva in giro mio malgrado, che non sarebbe mai potuta essere altro che se stessa, sulla quale non mi era consentito esercitare alcun controllo – si sbriciolava dentro di me come un grattacielo demolito. Solo allora constatavo con panico assoluto come la ragione per cui io odiavo la mia immagine dipendeva essenzialmente dalla sua incapacità di esercitare alcun fascino su Gaia. Sentivo il peso terribile dell'inalterabilità e della morte. Avrei potuto fare qualsiasi cosa: guadagnare un sacco di soldi, elaborare un eloquio sofisticato, vestire con eleganza impareggiabile, diventare una star della TV, un grande scrittore o un campione in qualche sport di massa, ma il mio aspetto sarebbe rimasto invariato, anzi, sarebbe peggiorato. Ecco una delle cose che Gaia mi costringeva a scoprire troppo precocemente.

Chissà come tutto questo s'era trasformato nell'idiosincrasia di zoomorfizzare a mia volta la realtà (sono sempre più convinto che la visione del mondo delle ragazze come Gaia, in fondo così inconsapevolmente darwiniana, abbia educato un'intera generazione): immaginavo che la vita di noialtri liceali fosse regolata da ordinamenti non dissimili da quelli che governano le oligarchiche società delle formiche e delle api: mi veniva spontaneo immaginare, per esempio, l'umanità divisa in due grandi categorie: da un lato c'erano i *contemplativi*, cui era affidata l'organizzazione civile, i quali non avevano particolari attitudini all'incontro con l'altro sesso e che, per questo, non avevano sviluppato l'apparato esteriore di avvenenze e piacevolezze indispensabili per ogni seduzione amorosa. E dall'altro i *riproduttivi*: coloro cui era assegnata la mansione di perpetuare la specie e che, per questo, erano stati dotati da madre natura di tutte le superficiali grazie di cui i *contemplativi* difettavano ineluttabilmente. Ecco, la mia im-

234

pressione era quella di essere un disgraziato ibrido: uno cui la natura s'era divertita a dare un corpo da *contemplativo* e un'aspirazione struggente alla riproduzione.

Bisognava stare lontani da quella ragazza: ma solo Iddio poteva sapere quanto fosse difficile. Il problema era che la lontananza da lei non mi aiutava quando le ero lontano, così come la vicinanza non mi aiutava quando le ero vicino. Ero atterrito dal pensiero che lei non mi pensasse ma lo ero ancora di più all'idea che lei potesse prendermi in considerazione.

Forse avrei dovuto trattare la faccenda con maggiore calma. Ma per me era una questione che investiva la Giustizia. Così, quando in modo fintamente scherzoso rimproveravo mio padre per non avermi fatto bello come un attore e lui si spazientiva: «Dio mio, Daniel, ma che c'entra? Sei molto più bello di Sartre, di Simenon o di Kissinger, e quei satiracci hanno passato quasi tutta la vita a scopare», mi sarebbe piaciuto spiegargli che il piacere di essere più bello di Sartre, di Simenon, di Kissinger non ripagava in alcun modo lo sconforto di sentirmi così tanto più brutto di Marlon Brando.

D'altronde il dolore per l'indifferenza di Gaia che, per sua stessa essenza, non le si sarebbe mai potuto torcere contro, per uno di quei processi di compensazione tipici di qualsiasi psicologia elementare veniva da me smistato sulle persone che mi amavano: erano loro a dover pagare. Non erano forse i miei genitori che mi avevano fatto a quel modo? Non erano forse i miei genitori che mi avevano per la prima volta messo in contatto con Gaia? Non erano forse loro che non erano riusciti a essere all'altezza degli avi di Gaia? Non era forse demerito di Bepy il mancato acquisto delle tele caravaggesche? Non erano forse loro ad avermi immesso in una società in cui amare un tipo-alla-Gaia era una necessità, ancor prima che un obbligo?

Ebbene, l'avrebbero pagata. Sarebbe stata mia cura, lungo il corso dell'unica adolescenza concessami, avvelenare loro la vita attraverso le mie ubbie, i miei malumori, le mie tristezze, i miei sonni lunghi o troppo brevi, le mie cupe risposte, i miei dannati drammi insensati, i miei scandali senza stile e quella vocazione al suicidio sulla quale – qualora avessero saputo guardare nel fondo di quel pusillanime cronico di loro figlio – avrebbero potuto tranquillamente ironizzare.

Da tempo oramai l'orizzonte di Gaia era completamente occupato dalla sua festa di compleanno. Lo spirito di quell'evento futuro sembrava aver catturato la sua anima. È opinione comune che i belli non sappiano godere fino in fondo la vita. Come se il privilegio sviluppasse una specie di pigrizia immaginativa. O come se un'ipervalutazione del proprio aspetto esteriore, a scapito di ogni altra qualità individuale, impedisse allo sguardo la vista delle bellezze segrete del reale. Temo si tratti d'un cliché inventato dai brutti a scopo autoconfortatorio. La mia esperienza, peraltro assai modesta, mi ha fornito l'esempio di individui come Gaia, Dav, Giorgio, Karen, Bepy che, sebbene soddisfattissimi del proprio aspetto esteriore, erano avidi di piaceri intellettuali che si esprimevano nell'inesausta ricerca di oggetti da idolatrare. Insomma, essi, che avrebbero potuto passivamente contentarsi dell'entusiasmo suscitato dai loro corpi negli altri, sembravano scossi da un'energia luminosa che li spingeva a idoleggiare oggetti, situazioni, talvolta addirittura persone.

Sicché, assai prima che lo spettro della sua festa dei diciott'anni si impossessasse di lei, avevo potuto assistere all'avvicendamento – all'interno dell'incerto pantheon di Gaia – di mille fissazioni totalizzanti.

I quattordici anni erano bruciati in interminabili conferenze sull'equitazione, o più precisamente su Costant (naturalmente pronunciato alla francese), il cavallino arabo regalatole da Nanni per il suo compleanno, in groppa al quale la piccola amazzone falcidiava i prati della Farnesina, affrontando ostacoli sempre più spaventosi; poi ci fu il nuoto sincronizzato che la spinse più volte a togliersi i pantaloni e le scarpe in palestra rimanendo in calzoncini bianchi per mimare ai suoi compagni le nuove figure apprese, suscitando il deliquio di orde di segaioli (e l'indignazione di uno solo tra essi); per non parlare di quel primo lavoretto come PR per una discoteca il cui compenso consisteva in un paio di caratteristici occhiali da sole da lei ininterrottamente inforcati per un anno intero e poi improvvisamente mandati al macero nella pressa della sua memoria. Poi fu la volta di Boris Becker, visto giocare agli Internazionali di Roma appena diciassettenne qualche mese prima che vincesse Wimbledon, che fu presto soppiantato da Alberto Tomba con il quale Gaia diceva di aver sciato un Natale intero a Cortina e dal quale – sosteneva con sbarazzina spavalderia – aveva subito esplicite avance. Poi arrivò Christopher Reeve, lo sfortunatissimo attore di *Superman*. Poi una canzone e il suo interprete: *Every time you go away*, di quel sublime coiffeur di Paul Young molti anni prima che deviasse sul rock and roll. Finché non giunse al parossismo d'innamorarsi d'un personaggio mitologico: Ettore, figlio di Priamo, marito di Andromaca, la cui storia di tragica dignità aveva appreso da una versione di greco e il cui influsso romanticheggiante s'era come incuneato nel suo cuoricino di teenager.

Ma possibile che non mi sfiorasse la mente, mentre guardavo quella spericolata Eva postmoderna lanciarsi, come un'acrobata, nel cerchio infuocato d'una nuova provvisoria passione, che se nella sua vita fosse arrivato un ragazzo in carne e ossa e lei ci si fosse votata con lo stesso ardore riservato ai suoi idoli di cartapesta i miei peggiori incubi si sarebbero realizzati? Che presto la natura avrebbe trasformato le sue passioni astratte in amori concreti? Possibile che il mio cervello avesse abdicato alla sua istituzionale facoltà di collegare i fatti? Possibile che non m'avesse neppure lambito l'idea che nel nostro gruppo la più probabile incarnazione di quel ragazzo ideale – colui che più di tutti sembrava compendiare le doti atletiche, fisionomiche, intellettuali di Costant, Boris Becker,

Alberto Tomba, Christopher Reeve, Superman, Paul Young, Ettore di Troia e tutti gli altri – fosse semplicemente Dav, il nostro Dav?!

E il vecchio Nanni come reagisce alle estemporanee esaltazioni della nipote?

È naturale che le mortifichi. Scoraggiare il prossimo non è forse il suo maggiore talento? La lista di quel raffinato boia è lunghissima, e non sembra risparmiare neppure gli affetti più cari: suo figlio, la cui morte il mondo gli addebita, il nipote ribelle la cui follia lo esaspera. Senza contare il socio dissipatore e i dipendenti. E se ha graziato la moglie è unicamente perché lei è la sola persona a intimidirlo: è lei ad avergli schiuso porte che altrimenti sarebbero rimaste eternamente serrate. Eppoi non c'è niente da fare: Nanni, di fronte al perdurante carisma sessuale di quella signora, continua a mostrare la propria fragilità.

Con Gaia le cose dovrebbero andare diversamente. Nessun timore reverenziale. Nessun mondano passe-partout che lei possa lesinare. Nessuna pressione erotica (se non forse in un modo sublimato). Nanni potrebbe disporre della nipote a suo piacimento, se solo volesse, proprio come ha fatto con tutti gli altri: sì, disporre di lei come un novello impunito Humbert Humbert.

Chi glielo impedisce?

Ma è evidente che non desidera farlo: Gaia è la sua vita. Gaia è per lui quel che Dav è per Karen, quello che Giorgio è per suo padre, quello che mio fratello è per mia madre: stupenda manifestazione di come la vita possa avere senso: perfetto connubio tra potenza e atto. Nanni adora quella ragazzina. È in sua balia. È lei a comandare. Lei deve essere assecondata, blandita perché il gioco ormai le appartiene totalmente.

Quando Gaia aveva nove anni, a Nanni bastava vederla nelle sere d'inverno seduta alla sua scrivania a disegnare pupazzetti per sciogliersi in una sconfinata tenerezza. E più tardi la stessa commozione venata di orgoglio si sarebbe in-

238

carnata nella foto, poggiata di sbieco sulla scrivania dell'ufficio, di Gaia vestita da cavallerizza: il cap di velluto da cui sbuffano mielosi capelli di seta, i guanti di daino, gli stivali lustri di pelle nera, il blazer grigio avvitato, i pantaloni bianchi attillati coi rinforzi al ginocchio. Ma soprattutto Nanni ha impresso nella memoria il suo primo incontro con quella signorina: lei non aveva che un paio d'ore di vita: nata con un mese e mezzo di anticipo, pesava un chilo e mezzo. Era lì di fronte agli occhi del nonno, in tutta la sua paonazza gracilità. Avvolta in una coperta rosa, lasciava intravedere un musetto congestionato, imbronciato ed esterrefatto dietro il vetro dell'incubatrice. Fu amore a prima vista.

E allora si capisce come, dopo la morte di Ricky, Nanni abbia trovato naturale risarcire quella ragazzina per la privazione affettiva che lui sente di averle inflitto. Proprio lui: lo stesso padre inflessibile che severamente impedì al proprio unico figlio di divorziare dalla moglie, ora, con la nipote, scopre il piacere della comprensione e l'euforia del compromesso. Il divieto da lui imposto a Ricky di divorziare – che ha di fatto ucciso suo figlio (il suo debole smidollato tenerissimo figlio) – era nutrito dalle stesse istanze e dalla stessa buonafede che oggi lo spingono alla magnanimità. Proprio perché il gesto autodistruttivo di Ricky ha cancellato tutto il resto, squagliando ogni rigorosa convinzione pedagogica. E ora a Nanni non può sfuggire che se non fosse stato per quella bambina, se non fosse stato per la sua esistenza storica e per la sua vitalità vulcanica, tutto sarebbe andato a rotoli.

Lei è la seconda possibilità che Iddio gli concede. Lei è la salvezza della sua famiglia e della sua anima. Per questo Nanni è preda del tremore e dell'entusiasmo un po' folle di quelle madri che dopo aver perso un figlio ne mettono al mondo un altro e un altro e un altro ancora... Così come è pervaso dal desiderio convulsamente protettivo di quei padri che, avendo visto morire la prima figlia in un incidente stradale, giurano che sulla seconda eserciteranno un controllo asfissiante.

La farà felice proprio dove ha scontentato il figlio. Sì, la farà felice per due, per tre addirittura. Questa è la nuova causa per cui Nanni vivrà. La sua nuova battaglia. La nuova strategia. Far felice quella ragazzina. Perché i felici non si ammazzano. Perché i felici non pensano. Perché i felici non giudicano. Perché i felici si assoggettano. Perché i felici fanno le cose per bene. Desiderate che i vostri figli facciano quello che volete? E allora date retta a Nanni: non obbligateli: fateli felici! La loro felicità è l'arma ricattatoria più preziosa di cui un giorno disporrete: il vostro autentico asso nella manica. Nanni ha impegnato la prima parte della sua vita a fare soldi, la seconda ad accreditarsi socialmente, adesso nella terza, quella estrema, quella inaugurata da una revolverata inspiegabile, il suo scopo è la gioia della sua topolina. Lui ha un conto in sospeso con lei e con la felicità. Si sente in debito e in credito allo stesso tempo. Sì, lui deve risarcire la sua bambina e attraverso quel risarcimento vuole essere risarcito. Perché anche Nanni ha qualcosa per cui essere risarcito: anche l'uomo di ghiaccio ha i suoi conti da saldare.

Forse l'affetto che Nanni prova per quella ragazzina è troppo compromesso con l'ammirazione e con l'idolatria per non essere dannoso. In fondo Nanni, a dispetto delle apparenze, non è riuscito a modificare il proprio perverso modo di pensare: così come, per un astratto amor di giustizia, stabilì a tavolino quali fossero gli oneri coniugali di Riccardo, ora, per un'idea altrettanto astratta di risarcimento, ha stabilito che la felicità di sua nipote sia collegata alla sua libertà.

Ma è tempo di parlare del cameriere più famoso del Bar del Parnaso (se non altro perché è il solo vero protagonista di questa storia): serafica istituzione, muta coscienza del quartiere e forse anche di più, dall'aspetto gagliardo-altezzoso d'un arabo. Nel fondo del suo sguardo baluginavano scintille d'una superbia mediorientale. Sicché noi ragazzi lo chiamavamo "l'Arabo" sebbene fosse di Cisterna, e questo gli donava qualcosa di esotico che l'inorgogliva. Spesso nei cocktail e nelle cene organizzate (d'estate soprattutto) sulle fiorite terrazze di quella parte di Roma accadeva di incontrare una sorta di reincarnazione notturna dell'Arabo, vestito d'una blusa bianca con bottoni e alamari d'oro e con una pelata traslucida come un samovar. E solo in quelle circostanze, in mezzo a tutte quelle eccentriche arricchite in coralli e chiffon, avevi chiara l'impressione della mistica regalità dell'Arabo!

L'Arabo. Eroico depositario d'ogni romana esclusività, molto più di tanti scialbi esibizionisti di quegli anni. Noialtri in fondo sapevamo essere indulgenti e scanzonati con quelli che venivano da quartieri limitrofi o anche da più lontano: ma l'Arabo era intransigente, feroce. Da bravo snob, se la prendeva troppo a male. Scrutava i clienti seduti ai tavoli, pronti a ordinare, e capiva immediatamente se erano pariolini *doc* o semplici mistificatori, incauti avventizi in terra straniera. Se fosse stato per lui avrebbe eretto mura impenetrabili per difendersi da quell'orda di barbari. Per lui quell'elegante pezzetto di Roma Nord era un baluardo della civiltà occidentale, assediato dalla volgarità del mondo. Un tempo non era così, diceva con tristezza. E per mostrarci che aveva scovato un altro *imbucato* (così li chiamava, come fosse una festa privata, o come se un intero quartiere di Roma si fosse trasformato in un'immensa tenuta il cui controllo gli era stato affidato), pronunciava a voce alta espressioni criptiche che l'intruso non avrebbe mai potuto decodificare, e che per noi erano linguaggio inequivocabile. E se qualche forestiero per ottenere le sue grazie lo chiamava "Arabo", lui s'irrigidiva, emettendo un lieve sbuffo stizzoso. Evidentemente non tutti erano autorizzati a trattarlo con simile familiarità.

Quando Dav faceva il suo ingresso, indossando quel verde giubbotto da college americano di cui possedevo il gemello in turchese, l'Arabo scattava, liquidava immediatamente il cliente che aveva il torto di occupare il posto di Dav e faceva accomodare il suo pupillo. «Come sta tua madre?» chiedeva sollecito, per poi alzare gli occhi al cielo in modo platealmente trasognato: «Ehhhh, quella signora è splendida, una principessa. Ricordo quando era lei a portarti qui. Vi guardavano tutti per quanto eravate belli». L'Arabo era un poeta con la voce melliflua e lamentosa dei pederasti bisbetici: capelli a spazzola e ombretto nero sulle palpebre. Nostalgico cantore delle giovani coppie di sposi ventisettenni che il sabato mattina passeggiavano tra le aiole rinsecchite di piazza delle Muse, con carrozzine, giubbotti di renna, scamosciate scarpe color tortora e cuccioli di dalmata al guinzaglio, l'Arabo si lasciava spesso andare a tediose divagazioni sul buon gusto.

David, abituato alle lusinghe dell'Arabo, si schermiva senza imbarazzi e attendeva che gli fosse servito il cappuccino. Mentre l'Arabo lo carezzava con uno sguardo condiscendente, forse perché vedeva in Dav – chissà se a ragione – il Dio incontrastato di quella stirpe di immortali, uno dei pochi a poter ancora difendere l'integrità di quel luogo che a suo dire era ormai un porto di mare. All'Arabo dispiaceva che i Ruben tanti anni prima avessero deciso di cambiare quartiere, finendo in quella villa lontana che lui, nel suo snobismo, collocava più o meno nella tundra. Ma allo stesso tempo, nel suo modo apotropaico di interpretare simbolicamente ogni evento, aveva visto nel trasloco della famiglia Ruben uno dei segnali evidenti della decadenza della civiltà.

Ma soprattutto l'Arabo si era sdilinquito su quella che lui enfaticamente chiamava la "coppia del secolo": David e Gaia.

È destino! Un giorno questi ragazzi si troveranno, aveva sentenziato una volta quello svenevole negromante, cagionandomi un dolore che, anche se glielo avessi descritto, non avrebbe saputo comprendere. Il fiuto dell'Arabo per gli "affari di cuore" era infallibile, ma non altrettanto la sua empatia per il dolore. E calcolando che i suoi giudizi, sebbene così umorali, non erano viziati da fattori razziali, ma per lo più da intuizioni estetiche più profonde, lui aveva subito inteso, sin da quando i due erano bambini, ancora prima che si conoscessero, che una Gaia Cittadini aveva le carte in regola per finire nelle braccia d'un David Ruben e viceversa.

Ma la vera passione dell'Arabo – nel cui gorgo infinito sembravano essere confluite tutte le altre – era un libro. Per essere più precisi, "il libro più bello che fosse mai stato scritto" (anche l'Arabo, come i ragazzi che accudiva, era servo del superlativo): *Guerra e pace*, di Lev Tolstoj, la cui effigie profeticamente barbuta l'Arabo custodiva, in una copia in miniatura, nel portafoglio, come un santino. Avevo saputo da mio padre (che si vantava d'aver conosciuto l'Arabo molti secoli prima della mia nascita) che la passione per quel libro risaliva alla sua gioventù. Sì, erano più di trent'anni che l'Arabo leggeva *Guerra e pace*. Era arrivato a studiare il francese da autodidatta la notte per poterlo "apprezzare fino in fondo" (della qual cosa andava orgoglioso: tanto che le poche volte in cui capitava al Parnaso un "ospite d'oltralpe", era un vero spasso per l'Arabo esibire a voce alta il proprio francese ridicolmente ottocentesco). Alcuni episodi di *Guerra e pace* li aveva riletti cinquanta, cento volte, più di quanto avrebbe fatto il più scrupoloso specialista: l'arrivo in carrozza del principe Andréj a Lỳsye Gòry con il passo svelto e quel viso tenebroso e superbo. L'eroico incontro tra Andréj e Napoleone Bonaparte. Il diario intimo di Pierre. La storia delle sue gozzoviglie pietroburghesi. L'Arabo avrebbe potuto citare con disinvoltura ampi stralci tratti da queste scene, senza omettere una virgola, rinnovando ogni volta la commozione che negli anni aveva imparato sempre meglio ad autosuscitare fino a trasformarla in qualcosa di innaturalmente autentico.

Tra tutte queste scene, quella che aveva inciso maggiormente sulla sua vita di sognatore snob era quella del grande ricevimento in onore dell'imperatore Alessandro: l'esordio in società di Natàša, il suo primo ballo con il principe Andréj, e soprattutto la nascita dell'amore tra i due futuri fidanzati: "Il principe Andréj era uno dei migliori ballerini del suo tempo, Natàša ballava magnificamente. I suoi piedini, nelle scarpette da ballo di raso, facevano l'opera loro rapidamente, leggermente e senza che ella stessa se ne accorgesse, ma il suo viso splendeva di gioia e di entusiasmo..." declamava stentoreo l'Arabo ogni volta che vedeva avvicinarsi Dav e Gaia. Usava quelle poche frasi come una sorta di benedizione pagana.

Avevo smesso da tempo di consigliare altri libri all'Arabo, avendo rinunciato alla speranza di trasformare quella sua idolatria per un libro in autentico amore per la letteratura. E dire che avevo provato con Stendhal, con Flaubert, con Mann, persino con Proust. Il meglio, insomma. Ma ogni volta, nel restituirmi quei vecchi volumi di famiglia l'Arabo aveva atteggiato il viso a un'espressione un po' schizzinosa, come se avesse voluto dirmi: "Ti ringrazio del consiglio, mio caro, ma vedi, una volta che hai letto *Guerra e pace* sei condannato a non leggere altro per tutta la vita!". E chissà che non avesse ragione?

In ogni modo l'identificazione con Andréj e Natàša, di cui l'Arabo aveva gratificato Dav e Gaia, era semplicemente incongrua. Essi non avevano niente della coppia tolstoiana. Per averne idea basterebbe valutare la clamorosa difformità di statura tra il gigante Dav e il piccolo Andréj, o accostare gli occhi neri di Natàša a quelli di Gaia color brezza marina. E come non tenere conto della ragguardevole differenza di età tra Andréj e Natàša che non trova adeguata corrispondenza in questa coppietta di adolescenti contemporanei? In fondo, a ben pensarci, il paragone dell'Arabo non aveva niente di benaugurante. L'amore tra Andréj e Natàša non era altro che storia d'una passione abortita, non vissuta. Come poteva l'Arabo non ricordare, avendo letto *Guerra e pace* centinaia di volte, che alla fine, dopo la morte di Andréj, Natàša sposa quell'"orrendo elefante di Pierre" (parole dell'Arabo)? Una volta, spinto dalla mia gelosia per Gaia, osai fare tale obiezione all'Arabo. Ma la sua replica mi parve d'una così stringente intelligen-

244

za che ammutolii: «Non me ne parlare» disse col tono di chi sta ricordando un fatto troppo sgradevolmente doloroso. «Sai una cosa? Trovo i due epiloghi di *Guerra e pace* una vera schifezza. Mi chiedo come il conte» (così lo chiamava – come se anche quel sommo scrittore morto da quasi un secolo fosse uno dei tanti sfaccendati titolati che avevano ogni giorno l'onore di essere serviti dall'Arabo) «abbia potuto...» Comunque restava il fatto che porre in relazione la coppia David-Gaia e quella Andréj-Natàša risultava un'autentica stortura interpretativa. Ma, grazie al cielo, l'Arabo se ne infischiava delle congruità comparatistiche. Aveva l'esigenza di leggere quello che si ostinava a considerare il proprio "mondo" – l'universo di cui era soltanto un testimone saltuario e un fedele servitore – attraverso i diaframmi rosati a lui offerti dal titanico conte Tolstoj.

Ecco in cosa consisteva la follia dell'Arabo: cercare un goccio di epos in un decennio che aveva violentemente abolito ogni mitologia.

Una volta mio padre sorridendo mi aveva chiesto: «L'Arabo li ha già eletti l'Andréj e la Natàša della stagione?». Non senza pena avevo risposto che la coppia dell'anno era quella formata da David e Gaia.

«Beh, sai, non è mica la prima volta l'Arabo sceglie un Andréj *gnevrim**. Sai chi era Andréj ai tempi miei?»

«Chi?»

«Teo. Tuo zio. Pensa. Prima che diventasse matto e andasse a Tel Aviv!...»

Capii improvvisamente perché mio padre iniziava sempre le telefonate intercontinentali con il fratello con la stessa enigmatica formula: "E allora, come sta il nostro Andréj israeliano?".

«Beh, Nanni sarà contento per sua nipote» aggiunse subito dopo, «in fondo vale più un giudizio dell'Arabo che un cavalierato offerto dalla Presidenza della Repubblica.»

---

* Modo giudaico-romanesco per riferirsi agli ebrei.

Temo che mio padre avesse ragione.

Un libro può determinare la vita di un uomo in modo imprevedibile. L'Arabo, in fondo, non era altri che un novello Don Chisciotte che aveva scelto di credere più a un libro epico scritto molti anni prima della sua nascita che alla vita di tutti i giorni. La differenza che lo distingueva dal patetico modello spagnolo è che l'Arabo non si era sentito all'altezza di farsi protagonista, e per questo aveva scelto, per sé, il ruolo non meno impegnativo del testimone. Ora, può sembrare un'assurdità che lui ravvisasse una corrispondenza tra la società zarista al principio del Diciannovesimo secolo, fondata sull'onore della guerra e sulla cortesia salottiera, con una piccola banda composta da figli di parvenu ossessionati dal primato economico e da quello estetico: eppure l'intuizione dell'Arabo possedeva una sua freschezza: ciò che teneva assieme quei due mondi così lontani era la struttura oligarchica e violentemente gerarchica da cui entrambi erano regolati.

E forse il genio dell'Arabo consisteva nel fatto che, invece d'indignarsi per tale inane spietatezza, ne fosse diventato, negli anni, l'omerico cantore.

Otto giugno Millenovecentottantanove: cinquantadue ore all'ora x: l'evento si avvicina, con la roboante impazienza d'un temporale estivo: tutto è pronto: il parco dei Cittadini è allestito per accogliere cinquecento ospiti: le bottiglie sono in fresco: i biglietti sono già arrivati a destinazione: la cronaca di Roma del "Messaggero" parla già dell'evento come di un appuntamento imperdibile: i diritti per le foto sono già stati venduti a una rivista di gossip, Nanni ha garantito che i proventi verranno devoluti in beneficenza a un'associazione cattolica che si occupa di malnutriti bimbi peruviani: per non tacere delle amiche di mia madre – le ultraquarantenni giocatrici di canasta del mercoledì pomeriggio – che mi hanno sottoposto, tra una pizzetta calda e un sorsetto di Twinings, a un vero e proprio interrogatorio: «Sai chi glielo ha fatto il vestito?... È vero che solo di tartufi bianchi hanno speso un patrimonio?... Che hanno affittato un aereo per far venire gente dall'Inghilterra?... Che lei scenderà da uno scalone pieno di fiori?...».

È la terza volta consecutiva che Gaia mi dà buca. E dire che, al solito, è stata lei a chiamarmi: voleva incontrarmi. Voleva stare un po' con il "suo amichetto" per riposare la testa da tutti quegli impegni "spaventosi". Desiderava solo un po' di tranquillità per ritemprarsi. Anche se avremmo potuto approfittarne per fare il punto sui preparativi (in realtà aveva disperato bisogno di conferme). Eppoi, non solo non si presenta all'appuntamento ma si guarda bene dall'avvertirmi, mandando, in sua vece, quello sgangherato fratello maggiore del cui destino di malattia ormai mi occupo da troppo tempo con lo spirito d'un indolentissimo missionario.

Ecco perché mentre me ne sto seduto al Parnaso è così doloroso, umiliante, ma nient'affatto sorprendente, vedere Giacomo venirmi incontro da via Eleonora Duse barcollante come una nave che sta per affondare.

«Che ne dici se mi siedo?» mi chiede con voce altissima e sbiascicata. «Gaia non poteva venire.»

Esiste una pur minima parentela tra il delicato putto che vidi sfilare al fianco del nonno e della sorellina al funerale di Bepy e questo ragazzone amorfo che mi si è seduto a fianco senza aspettare il mio consenso? Benché abbia avuto la possibilità di seguire giorno per giorno la sua parabola, stento ancora a credere che si tratti della stessa persona. Dio santo, Giacomo è stato sfigurato dal tempo. Ho assistito stupefatto al compiersi del destino contrario di questi due fratelli. Lui sempre più rinserrato nella sua armatura demenziale, sempre più schiavo della bulimia nevrotica, e lei, invece, ogni giorno più sicura di sé, ogni giorno più in alto nella scala gerarchica. Lui sempre più fumoso e inafferrabile e lei così fascinosamente fumettistica. Ho visto l'artificiosità di lui tramutarsi in autentico dolore e la mirabile spontaneità di lei farsi seduttivo birignao. Ormai l'ereditaria bellezza di Giacomo si intuisce con difficoltà dietro quella montagna di ciccia. Sembra che lui abbia impiegato gli anni della sua adolescenza a strapparsi di dosso la lussuosa immagine scolpita nel suo DNA. Resistono gli occhi azzurri così simili per energia a quelli della sorella e del nonno, e anche alcune teatrali affettazioni di insolenza tipiche dell'aristocrazia romana. In lui la vita ha agito in modo regressivo: era un bambino precoce tanto quanto oggi è un ventenne ritardato, fallimentare frequentatore di istituti scolastici che in un anno ti consentono di recuperarne tre o quattro. Lui non ha ragazze. Lui arrossisce di fronte alle ragazze. È goffo, sempre sopra le righe. Quando parla alza eccessivamente la voce, così come non riesce a dosare i gesti delle mani, delle braccia, della testa. È come se progressivamente avesse perso potere sul corpo: così ora esso sembra diviso in mille diverse giurisdizioni. Il governo centrale del cervello negli anni, battaglia dopo battaglia, ha perso il controllo sulle province lontane degli arti che hanno iniziato ad agire autonomamente in una pericolosa anarchia rivoluzionaria. È come se il suo organismo fosse stato messo a ferro e fuoco dai barbari. La manifestazione più evidente di queste guerre intestine è offerta dall'epidermide completamente chiazzata da una fastidiosa psoriasi. Eppure non sono ancora riuscito a capire se Giacomo abbia scelto di mandare in avanscoperta quel corpo martoriato dalla nevrosi per una sinistra forma di esibizionismo o se, invece, lo abbia fatto per lanciare un segno di distensione agli altri: *Guardate come sono ridotto, non fatemi del male, non me ne faccio già abbastanza da solo?* Ed è proprio questo il grande mistero, o la sua strategia: l'oscillazione tra propositi guerreschi e improvvisi vigliacchi appeasement.

Accende sigarette in continuazione. Il giornaliero cocktail di alcol, hashish, tranquillanti e antidepressivi sembra avergli alterato i connotati. Il viso, oltre a essersi esteso, ha acuminato gli spigoli. Il più delle volte tace, ma quando parla (questo è davvero miracoloso) il suo eloquio è limpido, talvolta persino ricercato. In poco meno di cinque anni la sua sfrontatezza violenta si è mutata nel suo opposto: una specie di forbita, verbosa ironia con cui ti tiene a bada: «Oh, grazie comunque, Daniel, sei adorabile!» ti dice, con il tono fatuo d'un personaggio di Jane Austen, dopo aver rifiutato un invito per un caffè o per un hamburger. Chi si esprime in questo modo oggigiorno se non uno squinternato? Sembra voglia prenderti in giro. Anche se Gaia garantisce che quella è solo la facciata. Che tutta quell'esibita affabilità, tutta quella pubblica ritrosia viene riequilibrata dalle sconvolgenti piazzate casalinghe durante le quali l'Idra mostra il volto raccapricciante: armadi presi a pugni, vetri infranti, porte sbattute, bestemmie, minacce di morte, una volta persino un coltellaccio brandito contro il nonno. Tutta colpa dell'alcol. È l'alcol a innescare quella tremenda aggressività. «Ma perché non chiamate qualcuno? Perché non chiamate la polizia?» ho chiesto una volta a Gaia. «Beh, perché... perché... sai, nonno gli vuole troppo bene!» Sia io sia Gaia sappiamo che la ragione per cui Nanni si è imposto di non chiamare la polizia, anche messo di fronte alla furia omicida del nipote, è il decoro. Esattamente: il decoro; il vero Dio di Nanni Cittadini. Lui non esporrà allo scandalo – a costo di farsi ammazzare da quel piccolo bastardo! – la propria famiglia, il proprio stimabilissimo nome, per cui tanto ha lavorato. Sarebbe un sacrificio troppo grande per lui. Non lascerà dire alla gente: "Avete visto? Hanno rinchiuso quello psicopatico del nipote di Nanni! Era ora! Era così pericoloso per gli altri e per sé. Povero Nanni". Lui non è il tipo che desidera suscitare compassione negli altri. Lui è nato per farsi invidiare, non per essere compatito. Che questo sia chiaro. Da qui l'esagerata impunità di cui gode il folle.

Mi è stato chiesto di impedirgli, quando siamo assieme, di attaccarsi alle sue "birrette" o ai suoi "grappini" (così li chiama, in questo modo disgustoso). Ma più di tanto non posso fare. Sembra un tipo remissivo, ma in realtà cura la propria perversa viziosità con determinazione. Se vuole bere non puoi farci niente. È evidente come su di lui l'alcol abbia un devastante effetto liberatorio. È come se dopo un paio di "birrette" e di "grappini" Giacomo scoprisse improvvisamente non tanto l'orrore dell'Universo, quanto piuttosto lo scandalo della propria condizione individuale. In quei momenti di frenesia e disperazione è come se la felicità del prossimo (del tutto presunta) gli facesse così male da spingerlo a schermirsi dietro tutta quella bellicosità.

Il più delle volte Giacomo tace. Si ha l'impressione che la vita – per la maggior parte dei suoi coetanei se non accogliente certo gravida di possibilità infinite – per lui sia un penitenziario. Il contatto con la realtà quotidiana lo paralizza, o, per meglio dire, lo circoscrive in uno spazio angusto. È come se lui sentisse gli occhi del mondo addosso. Come se nell'aria avvertisse l'unanime disprezzo che presto lo schiaccerà. È come se ogni volta che mette il naso fuori da quel nucleo di malattia casalinga il mondo si fermasse al solo scopo di giudicarlo... Se il mondo è una Corte d'Assise lui è l'Imputato Perenne.

Una volta, su richiesta di Gaia (*Dani, tu sei l'unico con cui lui sta bene!*, non la smetteva di lusingarmi la mia adorabile ricattatrice), lo accompagno a comprare dei dischi. (Giacomo è un collezionista di prime edizioni rare della fine degli anni Sessanta. Ha un talento assoluto nello scovare dischi introvabili dei Led Zeppelin, Deep Purple, eccetera. E forse solo quando ha in mano quelle copertine d'epoca, un po' grigie e scolorite, il suo viso si accende di emozione e di gioia di vivere.) D'un tratto veniamo accostati da due ragazze appartenenti a quella categoria di biondine tra loro indistinguibili che Roma Nord sforna ininterrottamente da decenni. Mi chiedono un'informazione tra le più banali, che non ho nessuna difficoltà a fornire. Ma quando mi giro mi accorgo che il viso di Giacomo è diventato terreo, che la sua espressione si sta sconvolgendo. «Che c'è? Stai male?» «Non hai visto come mi guardavano?» E io sono a tal punto stupefatto dalla sua reazione che, non solo non riesco a dirgli che le signorine non lo hanno neppure notato, ma che, a ben pensarci, il loro talento è tutto in quell'attenzione fatalmente autorivolta. È per questo, per la sensazione paralizzante d'essere sempre sotto la luce dei riflettori, sotto lo sguardo impudico d'una telecamera, che lui non controlla se stesso? È per questo che non riesce a tenere una bottiglia in mano senza che gli scivoli dalle dita? Tutto, persino le sue mani, agisce contro di lui? È per questo che non controlla le corde vocali al punto di non riuscire a calibrare il tono della voce? Perché ha l'impressione che ogni suo gesto sia seguito dalla irridente impudicizia d'un miliardo di occhi femminili?

Affinché il quadro non appaia lacunoso devo confessare quanto mi costasse frequentare Giacomo. In fondo non gli volevo bene. Perché – a meno che uno non abbia una spiccata vocazione alla filantropia, il più delle volte compromessa da un maestoso complesso di superiorità – è difficile volere bene a individui così devastati. Ciò nondimeno vedevo la sinistra comunanza che legava i nostri destini. Forse io, rispetto a lui, mi ero semplicemente salvato. Da che cosa? Dalla tentazione di non-vivere-per-non-soffrire che conduce alla rancorosa nostalgia per la vita che usiamo attribuire agli zombie o ai fantasmi. Diciamo che la malattia – pur avendomi lambito fino a pervertire il mio carattere, pur avendomi attizzato lo sguardo conducendolo alle soglie della visionarietà autopersecutoria – non aveva saputo scavare un solco definitivo tra me e l'esistenza, tra me e i miei impegni di bravo ragazzo borghese, tra me e la mia aspirazione a uscire da quel pantano di angosce pregenitali. Come se qualcosa mi avesse protetto. C'è chi banalmente la chiama "ironia". A me piace pensare a Bepy, a mia madre, a mio fratello, ai loro involontari seminari dedicati alla demistificazione.

Giacomo non era altro che un cavallo di razza dall'inappuntabile pedigree che da un certo giorno della vita in poi aveva scelto di non saltare più gli ostacoli che mille addestratori (nonni, insegnanti, istituzioni scolastiche, suffragette dell'amore adolescenziale) gli avevano messo di fronte. E nessuno meglio di me conosceva l'effetto di quell'inclinazione al rifiuto e allo scarto. Per questo uscire con Giacomo Cittadini era come andare a spasso per la città con la parte peggiore di me stesso. C'era qualcosa di spaventoso in lui, eppure di così familiare.

Sapevo che Giacomo si era ridotto in quella maniera a causa della sua modesta statura. Chiunque avrebbe stentato a credere che tra la sua altezza di un metro e sessantacinque e la distruzione del suo carattere esistesse un rapporto di causa ed effetto. Eppure le cose stavano esattamente così. Per Giacomo la statura era il problema dei problemi, più della morte del padre, più dell'indifferenza della madre, più dello snobismo della nonna, più della faziosità con cui il nonno gli aveva preferito Gaia. A un certo punto, più o meno in quinta elementare, pochi anni prima che lo incontrassi a Positano, Giacomo si era accorto che i suoi amici avevano iniziato a crescere. Sì, quasi da un giorno all'altro li aveva visti svettare come margherite: era rimasto atterrito dalla constatazione di dover improvvisamente scrutare dal basso verso l'alto gli stessi individui che aveva sempre guardato negli occhi. Questo gli aveva fatto ipotizzare la propria diversità. Questo gli aveva infuso da una parte una tremebonda vergogna, dall'altra l'opinione che la vita fosse una palestra di iniquità. Perché tutti crescevano così facilmente? Cosa c'era in lui che non andava? Perché esistevano medicine per quasi ogni malanno o infermità, ma non per la statura? Si sarebbe sottoposto a qualsiasi tortura pur di guadagnare centimetri. Perché per Giacomo i centimetri non erano altro che certificati di dignità umana. Dio, quanto lo urtavano i discorsi di Nanni! «Pensa a Napoleone» gli diceva quello stronzo per consolarlo. «Anche Paul Newman è un bassetto» rincarava un attimo dopo. Queste frasi, dette – forse – a fin di bene, avevano il potere di enfatizzare ulteriormente l'esiguità della sua statura. Erano l'attestato di bassezza che mancava a Giacomo per decidere di mandare tutto in malora. Perché quella era una *cosa* dalla quale lui non si sarebbe mai potuto riprendere. Quella *cosa* non potevi nasconderla. Quella era la prima *cosa* che la gente guardava, la prima *cosa* che le donne giudicavano... Così era cominciata: da allora Giacomo aveva preso a fumare, a bere, a intontirsi con i farmaci, a impedirsi di guardarsi allo specchio. Allora aveva deciso di dimenticarsi della propria esistenza. E troppo in fretta si era reso conto che quanto più provava a non pensarsi tanto più si pensava.

Beh, adesso è più facile comprendere quale dolce e formativa esperienza debba essere stata presentarsi quasi ogni pomeriggio della sua adolescenza al Parnaso col solo fine di sentirsi un pigmeo in mezzo ai giganti. Sedersi e vedere quei privilegiati vivere: dover assistere alla loro diuturna lotta per la riproduzione. Ripeto: nessuno lo capiva meglio di me: eravamo fratelli in quella sorta di voyeurismo masochistico: chi se non colui che aveva formulato la paranoica idea che il proprio naso e i propri occhiali messi assieme pesassero più di tutto il corpo, avrebbe potuto meglio intendere i dolori del giovane Cittadini?

E ora?

Ora l'unica salvifica gioia per Giacomo consiste nello sbatterti in faccia la sua abulia. Ecco la nuova strategia adottata per boicottare il Grande Progetto Felicità E Riscatto promosso dalla ditta Cittadini & Altavilla. Non strilla più, non dice più la sua, non si ribella. Persegue una via che lui giudica non violenta, ma che in realtà è d'una aggressività spaventosa: la violenza del silenzio, la violenza del mancato entusiasmo, la violenza della sua vita gettata nel fango. Ecco la sola violenza che i genitori soffrano. Ecco la sua vendetta inebriante. Il nonno, il suo ex severissimo nonno ora sarebbe disposto a dargli tutto, a donargli il cielo pur di vederlo cambiare, ma lui non ne ha bisogno. Lui non è più in vendita, lui è stoicamente incorruttibile, lui ha imparato a sopportare la privazione come un monaco tibetano. E ora la sua violenza, l'infinita capacità offensiva si esprime tutta nel suo talento a rinunciare, a non allinearsi.

«Se vuoi, nonno ti compra la Porsche!» gli ha detto Nanni esasperato dalla sua ennesima bocciatura e dal suo abuso di fumo e di cibo, il giorno del suo diciottesimo compleanno. «Anzi, sai cosa? Ho un appartamento sfitto in centro. Una vera delizia, completamente ristrutturato, tutto legno e soppalchi... Che ne dici se lo andiamo a vedere insieme? Così finalmente ti liberi di questo nonno oppressivo e di questa sorella scocciatrice!»

«Cos'è, Nanni, non sopporti più di avermi tra i piedi? Ti vergogni di me con i tuoi amici?...»

«Ma no, su, sei sempre il solito. Volevo solo dire che . Lo sai che sei il mio piccolino!»

«Non mi chiamare "piccolo". Mi fa incazzare quando mi chiami "piccolo"!»

«Oh, scusa, era solo un modo di dire affettuoso. Ma se ti dà fastidio, scusami... Ma pensa anche alle mie proposte...»

«Sai, Nanni, dove puoi ficcarteli la tua Porsche e il tuo appartamentino sfitto?» gli ha risposto il nipote.

«Parlo seriamente. Domani stesso. Vado dal concessionario. Anzi andiamo insieme, domani sera... È così tanto tempo che non facciamo qualcosa assieme.»

«Nel culo, ecco dove te li puoi ficcare!»

«Ma perché fa così? Perché mangia, fuma e beve in continuazione? Nessuno di noi è così. Perché non mi consente di aiutarlo, di comprargli ciò che farebbe felice qualsiasi ragazzo della sua età?» ha chiesto Nanni al terapeuta che segue Giacomo. Il nonno non si dà pace, ha già vissuto il dramma di sentirsi un padre impotente, e ora rivive un'esperienza analoga con il nipote, che se non può dirsi egualmente tragica è certo più estenuante perché diluita nel tempo.

«Vede, ingegnere» gli ha risposto lo psicanalista, «Giacomo è un ragazzo molto dotato, ma soffre di quella che noi chiamiamo una vocazione alla dipendenza. Lui è schiavo di alcune coazioni. Una volta che ha costruito un'abitudine essa immediatamente si trasforma in vizio. Sì, un vizio inesorabile. Da cose innocue come il cappuccino di ogni mattina, cui non saprebbe rinunciare neppure nel deserto, a cose serie e invasive come l'alcol.»

Quest'uomo ha ragione, si dice Nanni, ma perché ogni volta che vengo qui non fa che descrivermi pedissequamente, con tanta lucidità e con terminologia così precisa e appropriata, quello che io già so, quello che ho provato sulla mia carne? Perché non dà consigli? Perché non vedo miglioramenti? Perché mio nipote è sempre più triste, più depravato, più infantile, più perduto, più irrecuperabile? Perché certe volte mi fa schifo stargli vicino? Perché ogni volta che parli con lui non riesci a scorgere neanche un sia pur minimo bagliore? Perché sono così contento quando esce, quando non lo vedo, quando mi dimentico di lui? Dio, se solo fosse come la mia topolina. Se solo avesse un briciolo della sua solarità, della sua gioia di vivere. Certe volte sono talmente esasperato che vorrei che anche lui scomparisse. Pensa, restarmene solo con le mie due principesse: sì, io, Sofia e la nostra topolina. Perché certe volte vorrei che gli uomini della mia famiglia non fossero mai esistiti?

«Ma lei crede che questo suo comportamento, sì, insomma queste sue coazioni possano dipendere da qualcosa in particolare?» insiste Nanni.

«Ha qualche idea in proposito?»

«Mah... Non so, non m'intendo di certe cose... Non la pago anche per avere delle risposte, cazzo?»

«Non mi paga affatto per questo. Anzi, le comunico che la nostra conversazione si chiude qui.»

«Ma no, mi scusi, non volevo dire questo... La prego...»

«Io non sono la sua spia, ingegnere. Intesi?»

«Intesi.»

«Anzi, è chiaro che dovrò informare Giacomo che lei è venuto a parlarmi.»

«E via, le ho chiesto scusa. Non so neanche io quello

che dico. Sono così esasperato... Non ha idea cosa sta combinando in questi giorni. Trova sempre una maniera nuova, geniale per avvelenarmi l'esistenza. Per questo la prego, la scongiuro: non gli dica che sono venuto.»

«Questo non è in discussione. Non si dimentichi che è Giacomo il mio paziente, non lei. Che, in qualche misura, nel riceverla ho già violato le regole imposte dalla deontologia. Capirà che non posso pretendere una fiducia assoluta da un paziente cui sto nascondendo una cosa che lo riguarda. Eppoi – se vuole un consiglio, che forse non dovrei darle – è ora, ingegnere, che lei dimentichi l'inferno che Giacomo le procura e inizi a immaginare l'inferno in cui Giacomo vive.»

«Che vuole dire con questo? Che non me ne frega niente di Giacomo? Che mi è indifferente il suo destino? Che io lo odio? Ma non è così! È l'esatto contrario. Ma non lo capisce che Giacomo mi odia? Non lo capisce che lui ci odia tutti?» si lagna Nanni, e non si è mai sentito così in balìa di un altro essere umano. È così atterrito dall'intransigenza di quest'uomo!

«Come le ho già spiegato, non è importante quello che Giacomo pensa di lei. Giacomo non è qui per imparare ad amarla. È qui per capire se stesso e per stare un po' meglio.»

«Ma insomma, non ha risposto alla mia domanda! Quale origine ha questo stato? Questa violenza? Sono anni che viene qua. Che si sdraia su questo lettino. Possibile che lei non abbia risposte?»

«Così mi costringe a ripeterle la mia, di domanda: lei ha in mente qualcosa, ingegnere?»

Se non la smette di chiamarmi "ingegnere" gli salto al collo!, si coglie a pensare Nanni.

«Beh, chissà... Mah... Forse quello ch'è successo al padre di Giacomo?...»

«Perché lo chiama "il padre di Giacomo"?»

Nanni tace. Pietrificato.

E ora che fa? Si mette a psicanalizzarmi? Vuole mettermi in

*imbarazzo? Preferirebbe dicessi "mio figlio"? È questo che vuoi
sentirmi dire, Savonarola del cazzo? Ma non posso dire "mio figlio". È crudele farmi dire "mio figlio". Sfido che il mio ragazzo
non progredisce se a seguirlo è questo pallone gonfiato, questo
malefico guru dei miei coglioni.*

Il tuo solo problema, Nanni, è che t'ostini a chiederti ossessivamente se c'entri realmente qualcosa con la morte
di... No! Non voglio nominarlo. Ma è proprio questa la
domanda che non dovresti rivolgerti e che tuttavia ritorna
incessantemente: l'avergli impedito – via, impedito? Mica
gli hai puntato una pistola alla tempia (cazzo, che esempio infelice!) – di divorziare da quella donna – per il suo
bene, perché il divorzio è indegno d'una famiglia rispettabile, aristocratica e cattolica – è la causa diretta della sua
morte? Se tu l'avessi lasciato libero lui starebbe ancora
qui, e sarebbe uno dei tanti signori di mezza età, con un
passato di scappatelle e un futuro di serenità coniugale?
Eppoi quella donna volgare di cui Ricky s'era invaghito
sempre in quel modo tutto suo: franco e appassionato...
Quella a cui hai offerto dei soldi perché lo lasciasse in pace. In fondo l'hai fatta contenta. Ti sei preoccupato della
sua felicità, o quanto meno del suo benessere. E, d'altronde, hai avuto ragione, come sempre: se lei lo avesse amato, come sosteneva, *di-sin-te-res-sa-ta-men-te*, non avrebbe
accettato i tuoi soldi. Eppure il pensiero non ti abbandona: l'interrogativo, in mezzo alla notte, torna a scavare
oscuri cunicoli nella tua coscienza, ti serra il respiro: se
non ti fossi opposto, se non avessi agito per il *suo* bene,
tuo figlio – quell'unico figlio che non riesci a nominare se
non tramite perifrasi patetiche – sarebbe ancora tra noi?
Dio, se solo potessimo tornare indietro nel tempo! Se solo
fosse possibile comprare all'asta un pezzo di passato per
cambiarlo. Se solo Iddio abolisse l'Irrimediabile! Frattanto
le domande non smettono di accavallarsi: se il tuo Ricky
non si fosse sparato, Giacomo sarebbe uno dei tanti ragazzi felici che frequentano il Parnaso, che fanno l'università,
che scopano quelle figliole con la bionda frangetta, che

257

progettano la propria vita, che sbagliano al solo scopo di rialzare la testa? Sì, insomma, quanto c'è di tuo in questo disastro? E quanto è da attribuire al destino? Possibile che i quindici centimetri che separano questo ragazzo dall'agognato metro e ottanta abbiano deciso della nostra vita? È questo che non osi chiedere allo psicanalista, temendo non tanto le sue risposte quanto le sue impudiche domande. Ecco perché non dici "mio figlio". Temi che il tuo più spaventoso sospetto, quello che non sai affrontare neppure nel profondo della tua coscienza, che scacci rabbiosamente ogni volta che ti si affaccia alla mente, si riveli fondato, reale, verificabile. Ma forse, Nanni, non c'entri niente con la morte di tuo figlio, né con l'infelicità di tuo nipote. È inutile cercare un nesso fra le cose. Forse le cose accadono autonomamente. Eppure come puoi rinunciare al lusso di torturarti col pensiero degli ultimi istanti di Ricky? Come puoi non pensare alla disperazione di quel povero ragazzo, al baratro spalancato di fronte al suo destino? Non sai cosa vuol dire volersi uccidere. Non sai cosa vuol dire precludersi qualsiasi alternativa alla morte. Non lo sai. Non sai che cosa vuol dire cacciarsi in bocca una pistola, sentire le mani che tremano e il battito cardiaco accelerato, la vita infilata in un sacco, il destino affidato alla pressione dell'indice, alla contrazione d'un muscolo, alla semplice ineludibilità d'uno scatto nervoso. Tu non hai mai pensato di ucciderti. Tu appartieni alla generazione bellica. Chi ha visto la guerra non si suicida. Chi ha sofferto realmente non ha tempo per queste stronzate. È questo che pensi. È questo che ti hanno insegnato a pensare. È questo che hai provato con tutta la tua energia a instillare nella mente di tuo figlio e dei tuoi nipoti. È questo il tuo fiasco colossale.

Giacomo si è seduto e mi guarda.

La striscia di nuvole all'orizzonte sembra una lunghissima sgommata sull'asfalto. Uno di quei primi pomeriggi di giugno in cui la piazza si riempie di ragazzi con auto e motociclette nuove e si sta lì senza alcun motivo, per il gusto misterioso di non essere altrove. Tutti si conoscono, quasi da sempre. E questo sembra bastare per non avere alcuna voglia di conoscere altro.

È un peccato che voi non siate qui, al mio fianco: che voi non possiate vederli, questi ragazzi: perché essi sono spaventosamente belli: e per di più, stupendamente ben vestiti. D'altronde avrete ormai capito che Daniel Sonnino è predisposto all'abuso avverbiale – pratica condannata sin dalla prima lezione in qualsiasi rispettabile scuola di scrittura creativa. Forse è Bepy ad avermi contagiato con il germe dell'avverbio: da lui deriva la consapevolezza che la più screditata tra le forme grammaticali del discorso dia colore alla vita, la caratterizzi, si occupi delle sfumature. E soprattutto è come se l'avverbio s'incaricasse di preparare la grande entrée dell'aggettivo sul palcoscenico della frase. E allora è utile ripeterlo per un'ultima volta: *questi ragazzi sono spaventosamente belli e stupendamente ben vestiti*, se non altro per capire come il tavolino rotondo intorno al quale sediamo io e Giacomo debba apparire a uno spettatore imparziale una sorta d'isolotto deserto e disadorno in mezzo a un rigoglioso arcipelago tropicale.

E se oggi possiamo dire con assoluta disinvoltura che Karl Marx nella sua smania di prevedere il futuro ha preso solenni cantonate, siamo obbligati, tuttavia, a riconoscergli una stupefacente comprensione delle cose umane: temo che lui sarebbe d'accordo con noi nel ritenere che la sfrontata avvenenza di questi ragazzi – qua e là deturpata da qualche inessenziale eccezione –, così come il loro buon gusto così misteriosamente compromesso con un'inclinazione alla pacchianeria, dipenda soprattutto da un paio di secoli di buona alimentazione, di ottima istruzione, d'investimento sui propri geni, e da tanti altri inqualificabili fattori e storici privilegi.

Subito l'Arabo si avvicina.

«Che volete?» ci chiede con quella sua aria sempre scocciata, come se gli dessimo noia, come se stessimo interrompendo il suo fatale officio: vegliare sull'integrità della piazza.

Giacomo chiede una grappa.

L'Arabo arriccia il naso (il viso dell'Arabo conosce solo espressioni estreme). Cristo, la grappa a un poppante. L'Arabo non sopporta Giacomo. Non lo può quasi guardare, come non può guardare i bambini down o i paraplegici (si è mai visto un paraplegico in un romanzo di Tolstoj? *Ahhh, autrefois...*). Lo fanno stare male. L'Arabo non sopporta la parte oscura dell'umana bellezza. La rifugge. Ma con Giacomo è quasi peggio. Ai suoi occhi quel ragazzo pallido e vestito in un modo tanto sciatto è una bestemmia. Lo considera più o meno come un rinnegato. Ma come? Proprio lui, nipote della principessa Altavilla, fratello di cotanta sorella, calzare quegli scarponi anfibi – e quella barba poi, da comunista? Sembra uno scarafaggio. Il mondo si sta ribaltando. L'Arabo, quando guarda quel ragazzo, è il solo a non pensare al suicidio del padre. L'Arabo aborrisce qualsiasi psicologia. *Ma via*, si dice l'Arabo, *la gente muore tutti i giorni, e ciò non autorizza chi resta a indossare magliette inzaccherate o a non curarsi i capelli. Io stesso ho perso il mio povero papà a soli tredici anni e non mi sono mai lasciato andare, non ho mai perso la mia dignità. Questo signorino ha un nome, e quel nome va rispettato. Se non hai rispetto per te stesso, abbi almeno rispetto per il nome che porti. Se non hai rispetto per la tua vita, abbi almeno rispetto per tutte le vite peggiori della tua.* (Dio, il moralismo dell'Arabo è esasperante.)

Così, dopo aver preso l'ordinazione, l'Arabo si allontana spazientito. Ma ciò che non può sapere è che in fondo Giacomo, con tutta la sua ricercata trascuratezza, non è altro che un precursore. Tra pochissimi anni, quella stessa piazza si empirà di cuccioletti vestiti da scarafaggi, con T-shirt indossate alla rovescia e pantaloni militari sfrontatamente bassi sulla vita. E allora un ragazzo "decentemente" vestito sembrerà grottesco e insensato tanto quanto oggi Giacomo appare provocatorio. E questa nuova generazione aracnofila non sarà mica il prodotto d'un'altra razza, di altre famiglie o di diversi ceppi antropologici, come tristemente constaterà l'Arabo. No, saranno solo fratelli minori persuasi con la nostra stessa irragionevole determinazione che indossare la T-shirt alla rovescia sia un gesto distintivo che azzera tutto, impallidendo qualsiasi altra moda passata o futura. Quelli che oggi amano una vita confortevole, una vita all'americana, domani odieranno il confort e l'America. Quelli che oggi considerano all'avanguardia un pasto a base di Big Mac domani troveranno quel medesimo pasto penosamente inquinante, simbolicamente pernicioso. Così funzionano le cose in questa piazza. Con buona pace del nostro Arabo disperatamente passatista.

«Di' un po', ti dispiace che non sia venuta mia sorella?» mi chiede Giacomo a bassa voce.

Non rispondo. Conosco questa voce biascicata: ha bevuto, ha fumato, è imbottito di tranquillanti, è fuori di sé.

«Allora, ti dispiace o no?»

Taccio.

«Non è educato non rispondere. Su, dimmi: ti dispiace?»

«...»

«Ma certo che ti dispiace! Hai il viso affranto.»

«...»

«Perché non parli? Volevo solo fare due chiacchiere...»

Tace anche lui.

«Dimmi un'altra cosa, allora. Come mai nella tua famiglia siete tutti così servili?»

«...»

«Sì, perché scodinzolate intorno alle persone? Perché le idolatrate? Vi viene naturale strisciare?»

«Dai, smettila. Sai che quando stai in questo stato dici solo sciocchezze!»

«In quale stato?»

«Diciamo che la puzza di alcol ti ha preceduto di un paio di minuti.»

«Ah, a lui gli alcolizzati non piacciono...»

«E tu saresti un alcolizzato? Chi ti credi di essere? Edgar Allan Poe? Tu sei un paraculo...»

«A lui piacciono solo i servi e le pompinare» continua lui alzando il tono della voce e fingendo di non ascoltarmi.

«E va bene, hai ragione. È come dici tu.»

«Non hai ancora risposto, Daniel.»

«A cosa?»

«Mettiamola così, allora. Sei sicuro che questa sia la strategia giusta? È roba tua? O di tuo padre o di tua madre?»

«Quale strategia? Farnetichi. E perché ce l'hai tanto con i miei, oggi? Di solito ti piacciono tanto!»

«Beh, immagino siano loro ad averti insegnato a strisciare. Per questo siete così amici di Nanni, no? Nanni se li sceglie tutti uguali, i suoi amici: carini, cortesi e deferenti. Proprio come voi. Nanni sopporta solo la gente così. Nanni è insofferente alla verità. E ti assicuro che Gaia ha imparato la lezione. La principessina s'è già fatta la sua bella corte. Non trovi? Ma certo, lo sai benissimo: tu sei il ciambellano.»

Le parole di Giacomo, oltre a essere sgradevoli, sono anche prive di fondamento. Per questo, anche se mi mettono di malumore, non me la prendo. Via, sono il primo ad ammettere che l'affezione di mio padre per Nanni sia esagerata. Ma tale ipertrofia affettiva non è piaggeria: bensì lo stucchevole frutto di una personalità incline all'eccesso e all'esuberanza. Tutte le passioni di mio padre sono cocenti, spesso faziose e irragionevoli: quando mangia il sashimi in un ristorante giapponese. O quando, aprendo l'ultimo numero di "Quattroruote", gorgheggia felice alla vista del nuovo modello Chrysler. O quando si abbandona a euforiche interiezioni di fronte a un quadro di Jasper Johns o a un racconto di Bret Easton Ellis. *Non lo trovate fantastico?*, ci chiede con gli occhi che negli anni hanno preso a lampeggiare come quelli di Bepy... Ma che c'entra il servilismo? Anche la devozione per Nanni è uno dei modi di mio padre per dirci che il mondo gli piace incondizionatamente. Mio padre è un innamorato cronico: uomini, donne, libri, griffe, automobili, calciatori, cibi, edifici, tramonti. Tutto, tutto il reale incommensurabile, così com'è o così come crede che sia, per lui è oggetto di culto, occasione di fanatismo.

Ma Giacomo – evidentemente sorpreso dal mio self control –, dopo averlo brandito per qualche minuto, affonda il coltello nella mia carne:

«Vuoi sapere che cosa pensa Nanni di voi?»

«Non ci tengo...»

«Dice che tuo nonno era un ladro, uno shruffone, che ha avuto la fine che meritava. Dice che tuo padre è un leccapiedi e tua madre una livida frustrata! Dice che se lui stesso, a suo tempo, non vi avesse aiutato ora stareste con le pezze al culo.»

Sì, è così – attraverso queste parole – che l'acuminato coltello di Giacomo si fa strada nelle mie viscere. È orrendo pensare che tali giudizi su Bepy, su mio padre, sulla mia famiglia siano stati pronunciati milioni di volte di fronte a Gaia.

E non so proprio che cosa mi trattiene dall'afferrare Giacomo per la maglietta, sollevarlo dalla sedia con tutta l'adrenalina che ho in corpo e prenderlo a ceffoni finché non mi passa. Temo che in quest'epoca così pacifica si sottovaluti la bellezza intrinseca di certi atti violentemente liberatori. Non trovate che sarebbe splendido, anziché starsene qui imbambolati a incassare insulti assurdi da questo matto, iniziare a percuoterlo selvaggiamente? Non sarebbe un sollievo, se non per l'intera umanità per la maggior parte delle persone che lo frequentano e che fingono di compatirlo? Chi lo dice che alla follia si debba sempre rispondere con la comprensione? Non è proprio la follia a negare il dialogo, a renderlo impossibile? Perché la follia merita quello che la saviezza non assicura? Dove sta scritto che la tolleranza nei confronti dei malati di mente sia l'ultimo orizzonte della moralità umana? Qualcosa mi dice che se, interrompendo la serie infinita di indulgenze di cui questo ragazzo ha goduto negli ultimi dieci anni, io lo prendessi a calci, se cedessi al basso istinto che mi spinge a tappargli la bocca con un pugno, un sacco di gente me ne sarebbe grata, me ne renderebbe merito. Possibile che questo non conti niente? Che l'eventuale gratitudine di costoro abbia un peso specifico così insignificante? Sono certo, tanto per fare un esempio, che se io picchiassi Giacomo l'Arabo andrebbe in visibilio, così come, al di là delle pubbliche affettazioni di indignazione, dentro di sé lo stesso Nanni proverebbe una primitiva sanissima voluttà. Chi mi dà questa certezza? Nessuno, naturalmente. È una cosa che sento. Qualcuno potrebbe dirmi che malmenare Giacomo non servirebbe a nulla, che lui ormai è un uomo perduto. Che la violenza non è mai la ricetta giusta. Ma chi lo dice che io voglia o debba aiutare Giacomo? Perché pensare solo al suo benessere e non a quello delle persone da lui quotidianamente insultate? Perché non pensare al mio, di benessere? Perché solo il suo è importante? Non ho già sofferto abbastanza? Vi giuro che riempire Giacomo di botte, qui, di fronte a tutti, non solo mi darebbe una gioia estemporanea quasi insostituibile ma risolverebbe in anticipo un mucchio di problemi che tuttora mi affliggono.

Naturalmente non sono che vaniloqui interiori. In realtà resto qui, annichilito, in balia di questo sciagurato che non vede l'ora di farmi a pezzi. Frattanto lui tace, per poi riprendere con un tono lamentoso e insincero:

«Credi che non abbia capito che la sola ragione per cui mi frequenti, la sola ragione per cui sopporti quello che nessuno sopporta, la sola ragione per cui accetti l'umiliazione di essermi amico, la sola ragione per cui te ne stai qui con me vergognandoti come un ladro è farti bello agli occhi di Nanni e di Gaia? Tu vuoi entrare nella loro vita, mica nella mia. Vuoi essere gradito a loro, mica a me. Non negarlo! Lo sai cosa sono per te? Una chiave per accedere nel palazzo reale. Sono il tuo numero fortunato. Per questo sei così gentile. E mi porti a mangiare la pizzetta, e mi porti a comprare i dischi, e al cinemino, e mi racconti i romanzi... Non è così? Sai, Daniel, tu sei il peggiore di tutti.

Tu sei il finto buono che sta per esplodere. Insomma, volevo solo dirti che non serve. È inutile che tu ti prenda cura di me. Basterebbe che tu sentissi cosa dice Nanni dei Sonnino per capire che con Gaia non hai alcuna speranza. Che ne avrebbe di più il più stronzo dei tuoi compagni. Forse anche un nano da circo. È strano che uno come te» conclude, «uno che ha avuto tanto come te, stia dietro a quella sfigata di mia sorella...»

Ancora una pausa. Un goccio di grappa.

«Eppoi, Dani, io al tuo posto, con la madre che hai, con il padre che hai, col fratello che hai...»

Non mi guardava, continuando a enumerare quasi in trance i componenti della mia famiglia, nei confronti dei quali, a dispetto delle parole sferzanti rivolte loro pochi attimi prima, sembrava provare un'invidiosa venerazione. Una caratteristica della sua dialettica era il cambio repentino di prospettiva. Ogni urgente asserzione veniva quasi immediatamente ribaltata. Ma questo non sembrava un espediente per sconcertare l'interlocutore, bensì una peculiare forma d'insofferenza, una vocazione all'ambiguità. Era come se quello scontro esasperante che segretamente avviene nella nostra testa tra una ragione e il suo contrario, tra verità e malafede, tra autenticità e convenienza, in Giacomo, invece, s'estrinsecasse sul campo di battaglia dei suoi fratti discorsi.

Ma questa è robaccia precotta!, mi colsi allora a pensare, come per spezzare l'assedio della sua arrembante requisitoria: l'eterna recita dei figli di papà (o di nonno) che dicono d'invidiarti. Sono lì nobilmente protesi e insoddisfatti, pronti a darti il contentino. Felici di riconoscere la meraviglia d'un'umile esistenza. Ti guardano e sembrano dirti: "Tu, con la tua vita mediocre e senza prospettive, sei l'incarnazione del privilegio. Sei tu, la cui vita non è stata caricata di aspettative, a conoscere il valore autentico della felicità familiare". Sì, l'eterna recita che conosco sin troppo bene, se non altro per averla interpretata io stesso almeno una dozzina di volte. Se è questo che mi devi dire, Giacomo mio, sei sulla strada sbagliata. Non c'è niente di sconvolgente, niente di pirotecnico in quello che mi stai dicendo. C'è solo un po' di narcisismo mescolato a una buona dose di autocommiserazione. Un piatto indigeribile che io stesso ho servito ad amici meno abbienti.

«Ma lo sai che vuol dire avere una madre inesistente, che manda cartoline da luoghi imprecisati? o una nonna ossessionata dal bon ton?...» mi chiede a un tratto con quei sorrisi sforzati di chi trattiene la commozione.

Giacomo adora ridurre la propria esistenza a queste istantanee: definizioni che possiedono una potenza evocativa perfino divertente, ma che tuttavia testimoniano una deleteria inclinazione al melodramma.

«... E soprattutto il piatto forte: quel pazzo squinternato di Nanni. Ecco cosa abbiamo noi. A te Nanni sembra normale, a tutti sembra normale e ponderato. Mi rendo conto che così possa apparire agli altri. È abile nel dissimulare. È un artista della dissimulazione. Ma credimi, basta viverci insieme giorno per giorno per rendersi conto che è lui il vero matto della compagnia. Mica io. È lui. Vuole sempre dare l'idea di stare al di qua delle cose. E solo quando lo conosci come io lo conosco ti rendi conto che il pazzo è lui. E che quello stare al di qua è solo una patetica bugia. Una trovata pubblicitaria. Che la sua vera inconfessabile vocazione è quella di stare al di là delle cose... Ma lo sai che il suo solo problema» riprende Giacomo dopo aver terminato la seconda grappa e averne ordinata un'altra al sempre più intrattabile Arabo «è di non essere nato aristocratico? Ti sembra un problema accettabile, degno di nota? È proprio così. Altrimenti perché alimenterebbe così tanti equivoci sulla sua nascita? E perché spendere tanti quattrini per quelle ridicole ricerche araldiche? Ma lo sai che il suo cognome "Cittadini" lo esaspera? Non lo sopporta. È così borghese. Cittadini puzza di giacobino. Dio, che orrore. Lui meritava un nome tipo Odescalchi o Farnese o Pallavicini o

Barberini o Boncompagni Ludovisi... È questo che pensa. Si tortura. Tutto, ma non Cittadini. È questa la sua vanità, Dani. Lui si sente defraudato di un titolo che gli spetta. Per questo quando è con i suoi amichetti si fa chiamare col cognome di nonna. Se solo sapessi come gongola quando qualcuno lo presenta: "Ecco a voi il principe Altavilla!". Non capisce la ridicolezza di quella presentazione. Mica se ne rende conto. Non capisce che quelli lo disprezzano, che quelli vivono per l'araldica, per il "Libro d'oro", e certo non si fanno infinocchiare da un parvenu. Loro li fiutano, i parvenu. Loro si circondano di parvenu. Loro sono nati e cresciuti con la missione di snidare i parvenu che frequentano. Ecco perché papà ha sposato mamma sotto la benedetta pressione del vecchio. Il vecchio è un fuoriclasse nell'arte di premere e in quella di benedire. Sai, non è una bella cosa essere manipolati dal classismo di un maniaco. È incredibile che ci abbia educato come se appartenessimo alla famiglia reale. Devi vedere che spettacoli organizzava quando eravamo piccoli. Quando diceva: "Su, Giacomo, stai composto, questo modo di comportarsi è indegno d'un Cittadini"... T'assicuro, testuale. E lo diceva con la stessa gravità con cui uno potrebbe dire: "Questo modo di comportarsi non è degno d'un Windsor". Tu c'eri all'ultima caccia alla volpe? Quella faraonica? Dai, su, c'era pure Bepy! Sembrava di essere ai tempi della regina Vittoria. Tutti vestiti con le giubbe rosse e tutti, dio santo tutti, con la tuba... Quanti cazzo di cani c'erano...»

Ancora un sorso.

«... Organizza 'sti ricevimenti incredibili per invitare quella gente. Chiunque abbia un titolo è precettato. E tutti in fila, gli scrocconi. Altroché. Questa pletora di snob è pronta a godersi la vita a spese di Nanni. Quella volta, durante la caccia alla volpe (ma possibile che non te la ricordi?), mi sono acquattato sotto a un tavolo per ascoltare i commenti di quella gente. Uno dice: "Hai mai visto in tutta la tua vita una simile cafonata?...". E ridono, sì, ridono di lui. Devi vedere come ridono... Insomma, ho trovato giusto informarlo che ridevano di lui. E lui mi ha schiaffeggiato. Non mi ha parlato per settimane. Credo che sia da allora che mi odia. Ma non mi sembrava una cosa così terribile che qualcuno ridesse di lui. Non è bello far ridere la gente? Io lo so che faccio ridere e ne sono felice, Dani, ti giuro. Siamo una famiglia di comici, ma io sembro il solo ad averlo capito, cazzo. Non hai idea quel comico involontario di Nanni quante risate ha fatto fare alla gente con quella statua!»

«Quale statua?»

«Ma come? Non sai niente neppure della statua?»

«No.»

«La statua che sta all'ingresso di casa, l'avrai vista centomila volte.»

«Eh, e allora?»

«Nanni non ti ha mai parlato della statua?»

«No.»

«Basterebbe questo per dire che non conti un cazzo ai suoi occhi... Dai, la sua adorata statua. Un mezzobusto del Diciottesimo secolo acquistato a un'asta. Un giorno lo porta a casa e ci dice che quello è un suo antenato. Sì, non è più preciso. Non offre dettagli. Non ci dice il nome, né altro. Dice solo che quello è il suo antenato. Il suo antenato ritrovato. Che non ha dubbi. Che, vedendo quella statua, ha sentito una voce.»

«Una voce?»

«Precisamente: la voce del sangue. Così dice. La voce del sangue. "Ma possibile che non lo vedete?" ci chiede, e gli trema la voce. "Ha la mia stessa espressione, stessi capelli! Guarda, Gaia, ha il tuo naso!"»

Giacomo mi racconta che col tempo Nanni ha costruito un'identità per quella anonima statua. Le ha dato un nome, un titolo, inventandole una vita, fatta di aneddoti, dolori, gioie, successi, lutti. E si è innamorato a tal punto di quell'avo inventato che ha finito col credere alla sua esistenza storica. Sì, la sua commozione di fronte a quella statua è autentica. Guai a ricordargli il giorno in cui l'ha portata a casa quando non aveva altro se non la certezza che fosse il ritratto d'un nobile consanguineo. Guai a metterlo davanti alla sua patetica mistificazione. Se lo facessi, come Giacomo mille volte ha fatto, lui s'imbestialirebbe in un modo da far tremare i muri di casa.

«È con questo tizio che, da quando mamma è andata via, ho dovuto vivere. È questo pazzo visionario che si è occupato della mia educazione. Nonna era come non esistesse. Lei era sostanzialmente assente. Per lei era importante che ci comportassimo bene. L'unica cosa che mi ha insegnato mia nonna è che il baciamano si fa solo nei luoghi chiusi e mai alle ragazze che abbiano meno di diciassette anni. E pensa, ho scoperto pochi giorni fa che anche questa è una cazzata, che 'sta gente è talmente smidollata da non essere in grado di dettare regole inalterabili. Quello che voglio dire è che mi hanno lasciato in balia di questo duo improbabile, da avanspettacolo. Ci hanno mollato a Nanni e Fifi. Ti rendi conto? Nanni e Fifi. Sembrano una coppia di Schnauzer nani! Ed è Gaia la chiusura del cerchio» conclude Giacomo in piena esaltazione shakespeariana, «lei è l'ultimo atto di questa follia. Lei è la degna compare di Nanni. Cosa credi che sia successo tra lei e Dav? Perché si sono lasciati? Credi davvero alla storia dell'incompatibilità?... È tutto così formale in lei. Il mondo crolla, la gente muore, s'ammazza, e lei continua a essere formale come una damina dell'Ottocento. Dav l'ha lasciata. È un tipo sincero. Sai, mi piace molto. Dav l'ha capita subito. Ha fatto quello che doveva fare con lei. Eppoi l'ha mollata. Dopo tutto quel casino, l'ha mollata.»

Improvvisamente sento la gola aggredita da un ricordo.

Una delle prime occasioni in cui sono stato chiamato a indossare un abito da sera, e indotto a derubare mio padre d'un marroncino cappotto di covercoat con i baveri di velluto verde smeraldo, per essere all'altezza della festa che i signori Arcieri avevano allestito per il sedicesimo compleanno della loro unica figlia Diamante in un locale

che allora scontava una lieve decadenza chiamato Jackie
O', in omaggio a Jacqueline Kennedy suppongo. Avevo
implorato mia madre di lasciarmi prendere anche un cap-
pellone a larghe falde, ma lei quella volta era stata irremo-
vibile: «Ma su, già così sembri un gangster nano. Piccolo
mio, anche il grottesco ha un limite!».

Un taxi mi aveva lasciato all'imbocco di via Boncompagni, tra le folte luminarie dell'Excelsior e la goffa struttura
che tuttora ospita l'ambasciata americana. Sebbene orfano
del mio cappello da gangster, mi ero incamminato in un
tripudio di speranze che sembravano alimentate dalla
scorpacciata di dettagli metropolitani con cui, strada facendo, avevo ingolfato lo spirito: le luci dei negozi chiusi,
le auto in sosta, i misteriosi arcipelaghi formati dalle cac-
che dei cani in terra e dalle foglie dei platani in cielo... Tutto questo sembrava aver decuplicato le mie già alte aspettative. Temo di dover confessare una debolezza fatale per
la mondanità: le due ore che antecedono una festa, completamente dedicate alla cura di sé – quando le nebbie
della doccia sembrano confondersi con quelle non meno
dense dell'immaginazione creatrice – sono fra le cose migliori che la vita sa offrire. È naturale, quindi, che la delusione, suscitata dall'anodino svolgersi della festa, più che
da valutazioni obiettive, derivi dal ponderoso campionario delle promesse mancate.

Naturalmente anche la festa di Diamante Arcieri non
seppe costituirsi come eccezione: e la realtà ebbe, per l'ennesima volta, ragione della fantasia.

Sicché, con il senso di nausea che dona la vacuità emotiva, percorrevo a un'ora non troppo indecente la caverna
che conduceva all'uscita del locale, dove avrei trovato ad
attendermi un taxi nel quale deglutire finalmente il veleno di quell'innocuo avvilimento. Fu allora che udii distin-
tamente un sospiro. Un sospiro che aveva allo stesso tempo qualcosa di mistico e qualcosa di pornografico. Mi
girai verso quel sospiro. Buio pesto. Fu grazie al servile e
un po' ironico gesto del buttafuori nero – per l'occasione

vestito come un paggio del Diciassettesimo secolo – che schiudeva la porta al mio passaggio, che un fascio di luce gialla poté incunearsi a illuminare due corpi avvinghiati. La posa plastica di quei corpi faceva pensare a certe movimentate sculture barocche. Ma in realtà il retaggio più barocco di quella scena era quello delle labbra semichiuse della ragazza: labbra in estasi: labbra che hanno appena emesso un sospiro mortale. E per quanto mi sarebbe piaciuto credere che quel sospiro mistico fosse stato originato dalla visione di Dio, era evidente come esso fosse generato dalla sapiente mano del ragazzo che per qualche minuto aveva armeggiato sotto la gonna di lei.

In questo modo teatrale, succinto e secentesco avevo scoperto quello che tutti sapevano da tempo: che Gaia e Dav stavano insieme. Fino a quel momento la mia tranquillità era stata salvaguardata dal sonnambulismo da cui all'epoca ero pietosamente assistito. Tutti sapevano di Gaia e Dav da almeno un anno e mezzo e lo sapevano a tal punto che l'incontro dei singoli nomi di quei ragazzi si era trasformato in sigla: Gaia & Dav. *Vengono stasera Gaia e Dav?... Ma li hai visti ieri sera Gaia e Dav?... Che dite, li aspettiamo Gaia e Dav?*, quante volte negli ultimi tempi avevo sentito pronunciare consimili espressioni! Forse avrei dovuto prendermela con il mio cervello più che con le mie orecchie. Sapevo di aver udito migliaia di volte pronunciare in mia presenza quella sigla, Gaia & Dav, così come sapevo di non essermi mai voluto interrogare sul suo significato.

Gaia & Dav: non era un enigma, in fondo. Era un dato di fatto incontrovertibile che avevo semplicemente ignorato. Sì, io non avevo mai sospettato. Non certo perché qualche creatura misericordiosa mi avesse tenuto all'oscuro come si fa con i cornuti istituzionali, ma solo perché di solito nessuno ha interesse a intratteneri con le cose evidenti. Avevo fuggito l'evidenza e perseguito la menzogna con una tale ottusa determinazione che solo ora capivo quante realtà avessi dovuto trasfigurare per difendermi dalle insopportabili verità racchiuse in quella sigla commerciale: Gaia & Dav.

Certo è che quel taxi, che avrebbe dovuto ospitare un'amarezza in fondo niente affatto sgradevole, si era trasformato improvvisamente in un autentico inferno. Oggi so che la sofferenza amorosa consiste nel restringimento progressivo dell'intero mondo in un solo punto. È come se un punto divorasse con un rapido boccone l'universo intero. Era esattamente quello che mi stava accadendo. Non basta dire che l'emissione di fiato che aveva determinato il sospiro di Gaia mi aveva cambiato la vita. È più esatto dire che quel sospiro era diventato la mia vita, si era sostituito e sovrapposto a essa.

L'ironia volle che Gaia e Dav, per le ragioni che Giacomo si accinge a illustrarmi, si lasciarono pochi giorni dopo la festa di Diamante Arcieri e che io cominciai a soffrire come un cane per quel rapporto ormai compromesso, dopo aver felicemente vissuto – durante i favolosi anni di Gaia & Dav – in preda a una cecità autoprotettiva. Ma ero così intriso di quel sospiro, ero così traumatizzato da tutte le implicazioni cui esso sembrava alludere che avevo scelto di non occuparmi d'altro per i prossimi decenni: decifrare quel sospiro con passione masochista era il mio scopo esistenziale.

Per questo, sebbene Giacomo mi abbia appena posto due interrogativi ineccepibili (*Perché credi che si siano lasciati? Credi davvero alla storia dell'incompatibilità?*), non ho nessuna difficoltà a confessare a me stesso di non essermeli mai posti. Almeno non in questi termini.

Che m'importa di sapere perché si sono lasciati, se non ho ancora imparato a sopportare l'idea che siano stati assieme?

Così avrei potuto rispondergli.

Anche se in realtà la fine di quella relazione tra liceali nascondeva altre spine che non potevano certo sfuggire al mio intelletto sempre in cerca d'una sferza con cui autofustigarsi. Dai pochi ragguagli raccolti in giro e dall'osservazione dello stato d'animo dei contendenti, avevo compreso non solo che Dav l'aveva lasciata, ma che, con l'indolenza che lo distingueva, il signorino non si era sentito in dovere di fornirle spiegazioni adeguate.

D'altra parte la cosa peggiore che possa accadere a chi è abituato a essere inseguito, agognato, oggetto principe del Desiderio Collettivo, è di vedere, anche per una sola volta, i ruoli invertiti. Sicché Gaia s'era trovata a dover inseguire l'idolo incarnato della sua vita. E non avendo fatto, negli anni, esperienza di inseguitrice, non avendo all'attivo alcu na ora di allenamento in questa difficile martirizzante disciplina, aveva clamorosamente sbagliato le mosse. Non aveva avuto discrezione. Si era lanciata alla riconquista di Dav con troppa foga. Non aveva saputo dissimulare la disperazione. Si era resa ridicola. Lo aveva sommerso di lettere, di bigliettini, di richieste, perfino di regali costosi e di umilianti preghiere telefoniche. «Ti prego, amore, non attaccare, ancora due minuti! Ti scongiuro...» «Ho da fare, dai...» Era così bello che lui le permettesse ancora di chiamarlo "amore".... «Almeno dimmi cosa è successo!... Avrò il diritto di sapere perché mi hai lasciata. Non dirmi per quella scena di nonno. Quella non c'entra niente, vero?» «Che senso ha parlarne?» «Ti prego, dimmi che quella cosa non c'entra. Che io non c'entro. Ho fatto tutto quello che mi hai chiesto. Farò tutto quello che mi chiederai, ma ti prego... Sono giorni che nonno non mi rivolge la parola e a causa tua!» «Su, piccola, ne abbiamo parlato almeno cento volte. Non c'è altro da dire. Se non hai capito mi dispiace.» Ed era un miracolo che lui avesse ancora la magnanimità di chiamarla "piccola"! «David, tesoro mio, amore mio...» «Dai, non piangere!» «Piccolo mio?» «Eh?» «Un altro minuto. Non attaccare. Ti prego. Un altro minuto... Anche zitti, senza parlare.» L'effetto ottenuto da questa strategia suicida era stato quello di trasformare l'indifferenza di Dav in pietà, poi la pietà in stizza, infine la stizza in disprezzo. Il problema era che Gaia lo amava. E, per ragioni da lei ritenute inoppugnabili, sentiva di aver colto la singolarità di

Dav più di chiunque altro: lei apparteneva a pieno titolo al club dei Grandi Plagiati Da David Ruben: e purtroppo essendosi attaccata a quell'unicità non sapeva come rinunciarvi. Tutto il resto le doveva apparire insignificante. *Non c'è nell'universo un altro David Ruben*, sussurrava a se stessa con l'enfasi delle debuttanti. E, in effetti, esisteva un altro ragazzo che l'avrebbe persuasa ad alzarsi la domenica mattina alle cinque in punto – lei che amava così tanto dormire – per andare a pescare trote? No, non esisteva. Ma il solo fatto che esistesse un'altra ragazza (non più meritevole di lei) che presto l'avrebbe soppiantata (o che l'aveva già fatto), un'altra ragazza intontita costretta a bere un latte macchiato bollente all'alba per seguire il suo eroico pescatore in fantastiche avventure tra boschi, torrenti e laghetti, la faceva impazzire di gelosia.

E forse bisogna concederle più di un'attenuante: tenendo conto, anzitutto, del modo perentorio con cui Dav si era disfatto di lei. Senza fornire spiegazioni, senza preoccuparsi di ascoltare le proteste e le suppliche di Gaia, mostrando una severità perfino crudele, sintomo d'una stupefacente incapacità di empatia, lasciando la poveretta in uno stato di sconforto tale da farle mettere in discussione – per la prima volta nel corso della sua breve esistenza – se stessa. Che roba! C'era forse qualcosa in lei – in Gaia Cittadini, la più vezzeggiata tra le ragazze della sua generazione – che non andava? La sua voce aveva un suono sgradevole? La sua compagnia era noiosa? Il suo alito fastidioso? Forse questo? Perché da un certo momento in poi lui non aveva voluto più baciarla? Esisteva al mondo qualcosa di più incredibilmente eccitante che baciare quelle labbra, le labbra di Dav? Sì, forse qualcosa esisteva.

Eppoi, come non valutare la natura d'una personalità spumeggiante e convessa come quella di Dav Ruben? Dio santo, parliamo di uno di quegli individui-mondo – alla Bepy per intendersi – che hanno il dono di trasformare tutto quello che toccano in oggetto di culto. Dav corrompeva la tua esistenza attraverso la sua. Rendeva indispensabili cose che non ti avevano mai interessato. Risvegliava in te quel desiderio di varietà edonistiche che la vita comune tende a conculcare, anche se ti chiami Gaia Cittadini, anche se sei nipote d'una principessa e d'un Rastignac di successo! Dav era un ricettacolo di vizi, di abitudini, di stravaganze, di gusti, di ristoranti, di località, di espressioni verbali, di sport, di film, di retroscena e di tante altre cose ancora che ponevano chiunque entrasse in contatto con lui nella condizione d'un poveraccio che per la prima volta, grazie a un viaggio premio, sperimenti gli agi pompeiani di un albergo di lusso nel sordido ventre di Manhattan. Come puoi una volta che hai provato la delizia di essere servito in camera da uno stuolo di camerieri, dopo esserti assuefatto a massaggi orientali, alla varietà di ristoranti etnici, ai coiffeur di alto bordo, tornare a vivere nella tua putrida periferia?

Dav ti viziava in modo fatale.

E Gaia, la mia Gaia, era disperata. Era certa, anche se non lo avrebbe confessato a nessuno, che questo fosse un dolore più intrusivo di quello per la morte del padre. Un dolore che non dava requie. Che non evolveva. Che stava sempre lì al punto di partenza, tanto da non potergli immaginare un'alternativa. Un dolore che aveva la singolare virtù di ritornare proprio quando aveva finto di essere sparito per sempre. Era esterrefatta che l'amore per un individuo vivo fosse più cocente di quello per uno morto, sangue del suo sangue, *il mio papino*... E a proposito di questo, c'era un nuovo pensiero che occupava la sua mente – uno di quei tarli che tendiamo a rimuovere ma che in alcuni momenti della vita reclamano il loro diritto a torturarci. Come sottovalutare il fatto che i due uomini della sua vita, quelli che più di tutti aveva saputo amare, in un modo o nell'altro, avessero scelto di abbandonarla? E va bene, suo padre non si era sparato a causa sua. Su questo Nanni era stato chiarissimo. Gaia ricordava ancora quando un Nanni sfigurato dal dolore e dal massacrante tentativo di dissimularlo li aveva convocati – lei e Giacomo – nel suo studio, per dire che loro – lei e Giacomo – non c'entravano niente con quella tragedia, che lui sapeva con certezza che loro – lei e Giacomo – non avevano alcuna responsabilità, nessuna colpa. Che Ricky voleva loro – a lei e a Giacomo – un "bene dell'anima", che se non fosse stato costretto dalle circostanze non li avrebbe mai abbandonati. Che se c'era un colpevole quello era... Qui Nanni si era interrotto tra i singhiozzi. Sì, Gaia non aveva dimenticato nemmeno la propria imperturbabilità di fronte a quei discorsi insensati, né quella di suo fratello, così come non aveva dimenticato la piagnucolosa angoscia in cui Nanni sembrava squagliarsi. Eppure, nonostante tutte queste considerazioni, un fatto restava: lei, in appena sedici anni, era stata già abbandonata due volte, e proprio dagli uomini della sua vita. E questo la faceva riflettere, alimentando anche quella forma di autocompatimento che in talune circostanze può rivelarsi persino gradevole.

Non si capacitava che Dav le fosse entrato dentro così misteriosamente. Si sentiva quasi in colpa per questo. Così scoprì che la vista d'ogni luogo della città da lei frequentato con Dav in quell'anno e mezzo di relazione (vie, negozi, bar, ristoranti, cinema...) equivaleva a un colpo alla nuca che la costringeva ad abbassare gli occhi. D'un tratto Gaia trovò la propria città ostile come non era mai stata: per non parlare della scritta "Olgiata" che le accadeva d'incrociare le rare volte che percorreva il Raccordo Anulare sull'auto con autista di Nanni. Quella scritta bruciava come una scudisciata sulla schiena. Gaia stava scoprendo quello che prima o poi a tutti tocca scoprire: quanto in fondo siamo vulnerabili di fronte all'amore: quanto sia facile rimanere invischiati in qualcosa di così inestricabile e come sia disperatamente arduo uscirne indenni. Era sorpresa da come persino il proprio corpo fosse un motivo di evocazione.

Per esempio, Dav aveva sempre amato la bocca di Gaia, non ne aveva fatto mai mistero, anzi, era un tipo così meravigliosamente esplicito: non si era mai stancato di ripeterglielo: "Tesoro, che labbra incredibili!" (possibile che ora lui di punto in bianco avesse smesso di desiderarle? Come era possibile smettere di desiderare qualcosa di così altamente desiderabile? Perché l'aveva lasciata? E perché non si era curato di spiegarle perché la stava lasciando? Possibile che fosse così crudele? Così pazzo? Possibile che non provasse alcun *affetto* per lei?). Insomma, accadeva sempre più spesso che lei, guardandosi allo specchio per mettere il lucidalabbra, fosse trafitta dalla vista della propria stessa bocca: perché se quella bocca non veniva amata da Dav, se non veniva da lui usata a suo piacimento (e Dio solo sa in quanti modi scabrosi lui l'avesse usata), non aveva più alcun senso. Le sue labbra, senza Dav, non meritavano più di occupare un posto d'onore su quel viso da parata!

E dire che nei primi giorni, dopo la loro separazione, Gaia aveva provato a eludere qualsiasi oggetto, qualsiasi situazione, qualsiasi luogo che potesse ricordarle Dav. Ci s'era messa d'impegno, con quel puntiglio che metteva sempre nelle passioni. Ma ben presto aveva dovuto abbandonare il suo proposito, constatandone l'intrinseca fallacia: era impossibile esercitare alcun controllo sulle mille evocazioni che la realtà generava quotidianamente. Era inutile provare a fuggire quei castighi imprevedibili perché essi incombevano su di lei come briganti in un bosco medievale. Quindi il solo modo per non incorrere nei terribili momenti in cui un ricordo improvviso le faceva vacillare le ginocchia sarebbe stato quello di smettere di vivere: togliersi la vita. Ma ciò era impensabile per lei, e anche vagamente ridicolo.

I sensi di Gaia non erano mai stati così accesi come in quel momento. Si sentiva molestata dai rumori troppo forti e dagli odori troppo intensi. Il fatto misterioso è che da quando Dav non era più con lei tutto sembrava offenderla personalmente: un clacson che strombazzava in mezzo alla via o l'odore di fritto proveniente dalla porta semichiusa di un ristorante cinese. Questo era l'inferno.

Persino in casa, persino in famiglia era diventata insofferente. Non sopportava, per esempio, il modo in cui Nanni
mangiava le zuppe e le minestre di cui era ghiottissimo.
Non che il nonno facesse rumore, ma alla fine di ogni cuc-
chiaiata a Gaia sembrava di percepire un lieve fischio in
lontananza che la faceva rabbrividire. Che certo non andava attribuito alla maleducazione, ma più probabilmente a quella protesi dentaria nuova di zecca che aveva ri-
portato la bocca di Nanni ai fasti della giovinezza. Erano
mesi che Nanni sfoggiava quella dentiera, mesi che provava a non farla fischiare. Possibile che lei se ne fosse ac-
corta soltanto ora? E con un così allarmante disgusto?
   Da quando Gaia era in quello stato, da quando era
un'innamorata infelice e inspiegabilmente abbandonata,
non sognava altro che rinchiudersi in una camera iperba-
rica e interrompere qualsiasi contatto con il mondo civile
e soprattutto con quello incivile.
   Allo stesso tempo, però, aveva dolorosa nostalgia per
alcuni odori forti (di alcuni dei quali è indecente dar conto). Come dimenticare il profumo di Dav? Quello sì ch'e-
ra davvero indimenticabile. Quando saliva dietro alla
moto di lui – la Honda NS bianca rossa e blu che allora
era di moda possedere –, quando lo stringeva da dietro
sentendo tra le dita i promontori delle costole di quel gigante normanno, era indispensabile per lei infilare il naso
nell'incavo aperto tra il collo e la spalla di Dav. Mettere
impudicamente il naso nel colletto della camicia per sentire quell'odore inconfondibile di uva acerba e di detersi-
vo era diventato un'abitudine che la faceva quasi svenire.
Ebbene, ora bastava il ricordo, il ricordo di quel maledetto odore di Dav – un odore irriproducibile perfino in la-
boratorio, un odore che non sarebbe mai appartenuto ad
altri, un odore che presumibilmente non gli sarebbe sopravvissuto, quell'odore destinato ad altre biondine non
meno avvenenti di lei, quell'odore che le era stato dato e
ora le veniva tolto, che probabilmente non avrebbe mai
più percepito da così vicino, quell'odore d'un'epoca irri-

petibile – a farla esplodere in una serie di singhiozzi e convulsioni notturne.

(Qualche minuto fa, per riposare i polpastrelli e il cervello dal tour de force cui li ho costretti nelle ultime ore di volo, ho afferrato nella tasca di fronte al mio posto il "Time". Sfogliandolo distrattamente ho soffermato lo sguardo su un pezzo piuttosto interessante: un'équipe di studiosi inglesi sostiene di aver dimostrato che l'amore è anzitutto un'esperienza legata all'olfatto. Mi è scappato un sorriso. Non so se questa scoperta sia l'ennesimo tributo versato dall'iperrazionalismo anglosassone all'ottusità universale, ma per quel poco che conta posso testimoniare che quasi venti anni fa conoscevo una ragazza che avrebbe potuto sottoscrivere tale ipotesi scientifica. Per Gaia l'odore di Dav non era uno dei tanti attributi del suo amore per lui. No, nell'odore di Dav era semplicemente racchiuso tutto il suo amore.)

Gaia non era solo sospiri e nostalgie. Il suo organismo secerneva anche rabbia e legittimo desiderio di vendetta. Come avrebbe potuto essere altrimenti? Il ricordo di come Dav l'aveva abbordata, solo due anni prima, la faceva impazzire, e così il ricordo di come allora lui, pur piacendole, le fosse tutto sommato indifferente, la empiva di nostalgia. Dio, se solo l'avesse rifiutato. Se solo avesse potuto rigiocare alcune mosse sulla scacchiera della loro relazione! Se solo gli avesse opposto uno dei rifiuti memorabili che lei – Gaia Cittadini – aveva imparato così presto a contrapporre ai corteggiatori... C'era stato un tempo in cui lui era così premuroso e lei così sicura di sé. Si malediva per non averlo trattato male allora. Per essersi lasciata abbindolare in quel modo. Naturalmente tutta questa rabbia, per tramutarsi in disprezzo, necessitava di qualche appiglio. E lei aveva un bisogno fisiologico di disprezzarlo. Se non altro perché la via del disprezzo le appariva quella giusta per ridimensionare l'idolo che sembrava essersi impossessato della sua mente (certi giorni aveva l'impressione di pensare costantemente a lui per tutte le quattordici ore che dividevano un sonno dall'altro, e talvolta, al risveglio, era certa che lui si fosse intrufolato nei suoi sogni per sconvolgerli). Sì, la strada dell'emancipazione passava per quella del disprezzo. E per riuscire in una simile disperata impresa lei doveva attingere a tutto lo snobismo di Nanni e di Sofia, appellarsi al senso della distinzione che entrambi le avevano instillato. L'unica arma a disposizione di quella ragazzina era la discriminazione sociale e religiosa.

Quello sporco ebreo! Quel borghesuccio arricchito con quel padre ripugnante, quella madre ripulita e quella casa pretenziosa!...

Sì, pensieri di Nanni ripensati dalla mente di sua nipote, per uno scopo nobile: l'igiene mentale e la riconquista d'una parvenza di tranquillità. Eppure era talmente evidente la malafede di tali invettive che subito i difetti da lei tendenziosamente attribuiti a Dav si trasformavano nella sua stessa mente in autentiche qualità. Perché Dav – il suo Dav – non avrebbe potuto vivere in un'altra casa. Perché Dav – il Dav che lei amava così disperatamente – non avrebbe potuto avere altri genitori. E cosa avrebbe potuto essere David Ruben se non ebreo? Ebreo. Ebreo. Ebreo. Possibile che quella parola, che per lei non aveva mai rappresentato niente, ora definisse perfettamente il suo destino? Possibile che ormai le bastasse imbattersi in una giornalista televisiva che parlava con costernazione della guerra israelo-palestinese per cadere nel più sfiancante deliquio? Possibile che sognasse di convertirsi?

E infine la più annosa delle questioni in quella scuola, e nel resto dell'universo: il giudizio degli altri. Chissà perché Gaia, che non si era mai vergognata di nulla, ora aveva preso a considerare il proprio stato come un'onta incancellabile. Come se essere stata lasciata, e continuare ad amare senza essere amata, rappresentasse per lei una caduta di stile o addirittura una colpa gravissima. Per questo non faceva altro che fingere buon umore: uno sforzo che doveva costarle un grandissimo sacrificio e che, d'altra parte, non veniva ripagato da risultati accettabili: perché bastava nulla – un'allusione sfuggita a qualcuno su David, sull'Olgiata, sugli ebrei, sulla pesca, sui film americani e su tante altre imprevedibili cose – per far emergere, in tutta la sua lividezza, il turbamento su quel viso solitamente imperturbabile. Come se lei avesse perso potere su se stessa, come se il suo proverbiale autocontrollo fosse venuto meno. Ma non era solo questo il problema. Coi giorni, mentre la notizia che David l'aveva lasciata (per un'altra?) si diffondeva, Gaia aveva avuto sempre più la sensazione paranoica che gli altri congiurassero contro di lei. Anche a fin di bene. Ma ciò non la consolava. Era perfino patetico.

Un giorno, per esempio, aveva dimenticato in classe le scarpe da ginnastica per la lezione di educazione fisica. (Da qualche tempo era così svagata!) L'insegnante le aveva permesso di andarle a prendere. Sicché Gaia, dopo averle indossate, era tornata in palestra di corsa. Ma aprendo la porta con una certa ansimante energia, aveva avuto l'impressione che le sue amiche spaventate avessero interrotto bruscamente la conversazione. Stavano parlando di lei? O della nuova ragazza di David? Evidentemente loro sapevano chi era, quella troia! Un tempo era lei a sapere tutto di Dav, a custodire i suoi segreti, ora era la sola ragazza a non avere diritto a sapere alcunché. E dire che avrebbe voluto fare un mucchio di domande... ma sapeva che anche la più pietosa risposta l'avrebbe addolorata per giorni. Ormai aveva capito come funzionava: meglio quella nebbia di nozioni vaghe e di raccapriccianti ipotesi con cui conviveva da qualche settimana che le poche notizie certe di cui era venuta a conoscenza per caso e che non l'avevano lasciata dormire per diverse notti consecutive. No, non avrebbe chiesto niente. Si sarebbe morsa la lingua pur di non chiedere niente a quelle streghe. Ma pochi minuti dopo le sue orecchie non avevano potuto fare a meno di percepire alcuni lacerti di conversazione tra le sue compagne. Così aveva capito tutto. Il giorno dopo ci sarebbe stata una grande festa in casa Ruben. Una delle tante, certo. Ma per Gaia la più importante perché era la prima cui lei non avrebbe potuto partecipare. Ecco ciò che volevano nasconderle!

Non essere invitata a quella festa le sembrava una così ingiusta mostruosità... E pensare che David più di una volta l'aveva fatta sentire la padrona di casa. Ricordava quando aveva aiutato la signora Ruben e la filippina ad apparecchiare con tovagliette all'americana di stoffa verde il tavolo vicino alla piscina per una cenetta improvvisata di salumi formaggi e verdure grigliate. Erano i primi giorni di giugno. A quell'ora l'aria aveva un colore così suggestivo e un odore così buono! Esisteva ancora tutto questo, da qualche parte? Ricordava i sorrisi d'intesa che aveva scambiato con la signora, i sorrisi tra una nuora e una suocera che si adorano. Sicché nel ricordare quei sorrisi, Gaia trovò una maniera tutta nuova per seviziarsi. Bastava ripensare quella scena con una piccola variante: rappresentarsi quella scena senza eludere alcun dettaglio, eppoi inserire una modifica: era sufficiente cambiare la ragazza e il sogno rosato diventava incubo. Sì, adesso non era più lei che aiutava la signora Ruben, adesso non era più lei a percepire quel profumo buono di rincospermo e di cloro, adesso non era più lei a sentirsi una nuora felice. Quei maledetti Ruben avevano cambiato la prima attrice, avevano dato il ruolo di protagonista a un'altra compiacente puttanella!

Tutti potevano entrare in quella casa. Possibile che solo lei – la predestinata – non potesse più farlo? Forse questo è il rischio che corrono le predilette del Sultano: il rischio di venire emarginate improvvisamente. Tutto questo non aveva senso. Gaia non aveva mai odiato gli altri come in quel momento.

Così talvolta – poteva capitare repentinamente senza alcun preavviso significativo – Gaia prendeva coscienza che Dav era perduto, che Dav era di un'altra, che Dav non sarebbe mai più stato suo. Questa raffica di constatazioni le spaccava in due il respiro come se si trovasse di fronte a una cosa allo stesso tempo ingiusta e implacabile. Erano quelli i momenti in cui avrebbe voluto vedere la sua rivale. Avrebbe voluto sapere tutto di lei, con una curiosità morbosa. Come si chiamava? Dove viveva? Cosa aveva fatto fino a quel momento? Era cosciente di aver causato tanta sofferenza a un altro individuo? Dio, che meraviglia se fosse morta! Che miracolo se la rivale senza nome fosse rimasta vittima d'un incidente stradale... Allora lei, Gaia, sarebbe certo rientrata in scena. Lo avrebbe consolato, avrebbe dato sfogo a tutta la sua pietà e a tutta la sua comprensione e lui non avrebbe potuto resisterle. Era così bello pensare alla morte di quella anonima troia! Se solo non fosse mai nata! Se solo lui non l'avesse mai incontrata! Per il momento Gaia non poteva fare a meno di trasfigurarla: immaginandola alta come una modella, algida come una svedese, ricca come Onassis e disinibita come una...

Così Gaia sognava di essere una mosca. Sognava di volare nella stanza della sua antagonista (anche se era patetico ritenerla tale: non c'era alcuna contesa in fondo, la guerra era già stata perduta!), sognava di vederla vivere senza essere vista, di intrufolarsi nella sua stanza. In fondo doveva essere una creatura davvero eccezionale per aver soppiantato lei, Gaia Cittadini, la ragazza più desiderabile tra tutte le desiderabili! Pensate, Gaia in certi momenti sentiva addirittura di amare la sua rivale, anche se in un modo sinistro. Era chiaro: se il suo Dav l'amava, come poteva lei non amarla? In fondo Dav aveva insegnato a Gaia a ritenere necessarie cose che non avrebbe mai creduto possibile amare. Il pensiero della nemica senza volto faceva più male del pensiero di David. E Gaia ne era semplicemente atterrita.

E temo che Gaia meriti il nostro rispetto: in fondo sta imparando la lezione più dura: sta imparando che nessuno è insostituibile. Neppure lei – Gaia Cittadini –, neppure lei che si è sempre sentita una cosa così preziosa, neppure lei, che ha sempre creduto di essere al di sopra di qualsiasi altra donna, è insostituibile. Così Gaia arriva a capire che non bisogna credere agli uomini che ti dicono "Come te nessuno mai". Non bisogna credergli quando ti dicono che non ti lasceranno. Non che non lo pensino. Forse in qualche momento lo pensano realmente. Ma poi? Poi, da un istante all'altro, smettono di pensarlo: anche la più stabile delle situazioni può capovolgersi. Non c'è da farsene un cruccio. Bisogna accettarlo, come si accetta la morte d'un padre e la follia di un fratello. Certe cose bruciano sia perché sono insensate sia perché non le puoi modificare.

Dav non c'è più. È altrove. Ora è un'altra persona. Un'altra cosa. Tutto qui. Basta solo provare a ricominciare. Il futuro: beh, quello almeno non smette mai di esistere! Eh sì, questo la faceva davvero piangere.

Naturalmente, tra i mille componenti di quell'universo ostile che Gaia, per pura comodità espressiva, chiamava "gli altri", c'ero anche io.

D'altra parte avrei impiegato un po' di tempo a capire la ragione sinistra per cui Gaia tutt'a un tratto aveva preso a frequentarmi con tale sospetta costanza: evidentemente, al di là di tutte le sue precauzioni, voleva stare vicina a qualcuno che potesse vantare un'assiduità con Dav, anche a costo di soffrire moltissimo. E in quella sua dedizione c'era qualcosa che non stento a definire eroico. Ed era palese che puntava tutto sulla mia amicizia con Dav (quel virile sodalizio che preferiva pudicamente sorvolare su ogni dettaglio delle nostre rispettive vite intime, al punto che lui non si era sentito in dovere d'informarmi della sua storia con Gaia e io non gli avevo mai detto che Gaia era tutta la mia vita). Lei mi considerava alla stregua di quella felpa grigia che Dav aveva dimenticato una volta a casa sua e che lei non aveva voluto restituirgli: a un certo punto, esasperata, per non soffrire ulteriormente, aveva dovuto nasconderla. O alla stregua di quell'anello d'oro con brillante, per l'occasione forgiato dall'Atelier Ruben con la benedizione d'una Karen raggiante, che Dav le aveva regalato una sera (Dio, possibile che quella sera fosse davvero esistita?). Ma, rispetto a questi oggetti inanimati che servivano ad anestetizzare il suo dolore o ad approfondirlo, io per lo meno avevo il pregio di essere vivo e gentile e di poterle elargire notizie di prima mano su Dav.

In fondo perché avrei dovuto lamentarmi? Era accaduto più di quanto avessi mai osato desiderare. Non avevo forse mille volte sognato l'infelicità di Gaia? Non per cattiveria. O almeno non credo. Che cosa potevo farci se – come avevo a più riprese constatato – la felicità di quella ragazzina sembrava perfettamente armonizzarsi con la mia disperazione? Come potevo non vedere che tra le sue gioie e i miei dolori sembrava essersi instaurato nel tempo un rapporto di causa ed effetto? Quindi se la sua gioia mi faceva tanto male, se essa risultava addirittura intollerabile, era ragionevole ritenere che nel caso lei si fosse ammalata, o avesse avuto un grande smacco, o avesse sofferto un lutto gravissimo il mio umore sarebbe improvvisamente levitato.

Quanto mi ero sbagliato! Non mi piaceva vederla triste.

E non per un accesso improvviso di filantropia, che all'epoca ero troppo disperato per potermi concedere, né per un'affezione a lei, che, d'altra parte, non sarei mai riuscito a provare. Come potevo sentire pietà per lei? In fondo la pietà è un lusso che ci concediamo solo nei confronti di individui da noi boriosamente considerati inferiori. Eppoi, c'è da dire che le *pene d'amore* – benché ognuno di noi le abbia provate, sperimentando quanto esse siano estenuanti per il nostro organismo e per la nostra psiche – difficilmente ispirano pietà: il massimo che riusciamo ad accordare a un amico in crisi sentimentale è un po' di ben dissimulata disapprovazione: come se stesse perdendo tempo con una sciocchezza di nessun conto. «Con tutti i bambini che muoiono di fame... con tutte le guerre che insanguinano il mondo... ti avveleni la vita per quella...» Sì, non c'è niente di più incomunicabile d'una pena amorosa.

Più che altro era come se Gaia – attraverso quello sfoggio di mestizie e di malumori – stesse violando un contratto commerciale che le imponeva di essere sempre al
massimo della curva emotiva. Il fatto che si prendesse simili libertà rispetto all'idea che io mi ero costruito prodi-
toriamente di lei, sin dalla prima volta in cui l'avevo vista
al funerale di Bepy – idea rinsaldatasi all'apparizione
della solare marinaretta che sbarcava saettante dal motoscafo Riva –, metteva a dura prova la mia stessa fede nel
mio amore. Era come se il mio amore si nutrisse di aspettative. Non a caso esso era divampato inarrestabile proprio nei giorni in cui avevo frequentato la fastosa villa di
Positano dedicata proprio a Gaia. E da allora il mio amore non aveva fatto altro che pretendere da quel fasto inco-
raggianti conferme. E Gaia, almeno fino a quel momento,
non mi aveva mai tradito. Mi aveva illuso che al mondo
esistesse un genere di individui a cui le cose andavano
sempre bene. Individui le cui vite non venivano mai av-
velenate da frustrazioni improvvise. Ma d'un tratto eccomi di fronte a questa nuova improbabile lagnosa Gaia.
No, non mi faceva pena, ma un po' di senso. Io, che avevo accettato con tanta stoica euforia il suo presunto disprezzo nei miei confronti, non mi sentivo pronto a di-
sprezzarla a mia volta. Del mio disprezzo per lei non
sapevo davvero che fare.
    Inoltre il solo fatto che lei fosse stata rifiutata da David
– che pur essendo incommensurabilmente superiore a me
restava pur sempre un essere umano – la poneva ai miei
occhi in una prospettiva diversa. Questa vicenda stava a
significare che lei non era il massimo cui un uomo potesse
aspirare? Esisteva sul pianeta qualcuno che, avendo goduto per qualche tempo delle sue grazie, aveva finito con
l'annoiarsi e con il disfarsene? Se questo da un punto di
vista razionale mi era completamente intelligibile, da un
punto di vista sentimentale risultava folle. Eppure le cose
stavano così. Ad aumentare il mio disagio c'era il fatto che
chi aveva provato quella impensabile noia non era un es-

sere astratto di cui avrei potuto trasfigurare le inclinazioni fin quasi a divinizzarlo, bensì Dav, il mio amico Dav, individuo splendido, come non mi stancavo di constatare, ma troppo reale per essere da me autenticamente idolatrato. Cazzo, non ero mica Giorgio Sevi. Sapevo chi era Dav. Conoscevo i suoi limiti più di quanto lui conoscesse i miei. E il fatto che lui si concedesse il lusso di rifiutare sdegnosamente la ragazza che io amavo da matti mi poneva in una posizione, nella crudele catena alimentare, di netta inferiorità. Sì, ero il pesce piccolo che veniva quotidianamente divorato da Gaia a sua volta fatta a pezzi da Dav.

E forse fu proprio per riequilibrare quella che mi sembrava un'iniquità darwiniana, per rendere circolare quel percorso che mi vedeva come l'ultimo anello in un ciclo di morte, che mi risolsi a togliere il saluto a Dav. Lo feci da un giorno all'altro, con un contegno che parve a tutti (ma soprattutto a lui) come l'estrema alzata d'ingegno di quel pazzo furioso di Daniel Sonnino, ma che invece, a ben pensarci, era il frutto d'una gelida razionalità e del desiderio tormentoso di ripristinare una parvenza di giustizia terrena.

Avreste dovuto vedere Dav! Non credeva ai suoi occhi. Mi inseguiva, chiedendomi spiegazione: che mi aveva fatto? Mi aveva offeso in qualche modo? Se era così si scusava! Bastava che io parlassi. Dicessi una parola, cazzo. Una sola parola. E io zitto, imperturbabile come certe eroiche novizie che, dopo aver fatto voto di non emettere alcun suono dalla bocca per il resto della loro vita, dimenticano le verdeggianti seduzioni del linguaggio. Non che mi aspettassi che lui soffrisse come io avevo sofferto per Gaia o come Gaia aveva sofferto per lui. Sapevo che non è poi così difficile rinunciare a un amico. Ma mi trastullavo all'idea che non avergli fornito spiegazioni lo avrebbe tenuto per qualche tempo in agitazione.

Sarebbero trascorsi anni prima che io tornassi a parlare con Dav. Ma questa è un'altra storia.

Certo è che, a pochi giorni dalla festa di Gaia, lei sembrava essersi completamente sbarazzata dall'ombra del solo ragazzo che l'avesse rifiutata. Al punto che i due si erano riavvicinati. Si sentivano spesso al telefono come capita agli amici (così finiscono le storie d'amore in paradiso?). Io ero tornato a essere per Gaia il miglior amico meno interessante che lei avesse mai avuto e, inoltre, avevo perso Dav. Non saprei dire, d'altronde, se alla resa dei conti qualcuno di noi avesse guadagnato; per quel che mi riguarda sono convinto – lo ero già allora, in fondo – non solo di aver perso tanto tempo che avrei potuto spendere in mille altri modi assai più gratificanti, ma che, nonostante tutto, non avrei saputo comportarmi altrimenti.

Un fatto, tuttavia, era certo, comprovato dall'esperienza: la sofferenza di Gaia mi insultava personalmente non meno della sua felicità.

Ma insomma, ragazzo mio, che cosa vuoi da questa benedetta fanciulla? Proviamo a ricapitolare: non sopporti che sia felice. Non sopporti che sia infelice. Non sopporti che si mostri indifferente. Ma, d'altra parte, non sopporti la sua amicizia. Non vuoi stare con lei. E, tuttavia, non accetti che lei non voglia stare con te. Non vuoi scoparla. Ma se fosse per te non permetteresti ad alcun altro di farlo... Insomma, si può sapere cosa diavolo vuoi?

Non è poi così difficile rispondere: vorrei che non fosse mai esistita. Vorrei non averla mai conosciuta. Ma ormai, avendola io già incontrata, non mi resta altro che desiderare ardentemente la sua morte!

«Una roba da film!» strilla Giacomo al colmo dell'euforia. Faccio un gesto con la mano per spronarlo ad abbassare la voce. E allora, sempre in un modo esagerato, comincia a sussurrare.

«... Saranno passati due anni e mezzo» dice «o poco più.»

Quindi quel che Giacomo ha definito "una roba da film" è accaduto nei giorni successivi alla festa di Diamante Arcieri, i giorni passati alla storia del mio martoriato organismo come i "tempi del sospiro mistico e pornografico".

«E Nanni non lo ha dimenticato» puntualizza subito Giacomo. «Ti dico, è tornato a parlare con Gaia relativamente da poco tempo... Figurati che anche il suo festone stava per saltare... Lui non voleva assolutamente che Dav venisse. E tutto per quella storia splendida!»

«Ma insomma, di che cazzo di storia parli?» gli dico a questo punto spazientito.

«... Il giovedì i filippini escono. E anche Nanni di solito non c'è. Accompagna nonna al bridge, poi vanno al cinema. Così ogni giovedì Gaia fa venire David a casa. I due fingono di studiare. Ma poi se la spassano... Cazzo, sento i gemiti dalla mia stanza. Che maratone. Ci danno dentro...

... Un giovedì Nanni si sente male e rientra prima, mentre i due piccioncini sono in piena immersione. Contano sulla precisione di Nanni. Nanni è un tipo abitudinario. Fa sempre le stesse cose. Tu sai che se il giovedì esce, prima di mezzanotte non ritorna. Sai che appena arrivato va subito a trovare la sua principessina per darle il bacio della buonanotte con in mano una bella tazza di latte con il miele e si fa raccontare la giornata e tutte quelle altre stronzate che lo entusiasmano... Ma stavolta torna a casa prima. Niente cinema: ci manda nonna da sola con le amiche. Lui ha un po' di emicrania. Ma non può sapere che a casa ad attenderlo c'è uno spettacolo cento volte più eccitante. Lo spettacolo apparecchiato dalla sua verginella preferita. La sua ingenua quindicenne. Un bel fuori programma: perché stavolta non la trova con indosso il pigiama con i disegni delle giraffe che lui le ha regalato. Non la trova a studiare sul letto con le gambe incrociate e la matita in bocca. È una scena splendida, Daniel. Una cosa da sbellicarsi...

... Nanni spalanca la porta e vede la sua principessina completamente nuda, inginocchiata, e stavolta in bocca non ha la matita, ma il cazzo di Dav. E sai qual è la cosa

veramente splendida? Non puoi neppure immaginarlo. È
che non sono soli. Su quel letto non ci sono solo David e
Gaia, ma anche un altro ragazzo. Lo hanno invitato per
guardare. Ma lui non si è limitato a guardare. È questa la
cosa splendida. Anche lui si è spogliato, anche lui ha voluto la sua bella razione di... Capisci, Dani, che scena? Non è
incredibilmente meravigliosa? Non è roba da film? Gaia,
di fronte allo sguardo sconvolto di Nanni, viene insignita
del prestigioso titolo di Miss Ammucchiata Dell'Anno. E
dovresti vederlo, Nanni. Ci manca poco che gli venga un
infarto. Strilla. È fuori di sé. Anzi no, piange: «Cosa fate?
Cosa cazzo state facendo alla mia topolina?...». Afferra
David ancora tutto nudo e ancora col coso dritto. Ma l'altro ragazzo no, Nanni non lo ha mai visto prima e non riesce a toccarlo. Dav non reagisce. E neppure l'altro. Sono
tutti impietriti. E Nanni li caccia continuando a piangere:
«Fuori di qui ebrei di merda!...». Adesso anche Gaia piange: «No, nonno, scusami, non hai capito...». Allora esco
dalla mia stanza – per curiosità, non li ho mai visti piangere insieme, e dire che sono due sentimentali e piangono
spesso, ma insieme non li ho mai visti –, per questo esco e
quello stronzo di Nanni mi urla contro: "Su Giacomo, torna dentro..." "Ma che succede?" gli chiedo... "Non lo vedi
che cosa succede, brutto mentecatto? Dentro, subito, non
farmi incazzare..." E intanto vedo quei due poveri Cristi
mezzi nudi in camicia e con le mutande in mano scendere
le scale e sgattaiolare dalla porta d'ingresso... Capito come
mi ha chiamato, 'sto stronzo? Mentecatto.»

È quella che Giacomo ha definito con una certa ap-
prossimazione "una scena splendida, una scena da film",
a innescare il disastro. In un solo istante nella mia mente
prende forma – chissà, forse sotto l'influenza di quell'ingenuo dell'Arabo – l'immagine della mia tolstoiana
Natàša, la mia natalizia compagna di shopping, la mia
aspirazione vitale, trasformata in una felina attrice porno,
una succhiacazzi da competizione, una – secondo il pro-

fessionale parere di suo fratello – così impratichita nell'arte di procurare piacere da non potervi più rinunciare, una troietta così insaziabile da desiderare due uomini alla volta.

Cosa facevo? Cosa *ero* mentre questa storia si consumava? Quante volte negli anni scorsi nel mio cantuccio casalingo, immerso in qualche romantica lettura ottocentesca, io ero stato ingenuamente sereno, mentre a pochi isolati da casa mia i due individui più amati e invidiati della mia adolescenza se la spassavano con uno sconosciuto? E qua le effetto produceva ora su di me tutto questo? Indignazione. Dolore, sicuramente.

Ma soprattutto sovrumana invidia. Un'invidia che vorrei definire trascendentale.

E la cosa davvero folle è che io ho mandato quella lettera, quella stramaledetta lettera piena di insulti e di minacce di morte, ho proclamato quell'insensata fatwa che mi ha letteralmente rovinato la vita procurandomi l'ostracismo delle persone con cui avrei desiderato passare il resto dell'esistenza, quella lettera che mi ha reso un reietto, che ha fatto sì che un intero quartiere togliesse il saluto a mia madre e a mio padre, solo basandomi sui racconti farneticanti d'uno squilibrato, che aveva mille motivi per nuocermi e un milione almeno per mandare a puttane la festa preparata con tanta perizia dalla sua odiatissima sorella.

Tutto il resto è consequenziale. Escalation inevitabile. Mentre indosso lo smoking, fedelmente assistito da mio padre che m'infila la pochette bianca nel taschino e i gemelli cifrati nelle asole della camicia, come mille volte io ho fatto con lui, penso a Nanni. Per una volta penso a lui come a un alleato nella sconfitta. Penso a come il suo endemico antisemitismo abbia ormai appigli ineccepibili. Penso alle due donne della sua vita, alle due principesse, accomunate da un aspetto esteriore tanto pudico e castigato e da un'insaziabile voglia di sesso... Penso ai due ebrei cui le ha dovute temporaneamente cedere. Penso a

Bepy e a David che se la spassano alle spalle di Nanni e alle mie. Penso all'idea che il cattolico, pseudoaristocratico, ultrapuritano Nanni Cittadini in Altavilla deve essersi fatto degli ebrei. Nient'altro che satiri. Satiri a cazzo dritto. Satiri senza scrupoli. Senza un minimo di rispetto per ciò che è alto e intoccabile. Satiri sempre pronti ad attentare alla bellezza. Satiri iconoclasti. Ecco cosa sono gli ebrei. E credo che a questo binomio ebraico (Bepy e David) il povero Nanni dovrà ben presto, prima di quanto immagini, aggiungere il terzo moschettiere dell'impudicizia. Sto parlando di me, naturalmente. Perché proprio mentre stringo il fiocco dello smoking, mentre a mio padre s'illuminano gli occhi e mia madre fa scattare il flash per immortalare la bellezza di suo figlio minore (una bella foto tuttora poggiata sul ripiano della libreria del mio funebre appartamento romano), penso non tanto a quanto sia folle andare alla festa di una ragazza alla quale hai consegnato da un paio di giorni una lettera per la quale potresti incorrere in una denuncia alla magistratura, e neppure a un ulteriore piano vendicativo – che so? mandare a monte la festa, comportarmi in modo indecoroso, schiaffeggiare Nanni, o commettere il peraltro già minacciato omicidio della neodiciottenne sotto lo sguardo atterrito dei suoi invitati... – ma semmai al desiderio ardente di entrare nella stanza di Gaia. Vedere i luoghi sacri che hanno ospitato il meraviglioso sacrilegio. Diciamo che tale missione può fornire un contributo essenziale all'archeologia del mio dolore e nuovi spunti per le mie sofferenze future.

Perché è questa la mia nuova ossessione. La folle lettera è stata scritta e consegnata. Non ho avuto risposte, è logico immaginare che Gaia ne sia rimasta sconvolta e spaventata. Frattanto le ho comperato, preda della medesima esaltazione, e dilapidando tutti i piccoli risparmi di adolescente destinati a ben altro, un anello da Bulgari. E subito dopo ho pensato che avevo il dovere e il diritto di vedere quella stanza. Che sarei andato a quella festa, che avrei sfruttato l'ultima occasione possibile per entrare indisturbato in quella casa, col rischio di sfidare lo stupore di Gaia e l'indignazione dei suoi nonni o di essere allontanato da un buttafuori. Andare a quella festa e a tutti i costi entrare in quella stanza, la stanza al piano di sopra che in questi anni di amicizia con Gaia – in preda alle solite tediose idiosincrasie – non ho mai voluto vedere. Qualcosa m'impone quest'estremo pellegrinaggio!

La luce è ovunque. La luce è visibile da lontano. A centinaia di metri di distanza la casa ocra di via Aldrovandi scintilla come un incandescente disco volante che sta per levarsi in cielo. Una congestione metallica di grigie auto di lusso ha bloccato il traffico. Mai vista tanta energia polarizzata: o forse solo la notturna di certe partite di calcio, alcuni set cinematografici, taluni studi televisivi. Lampade al neon, proiettori, fiaccole, trionfo futurista. Due riflettori all'angolo del cancello hanno trasformato una bougainville in un gigantesco polpo dai tentacoli color fucsia stritolanti un pino fosforescente. Sopra la tettoia del cancello principale un glicine scende spumeggiante come champagne che tracima da una bottiglia appena stappata. Eppoi tutti quei ragazzi, i ragazzi migliori che tu possa trovare a Roma nell'estate dell'Ottantanove. I ragazzi con storie alle spalle che inneggiano a confort e benessere. I ragazzi con mille prospettive. I ragazzi che faranno i notai o dilapideranno patrimoni. I ragazzi che non temono il futuro. Che non temono di finire male. Che non temono malattie. I ragazzi che non hanno paura. Che non invecchiano. Tra questi ragazzi ci sei anche tu che di paure ne hai a iosa. Paura di morire in questo istante preciso. Paura di non riuscire a sbarazzarti di questa perpetua immedicabile verginità. Paura di non liberarti da tutto questo. Di fissartici ineluttabilmente. Paura di non rivedere mai più David e Gaia e tutti gli altri. Paura di quello che avverrà stasera. Sì, tra loro, tra la crema dei ragazzi dell'Ottantanove c'è anche questo intruso impaurito, questo impostore senza vocazione per l'impostura, così cupamente determinato a entrare nella stanza della donna che ha minacciato di morte da non essere sfiorato dal dubbio che la sola cosa sbagliata sia essere qui. La sua determinazione è così assoluta che gliela potresti leggere negli occhi, se solo avesse il coraggio di alzarli.

Non manca nessuno. Perché qualcuno sarebbe dovuto mancare? Accalcati intorno al buffet principale degli antipasti, tutti lì a spintonarsi per raggiungere l'ultima bruschetta al tartufo o la tartina con la mousse di salmone... Eleganti amorfi effeminati soporiferi come in un film in costume. Tutti lì in pompa, tutti all'apice della propria umana avventura.

In posa, ragazzi! Coraggio! Per l'ultima foto di famiglia prima che inizi la discesa. Ora che avete ancora la pelle dorata, il ventre piatto e l'alito fresco, ora che potete correre per cento chilometri senza stancarvi, ora che avete il sudore più profumato dell'universo, meraviglioso balsamo da imbottigliare, questa resina di freschezza giovanile. In posa ragazzi! Coraggio! Per l'ultima foto di famiglia.

A David lo smoking non dona. È una cosa che ho sempre pensato con soddisfazione. Ha il viso troppo bello per non sembrare un confetto o un attore di soap. Il suo corpo sembra fatto apposta per gli abiti casual: le braccia lunghe, il metro e novanta d'altezza, la tornitura dei muscoli: tutto questo dentro uno smoking appare quasi sgraziato. Persino i grandi piedi, calzati da scarpe nere oblunghe e filiformi, fanno di lui un pinguino. *Oggi sono più elegante di Dav*, mi colgo a pensare, travolto da un flusso crosciante di euforia mondana. Mi compiaccio nel constatare che alcuni miei consigli forniti alla festeggiata nei mesi scorsi sono stati accolti e che soprattutto nulla sia stato modificato, sebbene nel frattempo il *consigliori* sia caduto in disgrazia. Che magnanimità, ragazza mia! O che indifferenza! E mi viene quasi naturale, nel concepire il piano che al più presto mi porterà nella stanza della festeggiata, avventarmi sulle bottiglie di vino rosso lasciate incustodite sui tavoli rotondi. In fondo quell'etichetta l'ho scelta io improvvisandomi sommelier per far colpo sulla mia gaietta. Ho l'impulso di afferrare anche uno dei coltelli a sega disseminati sui tavoli. Vedo la mia mano tagliare la giugulare di Gaia, vedo porporati fiumi di sangue scenderle sul collo... E intanto bevo senza controllo, con violenza. Tracanno a più non posso, finché in me non si fa strada il sospetto galvanizzante di essere diventato invisibile. Io vi vedo, ma voi non potete vedermi. Ho la vista annebbiata. Ho la vista d'un microrganismo che vede ma non viene veduto. È il miracolo suscitato da questa benzina che ho in corpo. Il miracolo della mia invisibilità. Nessuno si cura di me. Nessuno si è mai curato di me. Ecco il punto. Cazzo, neppure la festeggiata, cui soltanto tre giorni fa ho confessato il mio ardente desiderio di accoltellarla, persino lei non mi ha visto. Non è che ha finto di non vedermi. (Come avrebbe potuto dissimulare? Via, non si può essere così cinici!) È evidente che non mi ha visto.

E grazie al prodigio di tale invisibilità, grazie al vino rosso mandato giù a stomaco vuoto, grazie all'etilica mistura che scorre torrentizia nelle mie vene, grazie al fatto che l'attenzione dei presenti è stata improvvisamente catalizzata dalla pedana nera allestita al centro del giardino ove Nanni Cittadini e la sua diciottenne nipote con il vestito pallido dai riflessi rosati, alla mezzanotte in punto, hanno iniziato a ballare il solito stramaledetto valzer di Strauss, mentre la truppa di camerieri distribuisce le flûte di champagne e mentre le luci si spengono e un cafonissimo cono luminoso insegue i due ballerini nel loro goffo piroettare... grazie a tutto questo simultaneo trambusto, trovo finalmente il coraggio e l'opportunità di entrare in casa.

Così il salotto di Nanni, il suo borioso salottone stile Impero, mille volte fotografato da riviste patinate, scintilla per l'ultima volta sotto lo sguardo di quest'ospite indesiderato. Temo che l'estemporaneo incontro con la statua del suo presunto avo sia destinato a rimanere se non il più avvincente certo il più cordiale interscambio da me avviato nel corso di quest'epoca di attriti diplomatici e di parossismi emotivi. Forse qualcuno potrebbe dire che sia il contrasto con l'indifferenza dei ragazzi in abito da sera e con la melassa della musica diffusa nel parco a rendere amabile il sorriso sfuggito al mezzobusto. Forse qualcuno potrebbe aggiungere che è l'inattesa espansività della statua a spingermi a restituirle la gentilezza con un inchino. Uno spettatore disattento potrebbe liquidare il mio gesto come l'insana riverenza di un ubriaco verso un oggetto inanimato: in realtà il mio ossequio è l'omaggio alla sola creatura cortese incontrata in una soirée in cui perfino il tepore estivo sembra uno dei tanti effetti speciali allestiti da questa milionaria produzione cinematografica.

E chissà perché sono lieto – e lo dico senza ironia – nel constatare l'effettiva somiglianza tra Nanni e il calco del suo antenato. A essere maligno potrei attribuirla alla vocazione di Nanni al plagio e all'involontaria parodia già molte volte da lui manifestata.

È così? È questa attitudine – la smania di conformare i propri gusti a quelli dei propri miti – che ha spinto il vecchio Nanni ad adottare l'acconciatura da paggio del suo supposto progenitore? È per questo che a un tratto mi pare d'intravedere un'affinità tra l'ironica compassatezza di Nanni e il sorriso che la statua si ostina a rivolgermi? Ma poi è davvero così strano che Nanni, sedotto dall'insolente avvenenza alla Marlon Brando di questo busto settecentesco, abbia cercato di farla rivivere, almeno nei vezzi più evidenti, trecento anni dopo, nientemeno che sul suo stesso viso?

Sono riflessioni che riesco a coltivare con una lucidità divertita, ancor prima che luciferina. Mi sento quasi a mio agio. Soltanto quando mi accorgo che la linea del naso alla Brigitte Bardot della statua sembra replicare la sbarazzina nettezza di quello della mia Gaia sento il cuore così appesantito da dover distogliere lo sguardo.

Nel frattempo, ai lati dello scalone di marmo color panna che conduce ai piani superiori, come a demarcare simbolicamente la linea di partenza della mia via crucis, le due copie di Caravaggio sono lì ad attendermi. C'è una Madonna discinta che sembra rivolgermi un sorriso pieno di scherno. Trovo questi quadri così insultanti e sguaiati. Sono pura ostentazione, come i rubinetti d'oro nel panfilo d'un emiro, come un cappello da cowboy in platino nello studio d'un petroliere texano. E chissà perché, ma mi dà un gran conforto sentire nella tasca destra della giacca il peso del coltello a sega.

Il suono attutito del valzer con leggiadria mi conduce ai piani superiori, quelli che non ho mai visitato.

Immediatamente capisci che in quella camera c'è tutto quello che hai sempre cercato, mescolato con tutto quello che hai sempre voluto dimenticare. Come un album di ricordi e una palestra di ossessioni. Non sei mai stato in quella stanza. La trovi più piccola e assai più disordinata di quanto non avessi immaginato. È come se Gaia avesse voluto spezzare la solennità del museo in cui l'hanno costretta a vivere con un po' di sana e asettica modernità. Sussulti vedendo la tua lettera – la tua spaventosa lettera – aperta sulla scrivania, stropicciata e incustodita. Allora questa lettera, di cui presto tutti parleranno, esiste davvero? Quante volte l'avrà riletta? È bastata una soltanto? O si è accontentata delle prime cinque righe alla fine delle quali la festa degli insulti aveva già raggiunto il culmine di follia e d'intollerabilità? Ti viene in mente che il tormento maggiore, vergando quel capolavoro di indecenza, è stato per te il timore che lei non leggesse fino in fondo. Solo questo t'interessava: che non interrompesse la lettura. Eri come uno scrittore esordiente, affamato non tanto di consensi quanto di opportunità. Sì, volevi goderti la tua opportunità fino in fondo, consapevole che sarebbe stata l'ultima concessati da Gaia, dalla sua famiglia e da tutto il suo burroso mondo altolocato. Per questo prendi quella lettera, per accertarti che l'ultima pagina sia rovinata come le precedenti. E provi al solo contatto un senso di estraneità,

297

come se non potessi essere tu l'autore di quella sconcezza. Hai netta l'impressione che quella sia una porta spalancata sulla follia. Provi una vertigine. Come di fronte a un abisso.

Sì, questa stanza è molto più piccola, molto più modesta di quanto avessi immaginato. E sebbene a una prima occhiata distratta ti possa sembrare un luogo colmo di cose diverse, una camera esuberante, in realtà essa dice poco della sua abitatrice. Forse – malignamente pensi (non ti resta altro che la malignità!) – perché sul suo conto c'è poco da sapere. È ingombra di tutti quei cimeli che chiunque si aspetterebbe di trovare nella camera d'una diciottenne scema e di buona famiglia nel Millenovecentottantanove: peluche, penne colorate, fermagli, un divanetto a strisce bianche e verdi, un novero impreciso di foto dagli sfondi esotici o dolomitici, un mucchio di libri di scuola, vestiti buttati ovunque, sgargianti carte da regalo appallottolate, scarpe da ginnastica, candeline rosse, persino un mezzo bicchiere di latte il cui bordo è ancora opalescente per l'impronta di quelle labbra magnifiche.

Esiste un teatro migliore per un'ammucchiata? Nanni è entrato da quella porta e ha visto sua nipote completamente nuda e anche David completamente nudo e anche l'altro completamente nudo... Sei l'emozionato esordiente commissario sul luogo del delitto. Allora, vediamo un po': secondo le parole di Giacomo, per mesi i due si sono incontrati qua dentro. Ti manca il respiro. Vorresti piangere. Ma non viene. Sei stupefatto dalle tue difficoltà respiratorie: è come se una infuocata vampa avesse aggredito gli organi vitali, ma di lacrime neanche l'ombra.

Così ti ritrovi in bagno. La vasca dove Gaia ama immergersi. Il gabinetto dove piscia. Il bidet dove si sciacqua. Il cestino dove getta gli assorbenti. La cesta ove accatasta la biancheria sporca. Perché, sin qui, non ti è venuto in mente che questo luogo potesse esistere? Perché hai avuto così poca fantasia? Perché, alle soglie del Ventunesimo Secolo, hai creduto in quella favola dolciastra? Come hai armo-

298

nizzato il calvario erotico fatto di feticismi, di seghe in classe, di mille cimeli rubati con l'idea che Gaia non fosse una donna? Che roba è questa? Che rapporto c'è tra queste puttanate da frustrato seminarista e la storia della tua famiglia, così laica, così ebraica, così disincantata, così libertina? Questa è stata la tua vera follia, Dani. Il tuo anacronismo è la tua follia. Il ripudio di Bepy è la follia. Il puritanesimo fuori tempo massimo è la follia. Altro che la lettera minatoria. La lettera è solo una sbiadita emanazione della follia.

Ma il delirio ebbe fine lì, in quel bagno, alla vista delle calze e delle mutande, evidentemente da Gaia abbandonate prima di vestirsi con il suo abito bianco da debuttante, che in un attimo spazzarono via dalla mia mente qualsiasi pensiero superfluo.

Forse se solo Gaia fosse stata un po' più ordinata, se non avesse lasciato lì quella roba sensualmente afflosciata a ridosso della vasca da bagno, alla mercé del primo pervertito di turno, le cose si sarebbero svolte diversamente. Ma quelle calze e quegli slip diedero un'estemporanea stura alla mia esaltazione.

Afferrai le mutandine con religiosa cautela. Erano velate al punto giusto da un'ombratura d'un colore ineffabile. In fondo non erano altro che le mutandine d'una diciottenne qualunque. Qualsiasi giapponese avrebbe pagato migliaia di yen per annoverarle nella propria collezione. Guardarle e portarle al naso fu una sola cosa. E quell'afrore d'ammoniaca mi riportò indietro di anni: la notte brava londinese in cui mio fratello, sconvolto, mi aveva fatto odorare le sue dita anchilosate, pochi giorni prima che la mia vita cambiasse. Era quello stesso odore a chiudere una stagione durata cinque anni. Quello stesso odore che creava una sorta di sotterranea continuità: un lungo ponte che sembrava slanciarsi verso la mia pubertà. Come diceva quel sopravvalutato geniaccio di Henry Miller? *La fica è internazionale!* Niente di più vero. Hanno tutte – a una

299

diversa gradazione – lo stesso identico odore che cancella ogni metafora e proibisce la metafisica.

Finché fui bruciato alle spalle:

«Cosa stai facendo, schifoso?»

Riconobbi la voce di Nanni. Poi mi sentii afferrare e scaraventare fuori da quella stanza. Dovevo aver raggiunto quel grado di ubriachezza in cui il corpo scompare. Era come se Nanni avesse preso in mano un sacco e lo stesse per buttare giù dalle scale:

«Fuori di qui... Fuori di qui... Schifoso... Avete rotto i coglioni... Tutti con mia nipote... Fuori... Oddio, i miei quadri! Chi li ha toccati? ... E il naso della statua? Sei stato tu, maledetto psicopatico? Sei stato tu?... Io ti denuncio, ti denuncio... Avrei dovuto farlo già con tuo nonno... Ora lo faccio con te... Ti faccio rinchiudere!»

Nessuna diplomazia in Nanni. Solo un bel po' d'esasperazione: legittima, sacrosanta, trentennale esasperazione. E in effetti il consuntivo dell'ultimo trentennio di Nanni – a dispetto delle apparenze – non era tra i più rosei: una moglie mignotta, un figlio suicida, un nipote psicotico, una nipote pornostar... E ora le sue belle copie di Caravaggio accoltellate da chissà chi e la sua adorata statua mutilata del nasino alla Brigitte Bardot. E per questo mi stava scacciando da casa sua, urlando come un ossesso, di fronte allo sbigottimento dei suoi quattrocentonovantanove ospiti. Stava facendo quello che sua nipote non avrebbe voluto, e quello che lei non aveva fatto: spostare l'attenzione su qualcosa di diverso dalla sua festa e dalla sua autocelebrazione. Ecco perché Gaia aveva finto di non vedermi. Pur di non dare scandalo, pur di salvaguardare l'onore della sua festa, pur di non rinunciare a quella tanto agognata felicità, aveva corso il rischio di farsi ammazzare da quel sedicente psicopatico di Daniel Sonnino. Ma, povera Gaia, non aveva valutato che il pericolo poteva arrivare dall'individuo più insospettabile: da quel magnifico generosissimo benefattore che, al colmo dell'esasperazione, indignato dall'ennesima violazione dell'intimità di sua nipote, non aveva avuto la freddezza di calcolare il rischio cui stava esponendo l'intera festa. A questo punto era certo che essa si sarebbe impressa nella memoria collettiva d'un intero quartiere (d'un'intera città? Via, non esageriamo!) a causa di quella scena e non per tutto il resto: addio cura dei dettagli! Addio a tutte le altre raffinatezze per cui Gaia s'era prodigata affinché la festa – la sua festa – non fosse mai dimenticata! Giacomo aveva vinto: il guastafeste aveva trionfato: io non ero che lo strumento di cui si era servito per i suoi loschi piani.

Ora tutti avrebbero ricordato la festa dei diciott'anni di Gaia Cittadini solo come il lussuoso sfondo per una scena esilarante: l'intellettualino della classe, con la faccia da Danny Kaye, con le sue arie romantiche, le sue seghe pubbliche, con i suoi vezzi, con le sue manie di rompere amicizie senza ragione, con l'incapacità di controllarsi, con la sua inclinazione paranoica alla trasfigurazione e allo stravolgimento del reale, presentatosi alla festa di quella ragazzina da lui stesso poche ore prima minacciata di morte, a metà festa, completamente sbronzo, viene cacciato dal nonno della festeggiata che lo accusa pubblicamente di essersi introdotto nella stanza della nipote per odorarle mutandine e collant. Ecco la scena che tutti ricorderanno. Ecco la scena di cui tutti parleranno per molto tempo, che tutti racconteranno a tutti, con grandissimo diletto d'ognuno.

Ma perché, Nanni, te la prendi con me? Ti annuncio che stavolta non riuscirai a farmi sentire in colpa. Non sono che l'oscuro strumento della Storia: se Bepy è l'anarchico regicida che fa esplodere il conflitto io sono la bomba che mette fine alle ostilità. In fondo, se ci pensi, la lotta tra i Sonnino e i Cittadini ha beffardamente coinciso con la Guerra Fredda. Sarà per questo che – nel pieno dello stramaledetto Millenovecentottantanove – ci sentiamo entrambi confusi e inutili come divelti calcinacci del Muro di Berlino? Per una volta siamo alleati. Siamo noi i fregati. Via, Nanni, mica è colpa mia se Bepy si scopava tua moglie. Così come non è colpa tua se Bepy non ha voluto comprare i Caravaggio e se mio padre ti idolatra e mia madre ti detesta. Mica è colpa mia se tuo figlio si è suicidato in quel modo e se Bepy lo aveva predetto. Né se tuo nipote è uno psicopatico etilista affetto da pauperismo cronico. Né se la tua topolina già a quindici anni elargiva certi paradisiaci servizietti a Dav & company. E certo, lo ammetto, non è colpa tua se io sono un feticista segaiolo pieno di iniziativa. No, Nanni, noi non c'entriamo niente. I Sonnino non c'entrano. I Cittadini non c'entrano. Gli ebrei non c'entrano. I cattolici non c'entrano. Bepy è morto e tu stai decisamente invecchiando. È andata così, sarebbe potuta andare in un altro modo. Sono il primo ad ammetterlo. Ma è andata precisamente così.

Che dire di tutto questo, allora?

Non credo sia sopportabile chiudere la propria adolescenza con questa scena. Eppure è proprio con questa scena che la mia adolescenza si chiude. È questa la scena – non con tutte le mille altre scene toccate ai miei amici mediocremente felici o onestamente infelici – con cui devo fare i conti. Ma possibile che solo adesso, riascoltando nel cervello gli improperi di Nanni, io capisca improvvisamente il mio errore? Il grande errore di quegli anni. L'aver voluto competere con persone con cui non potevo competere. L'aver creduto ingenuamente che gli uomini fossero uguali. Il non avere dato retta a quel moralista classico di nonno Alfio quando mi diceva che gli uomini sono tutti diversi. E che la loro diversità è il frutto amaro di ogni sofferenza e d'ogni gioia strabocchevole. Che la gioia è diretta emanazione dell'altrui sofferenza. Che lo squilibrio di condizioni è la nostra voluttà. Che arrivare primi implica che qualcuno sia arrivato secondo e terzo e quarto o non sia neppure arrivato. Che la nostra felicità non può esistere se non a scapito di quella di tutti gli altri. Solo ora capisco che non c'è niente d'interessante in me, ma, semmai, solo nella fuorviante conformazione della mia mitomania.

Diciamo pure che in quel momento (e per "momento" intendo il lungo periodo che seguì la surreale esperienza in casa Cittadini) non ero abbastanza lucido per essere totalmente disperato, né abbastanza disperato per capire che quel dolore non serviva a niente. Forse avrei dovuto trovare conforto nel sapere che tutti – tutti, tutti, tutti, nessuno escluso – sarebbero invecchiati male. Che il tempo avrebbe fatto giustizia: sì, il *tempo,* il famigerato nemico dei poeti, in quel momento era il mio solo alleato, la mia sola speranza di serenità. il tanto biotrattato *tempo* si sarebbe incaricato di vendicarmi: martirizzando i corpi di quei ramati, aristocratici, floridi diciottenni così solerti nell'ostentare la propria solidarietà per la festeggiata vilipesa e minacciata di morte, e nell'affettare un'altrettanto gelida riprovazione per quello squilibrato, potenziale omicida nonché trituratore di opere d'arte e cimeli di famiglia di Daniel Sonnino. Dio santo, sarebbe stato davvero un sollievo essere capaci d'una così perversa saggezza: che divertimento lasciarsi inebriare da scenari così inesorabilmente ed ecumenicamente apocalittici! Ma ancora una volta, ahimè, devo denunciare la mia incapacità di essere utile a me stesso nei momenti fondamentali dell'esistenza. Eh sì, perché invece di fantasticare sulle future vene varicose di Diamante Arcieri o sulla decrepitezza di Dav o sul colpo apoplettico che avrebbe (chissà?) ammazzato Nanni e tutta la sua stirpe, mi lasciavo affogare nel mare di sentimentalismi in cui annaspano gli impotenti o i cardiopatici. Era più forte di me: era davvero spassoso torturarsi con l'idea melodrammatica che da tutto questo non mi sarei riavuto. Che questo avrebbe condizionato la mia vita in un modo fatale. Che per me non c'erano altre opportunità. Che la mia, di opportunità, l'avevo vissuta (sì, me l'ero mangiata ma dovevo scordarmi di digerirla). E bla, bla, bla... dietro alla voix du cœur: piagnucolosa grancassa tardoadolescenziale!

Ma, mettendo in un angolo queste trite sdolcinatezze che disonorano chi allora le concepì e chi oggi ha il coraggio di trascriverle, non voglio tacere dell'interrogativo che d'un tratto ha preso a lacerarmi il fegato: qualcuno sa spiegarmi perché, mentre questo aereo sta per atterrare, dopo che improvvisamente la luce dell'alba si è insinuata attraverso gli oblò mescolandosi all'odore delle brioche che stanno per servirci, dopo aver scritto per una notte intera martirizzando i polpastrelli, mentre gli insulti di Nanni si dissolvono in questo angusto ambiente pressurizzato e io continuo a fuggire dopo tanto tempo gli sguardi degli invitati alla festa fra cui avrei voluto così impetuosamente confondermi; qualcuno sa spiegarmi perché, alimentando l'impressione che gli ultimi anni non siano mai esistiti o abbiano poco o nulla contato, mentre mi preparo a rivedere mio padre e mia madre che certamente saranno venuti a prendere il figliol prodigo per dissuaderlo dall'idea di andare al funerale di Nanni, a poche ore dal momento in cui rivedrò dopo quasi un quindicennio Gaia, per constatare la sua metamorfosi da debuttante vestita di bianco-rosa a giovane donna in lutto; qualcuno sa spiegarmi perché, in questo grave istante, piuttosto che appuntare la mia commossa attenzione al periodo della mia vita così pieno di cose irrimediabilmente perdute – il sorriso a denti larghi di Bepy, il ballo con mia madre sulle note di *Scandalo al sole*, la barba biondissima di mio padre quarantenne, le sfibranti notti israeliane al fianco di quell'indomito vitalista di Teo il *tacchino* dei Ruben, la Madonna pontormesca d'improvviso apparsa sulla banchina di Positano, l'ottimistico clamore della fine del Ventesimo Secolo, il mio Secolo –, piuttosto che lasciarmi occupare da tutto questo, io pensi con malinconia alla splendida occasione gettata al vento in quella sera maledetta di accaparrarmi i collant e le mutandine di Gaia che avrebbero ornato il santuario di deprava zione da me faticosamente eretto nel corso d'una vita?

Sono davvero troppi gli amici e i mentori che dovrei ringraziare per aver reso possibile la pubblicazione di questo romanzo. Ed è solo per questo che mi astengo dal nominarli, riservandomi il privilegio di esprimere loro privatamente la mia riconoscenza. Tuttavia non posso fare a meno di rivolgere la mia pubblica gratitudine al mio maestro, Enrico Guaraldo, che mi ha insegnato a leggere e a scrivere, e a Giulia Ichino, che ha seguito la redazione di questo libro con accuratezza e passione contagiose.

Indice

«Con le peggiori intenzioni»
di Alessandro Piperno
Collezione Scrittori italiani e stranieri

Arnoldo Mondadori Editore S.p.A.

Questo volume è stato impresso nel mese di agosto dell'anno 2005
presso Mondadori Printing S.p.A.
Stabilimento Nuova Stampa Mondadori - Cles (TN)

Stampato in Italia - Printed in Italy